D1177941

DISCARDED

Aru Shah
Y EL ÁRBOL DE LOS DESEOS

Primera edición: noviembre de 2020

Título original: ARU SHAH AND THE TREE OF WISHES © 2020 by Roshani Chokshi.
First publishised by Disney Hyperion. Translation rights arranged by Sandra Dijkstra Literary Agency and Sandra Bruna Agencia Literaria, SL
All rights reserved

© De esta edición: 2020, Editorial Hidra, S.L.
http://www.editorialhidra.com
red@editorialhidra.com

Síguenos en las redes sociales:

 EdHidra    editorialhidra    editorialhidra

© De la traducción: Scheherezade Surià López

BIC: YFH

ISBN: 978-84-17390-11-2
Depósito Legal: M-28623-2020

Aru Shah
Y EL ÁRBOL DE LOS DESEOS

ROSHANI CHOKSHI

TRADUCCIÓN DE
SCHEHEREZADE SURIÀ LÓPEZ

Para mis padres, May y Hitesh, que siempre insistieron en que leyéramos la versión «auténtica» de los mitos y los cuentos. Gracias por ese maravilloso trauma. Os quiero.

UNO

Aru Shah no es Spiderman

Aru Shah tenía un relámpago gigantesco y muchísimas ganas de utilizarlo.

—No, por favor, Shah —le suplicó su amigo Aiden—. Como electrocutes a los objetivos con el *vajra*... echaremos a perder esta misión Pandava.

—Por favor... —dijo Aru con la esperanza de parecer más segura de lo que se sentía—. Soy la hija del dios del rayo y el trueno. La electricidad es lo mío.

—Ayer metiste un tenedor en la tostadora —dijo Aiden.

—Fue solo un segundito porque tenía prisionero a mi desayuno.

Una ráfaga de aire golpeó a Aru en la nuca y, al girarse, vio como un águila enorme con las plumas del color del zafiro se lanzaba en picado hacia ellos. El pájaro se abalanzó hacia el suelo y, con un destello de luz azul, se transformó en Brynne, su hermana celestial, hija del dios del aire.

—Los objetivos no están visibles —dijo Brynne—. Además, Aiden tiene razón. No confío en ti cuando hay electricidad de por medio.

—Pero si ni siquiera estabas en la conversación —dijo Aru.

—Aun así, la he escuchado. —Brynne se tocó un lado de la cabeza—. Tenía oídos de águila hace un segundo, ¿sabes?

Al lado de Aiden se encontraba Mini, hija del dios de los muertos. Se aferraba a su *danda* de la Muerte y miraba alrededor con nerviosismo.

—¡Podrías haberte electrocutado con ese tenedor, Aru! —la regañó Mini—. Y, entonces, habrías...

—¿Muerto? —preguntaron Aiden, Aru y Brynne al unísono.

Mini se cruzó de brazos.

—Iba a decir que habría sufrido graves quemaduras, un paro cardíaco, un posible coma... y sí, potencialmente, la muerte.

Brynne puso los ojos en blanco.

—Ya basta de tostadoras. Necesitamos un plan para salvar a los objetivos, rápido.

Las tres Pandava y Aiden estaban de pie, en la calle, mirando hacia la noria iluminada que coronaba el centro de Atlanta. Más allá de esta, se recortaba un horizonte iluminado e irregular. Los coches pitaban y se abrían paso entre el tráfico de hora punta en la carretera que había tras ellos, totalmente ajenos a los cuatro chicos y sus armas brillantes.

Antes, Hanuman, el instructor de guerra con cara de mono, y Bu, el mentor paloma, les habían dicho que en algún lugar de la noria había dos personas a las que tenían que rescatar. Las Pandava no tenían ni idea del aspecto de los objetivos, pero sabían que uno de ellos era clarividente.

«¿Por qué alguien ocultaría un clarinete?», había preguntado Aru.

Bu había suspirado.

«No es un clarinete».

«Ah».

Resulta que eso de «clarividente» no era un instrumento musical; era una persona que podía ver el futuro y hacer profecías. El Más Allá llevaba siglos esperando que se produjera una profecía importante. Si los rumores eran ciertos, tendría el poder suficiente para determinar el vencedor de la guerra de los *devas* contra los *asuras*, cuyo guía actual era el Durmiente. Pero las profecías eran un tema delicado, les había explicado Bu. Solo aparecían en presencia de ciertos seres, aquellos sobre los que trataba la profecía. Bu creía que, en este caso, solo los Pandava o los soldados del Durmiente podrían oírla. Y el éxito de un bando dependía de procurar que el otro no la recibiera.

Aru observó las alargadas sombras invernales. Habían cambiado mucho las cosas en el último año, desde que se aventuraran en el Océano de Leche. Ahora tenía catorce años. Había crecido unos cinco centímetros, el pelo le llegaba hasta los hombros y le quedaban bien los zapatos de su madre.., aunque seguía prefiriendo caminar descalza. A la luz del atardecer, las flores de los cornejos brillaban como estrellas atrapadas entre las ramas oscuras. Los cerezos que adornaban las calles mudaban sus pétalos rosas y el polen húmedo recordaba a copos de oro.

—He intentado volar alto para localizar a los objetivos, pero algunas de las cabinas están oscuras y cerradas

—dijo Brynne—. Lo único que no entiendo es por qué alguien que puede predecir el futuro se escondería en una atracción de feria.

—Sobre todo en una parada y sin operario —añadió Aiden.

—Quizá quería tener mejores vistas —sugirió Mini.

—Quién sabe, pero lo primero que tenemos que hacer es mover la noria para acceder a los compartimentos cerrados —dijo Brynne—. Si pudiera hacerlo con viento...

—¡La noria podría derrumbarse! —contestó Aru.

—Y si lo intentamos con el *vajra*, podríamos freír al clarividente —rebatió Brynne.

Mini se mordió el labio y miró de Aru a Brynne.

—A lo mejor... puede que haya otra solución.

Aiden asintió.

—Brynne puede utilizar el bastón de viento para balancearla con suavidad y que empiece a moverse. Yo controlaría el perímetro y...

—No tenemos tiempo para hacerlo con suavidad —lo interrumpió Aru.

—¿Y si nosotras escalamos la noria y uso la *danda* para examinar las cabinas? —sugirió Mini.

—¿Escalar la noria? —repitió Aru—. ¿Tengo pinta de Spiderman o qué?

—Bueno, a veces, cuando llevas ese pijama... —dijo Mini.

Brynne se rio por la nariz.

—¿Qué pijama? —preguntó Aiden.

«¡Abandonar conversación!», le gritaba a Aru su cerebro. «¡Abandonar conversación!».

—Va, en marcha —propuso a toda velocidad.

Brynne sonrió abiertamente. Entonces, movió el bastón de viento por encima de la cabeza. Una luz azul brillante salió del arma y un chirrido metálico atravesó la atmósfera. Frente a ellos, la noria comenzó a girar poco a poco.

—¡Vamos! —dijo Brynne.

Aru corrió hacia la atracción, un armatoste de sesenta metros de altura con cabinas cerradas que rotaban. Sentía los nervios a flor de piel mientras subía las escaleras a toda prisa y alcanzaba el primer radio interior. Las barras metálicas estaban pegajosas por la lluvia reciente y olían a hierro. Normalmente no habría accedido a escalar algo así, pero sus zapatillas personalizadas Pandava tenían unas ventosas encantadas en la parte inferior que le garantizaban que no caería.

Las Pandava llevaban una semana entera preparándose para esto y sabían lo que estaba en juego. No pasaba ni un solo día sin que Aru oyera algo sobre la creciente actividad demoníaca en el mundo mortal. Aun así, nadie había visto a la persona que estaba detrás del caos: el Durmiente. Su padre. Aru deseaba poder verlo como el monstruo que era, pero algunos recuerdos seguían confundiéndola y, a veces, no lo veía como era ahora, sino como el padre que había sido en el pasado. El hombre que la había acunado, aunque hubiera sido solo una hora.

Aru vaciló y se le resbaló la mano. El viento frío le azotó en la cara cuando miró hacia el suelo, a unos treinta metros. Desde ahí, las hileras de farolas parecían lejanos hilos de estrellas y el conjunto de árboles le recordaba a pegotes de puré de brócoli.

—¿Estás bien? —preguntó Mini desde el radio inferior.

«Tranquila, Shah», se dijo. Habían entrenado para esto. Podía hacerlo.

—No, soy Aru. —Le dedicó una sonrisa débil antes de estirarse hacia el siguiente radio.

Otra ráfaga de viento le lanzó el pelo contra los ojos.

«Estás escalando una noria», pensó Aru. «¿Sabes quién hace eso? LOS SUPERHÉROES. Y ese tipo de *El diario de Noa*, pero sobre todo los superhéroes».

—Las superheroínas —susurró para sí, y agarró la siguiente barra.

En voz baja, Aru empezó a cantar. Le dolían las manos y le castañeteaban los dientes. Cuando levantó la vista, vio que estaba a la misma altura que los imponentes rascacielos.

—¿Estás cantando? —preguntó Mini, que la estaba alcanzando.

Aru se calló de inmediato.

—No.

—Pues parecía eso de «Spiderman, Spiderman... hace lo que un Spiderman hace» y estoy bastante segura de que esa no es la letra.

—El aire debe de estar afectándote al oído.

Mini, que siempre había sido más ágil que Brynne y Aru juntas, la adelantó.

—Creía que te daban miedo las alturas —dijo Aru.

—¡Y es verdad! —contestó Mini—. Me dan miedo muchas cosas…, pero la terapia de choque funciona. Para mi decimoctavo cumpleaños podríamos ir a hacer paracaidismo.

—¿Podríamos?

—¡Mira, Aru, la primera cabina cerrada!

A unos cuatro metros y medio, al otro lado del pequeño puente metálico, había una cabina de cristal lo bastante grande para dos personas. La puerta roja estaba cerrada y el interior, a oscuras. Aru sacudió la muñeca y el *vajra* se transformó de pulsera en lanza. Una chispa de electricidad procedente de su arma le subió por el brazo.

—No frías la misión —murmuró Aru para sí misma.

El destino entero del Más Allá dependía de ellas. Aru apuntó hacia la puerta y liberó el rayo…

¡Bang!

El relámpago chocó con las bisagras de la puerta, que se abrió con un chirrido y reveló… nada de nada. La cabina estaba totalmente vacía. Mini levantó la *danda* en forma de espejo de mano, cuyo reflejo mostraba la realidad detrás de los encantamientos.

—Aquí no hay nadie escondido —dijo Mini.

Aru abrió la mano y el *vajra* volvió a ella.

—Sigamos —dijo.

Con lentitud, cruzaron de nuevo el puente hacia el centro de la noria y se arrastraron hasta el brazo siguiente. Mientras se movían hacia el radio de la segunda cabina, Aru hizo una mueca por el ruido de la ventosa de su zapatilla sobre el metal húmedo. Abrió la verja con el rayo y Mini miró dentro de la cabina con la *danda*.

—Vacía —dijo con el ceño fruncido.

La tercera vez ocurrió lo mismo: vacía. En la cuarta, Aru estuvo a punto de caerse hacia atrás cuando un par de deportivas, atadas al cinturón, cayeron de golpe y le dieron en la cara… Pero solo era una broma de quienquiera que se hubiera subido ahí el último.

La puerta de la cabina se abrió con un ruido sordo.

Aru miró por encima de ellas. Solo les quedaba una cabina más por comprobar. Se le aceleró el pulso. Cerró los ojos y se imaginó que podía escuchar, a través de la noche, el murmullo de las profecías no pronunciadas. El aire se hizo más frío y, de alguna manera, más pesado.

—La última —susurró Aru.

Se puso de puntillas para ver mejor y la ventosa del zapato se le separó del puente de metal pegajoso. Mientras ajustaba el rayo, la noria se sacudió con violencia, lanzándola hacia la derecha. La ingravidez le encogió el estómago cuando se balanceó y consiguió agarrarse por los pelos a la barra de metal mientras las piernas le colgaban sobre el vacío. Mini gritó y se sujetó como si le fuera la vida en ello.

«Los demonios nos han encontrado», anunció Brynne a través de un aterrado mensaje mental. «Tened cuidado».

Las piernas de Aru colgaban inútiles mientras daba patadas para intentar agarrarse. La noria dio otra sacudida, lo justo para poder subir las piernas y sujetarse a una barra con las corvas. Se retorció hasta alcanzar la parte superior del radio antes de ponerse en pie, temblorosa, al tiempo que el zapato volvía a adherirse al metal con un «glup».

Aru se arriesgó a mirar hacia abajo y pronto deseó no haberlo hecho. Ahora la atención de los demonios no iba dirigida hacia Aiden y Brynne, sino hacia ella y hacia Mini.

—¿Sigues conmigo? —le preguntó Aru a Mini—. Nos estamos quedando sin tiempo.

Mini puso unos ojos como naranjas por el miedo, pero se mordió el labio y asintió. Aru dio un paso hacia el radio que llevaba a la siguiente cabina, que se encontraba apenas a tres metros. Parecía vacía, como las demás, pero el aire en torno a ella se retorcía de forma extraña. Mini cerró el espejo de mano.

«Hay alguien dentro», dijo Mini en su mensaje mental. «Tienen que ser los objetivos. ¿Los avisamos de que vamos a abrir la puerta?».

Aru negó con la cabeza.

«Su raptor podría estar con ellos».

«¿A la de tres?».

Aru asintió.

«Uno… dos… ¡tres!».

Aru lanzó el *vajra* y el rayo golpeó contra las bisagras antes de regresar a su mano. El metal gimió al abrirse para mostrar una masa de vides negras que se retorcían como serpientes.

—¡Suelta al clarividente! —gritó Mini—. Ah, ¡y a la otra persona! No intentes hacer nada raro, porque vamos armadas.

Aru blandió el *vajra* y estaba a punto de decir «Y somos peligrosas» cuando la noria se balanceó y acabó gritando:

—¡Y somos *peligrohhh*!

La retorcida masa de vides se detuvo de repente. Una luz verde apareció en el centro de la maraña como un monstruo peludo abriendo un ojo.

—¿*Peligrohhh*? ¿Acaso existe esa palabra? —dijo una arrogante voz femenina.

—¿Eres la clarividente? —preguntó Mini por encima del aullido del viento.

Se produjo un instante de silencio.

—Puede.

Aru se tambaleó a pesar de que las ventosas del zapato la sujetaban al puente. Extendió los brazos para equilibrarse y el *vajra* se enroscó en torno a su muñeca como si fuera una pulsera.

—Entonces, ven con nosotras… si deseas vivir.

Otra pausa.

—Estamos bien aquí —dijo la voz altiva—. Gracias… pero no.

—¿En serio? —contestó Aru—. ¡Estamos aquí para salvarte! Deberías estar mucho más agradecida. ¿Cómo has acabado en una noria?

En el interior de las vides se oyó el sonido de susurros.

—Estamos escondidas —respondió una voz diferente, más suave—. ¿Eres Aru Shah?

Aru se detuvo.

—¿Sí?

Las vides se abrieron y aparecieron dos niñas idénticas de piel oscura de unos diez años. Una de ellas llevaba un vestido de flores con una chaquetilla brillante encima. Una tiara pequeña descansaba sobre su pelo lleno de trencitas. La otra vestía una camiseta a rayas y unos vaqueros oscuros y las trenzas le caían sobre los hombros. Aru las reconoció enseguida. Las había visto en un sueño.

—Vosotras... —comentó Mini sin aliento antes de que Aru tuviera la oportunidad de abrir la boca—. ¡Os he visto en mis sueños!

Aru giró la cabeza.

—Espera, ¿qué? ¿Tú también las has visto?

La chica con la tiara resopló, impaciente.

—Hicimos una visita a todas las Pandava.

—Ya hablaremos de eso después —dijo Aru, levantando la mano—. Por ahora, debéis venir con nosotras.

La chica de la tiara entrecerró los ojos de color azul gélido.

—Primero tenéis que salvarnos. Eso es lo que visteis en la visión, ¿verdad, Sheela?

—Ajá —dijo Sheela distraída antes de contar con los dedos: tres, dos, uno.

—¿Salvaros de...? —comenzó a decir Mini, pero, antes de que pudiera terminar, un ruido parecido al de un golpe en el agua surgió de la barra de metal sobre sus cabezas.

Aru se tambaleó hacia atrás. Un *raksasa* con cuerpo de hombre y cabeza de toro se dio la vuelta y soltó un rugido espantoso. La chica de la tiara tosió ligeramente, cruzó los brazos y señaló hacia el demonio.

—De eso.

DOS

Aquella vez que a Brynne
se le estropearon los zapatos

El *raksasa* con cabeza de toro avanzó hacia ellas.

—Esa profecía pertenece a la gloriosa visión del Durmiente —gruñó—. Dadme a la clarividente y quizá me apiade de vuestras jóvenes vidas.

—¿Quizá? —repitió Aru—. Pues menuda ganga.

El *raksasa* se echó a reír.

—Niñita, se te ha acabado la suerte. Entrégamela.

La mirada de Aru se topó con el rayo que ahora hacía las veces de pulsera reluciente. Si consiguiera que el demonio se colocara en la posición correcta...

La distrajo un gemido de Sheela, que se apretaba el estómago. Los ojos color azul gélido comenzaron a brillarle.

—¡Nikita! Ya viene.

Nikita agarró a su hermana.

—¿Estás segura?

Sheela empezó a temblar.

—Sí... Sí...

—Aguanta —le suplicó su gemela.

El *raksasa* le dedicó una sonrisa horripilante.

—Habla, clarividente. ¿Qué ves?

El pánico invadió a Aru. «¡No, no, no!», pensó. Solo ellas debían oírla.

—No se lo cuentes —exclamó Aru.

La voz de Brynne chilló a través de la conexión mental Pandava: «¡PREPARAOS!».

Mini se puso de cuclillas.

—¡Aguantad! —les gritó a las gemelas.

Con una sacudida de la muñeca, Nikita creó una pantalla protectora de vides negras sobre la puerta abierta. Aru se quedó boquiabierta. «Pero ¿qué narices...?».

—¡Aru! —vociferó Mini.

Una potente corriente de aire sacó a Aru de la cabina. Se agarró a la vid más cercana y se sujetó con fuerza. Por el rabillo del ojo, captó las luces del tráfico a varios metros de distancia bajo sus pies y el estómago le dio un vuelco.

Mini, aferrándose con fuerza a una barra de metal, hizo que la *danda* pasara de su forma compacta a la vara entera. Una luz violeta surgió de la punta mientras se preparaba para crear un escudo que las protegiera, pero el *raksasa* no se veía por ningún lado.

El viento se detuvo y la voz de Brynne apareció en la cabeza de Aru: «¿Lo he derribado?».

«¡Es a mí a la que casi derribas!», contestó Aru.

«Os he pedido que os prepararais».

«Bueno, pues yo no estaba preparada».

Un gruñido grave y amenazador flotó por el aire y a Aru se le erizó el vello de la nuca. En el radio en el que estaban Mini y ella, vio aparecer una serie de muescas, como si las hubiera dejado alguien con unos dedos fuertes e invisibles.

El *raksasa* se materializó de nuevo, agarrado con una mano al puente, mientras su cuerpo quedaba colgando en el aire debajo de ellas.

—¡Os arrepentiréis de esto!

Echó la otra mano hacia atrás y un pedazo de ónix en forma de S salió precipitado hacia Aru. El arma se retorció mientras volaba, emitiendo sombras que le oscurecieron la visión. Mini movió la *danda* por encima de la cabeza y un rayo de luz violeta irrumpió en la oscuridad. Justo cuando el brillo las absorbía, Aru vio algo más: unos zarcillos de sombras. Uno se enroscó en torno al tobillo de Mini mientras el otro se deslizaba bajo sus zapatillas para intentar despegarle las ventosas del zapato.

—¡Mini, cuidado! —chilló Aru.

Esta estiró la mano para lanzar el *vajra*, pero ya era demasiado tarde. Mini tenía la *danda* en la mano y, en un visto y no visto, estaba moviendo los brazos en círculos al tiempo que caía hacia atrás con un grito.

Sin dudarlo, Aru saltó desde la barra de metal sobre la que estaba mientras el aire frío le entraba en los pulmones al intentar respirar. Por arriba, oyó reír al *raksasa*.

—Adiós, Pandava.

«Acabas de saltar desde una noria», gritaba la mente de Aru. «¿POR QUÉ HAS HECHO ALGO ASÍ?».

Aru cerró los ojos con fuerza y apretó el puño.

—¡*Vajra*! —gritó.

El calor le recorrió el brazo cuando se activó el *vajra* y saltó de su muñeca antes de transformarse en un crepitante aerodeslizador hecho de un rayo. La electricidad chisporroteaba en el aire mientras el *vajra* zumbaba debajo de ella. Entonces, Aru posó los pies en él. Abrió los ojos y juntos, el rayo y ella, aceleraron por el cielo nocturno.

Mini giraba a unos cuatro metros y medio debajo de ellos, atrapada en una espiral violenta. Sus pensamientos aterrados se filtraban a través de la conexión mental.

«LO SIENTO, AYER NO ME LAVÉ LOS DIENTES. PROMETO QUE NO SE ME OLVIDARÁ NUNCA MÁS. Y ME COMERÉ TODAS LA VERDURAS DEL PLATO. POR FAVOR, POR FAVOR, POR FAVOR...».

«¡Mira hacia arriba!», le gritó Aru telepáticamente.

Le tendió la mano para intentar aferrar los dedos extendidos de Mini, pero su hermana no dejaba de dar vueltas fuera de su alcance. Cada segundo que pasaba estaban más cerca del suelo. Las farolas aparecieron ante ellos, así como los faros traseros de los coches que parpadeaban en la autopista.

Con una última sacudida veloz, Aru inclinó el *vajra* hacia delante, surcando el aire a la velocidad de la luz hasta que ambas chicas se agarraron. Mini abrazó a Aru con fuerza mientras el aerodeslizador volvía hacia la parte superior de la noria.

—¿Qué vamos a hacer? —preguntó Mini—. ¡Ya la has oído! La clarividente no puede contener la profecía mucho más tiempo y, entonces, la misión habrá fracasado por completo. El Consejo va a...

Un resoplido aterrado se tragó el resto de las palabras. Aru siguió la mirada atemorizada de Mini hasta el *raksasa*. Este hizo girar la mano y una espada gigante apareció en el aire. La cogió y empezó a cortar las vides de Nikita. En cuanto el *raksasa* capturara a Sheela, el Más Allá estaría perdido. Y Aru se negaba a dejar que eso ocurriera.

El tiempo pareció ralentizarse. Tenía los sentidos afilados como un diamante. Sentía la luz fría de las estrellas lejanas, oía la espada del *raksasa* chocar con el metal e incluso olía en el aire el ligero remanente de la tormenta eléctrica de hacía horas.

—Tengo un plan —dijo al pensar en la capacidad que tenía Mini de crear ilusiones—. ¿Puedes hacer que la cabina de la clarividente sea igual que las otras?

Mini tensó la mano sobre el hombro de Aru. A través de la conexión mental, Aru le envió un mensaje a Brynne: «Vamos a necesitar una nueva ráfaga potente».

Aru notó un alegre temblor en Brynne cuando contestó: «Dicho y hecho».

Una chispa azul surgió desde la distancia. Al mismo tiempo, Aru oyó como Mini le susurraba la siguiente orden: «Escóndete». Mientras, un brillo violeta irrumpió en el aire como cristales de azúcar de colores. La maltrecha cabina de las gemelas parpadeó y volvió a aparecer ante ellas cuando la noria comenzó a moverse, primero con lentitud y, luego, rápido, cada vez más deprisa, hasta que las luces se volvieron borrosas. Ni siquiera Aru sabía ya cuál era la cabina de las gemelas. El agarre del *raksasa* se hizo más débil y este se tambaleó, golpeándose la cabeza de toro contra las barras de metal mientras caía de un radio a otro.

—Agárrate fuerte —le dijo Aru a Mini.

Se apresuró con el *vajra* por el cielo y el deslizador relampagueante descendió de forma brusca, directo al suelo. Aru y Mini saltaron del aerodeslizador y Brynne y Aiden corrieron hacia ellas. Brynne giró el bastón como si fuera una maza y la noria se detuvo con un chirrido. El *raksasa* había caído al suelo junto a una de las cabinas y estaba sentado, sacudiendo la cabeza.

—Un intento lamentable —gruñó, levantándose con lentitud—. Sé que están aquí, es demasiado tarde.

Aiden blandió una de sus cimitarras, pero Brynne detuvo a su amigo. El demonio cojeó hacia la cabina y, cuando la alcanzó, Aru convirtió el *vajra* en un arpón para lanzárselo. Esperó a que Mini le diera luz verde con un gesto y después cogió aire, apuntó y lo soltó. La electricidad se propagó por la puerta cuando el *raksasa* agarró la manija de metal. Gruñó cuando una descarga eléctrica le subió por el brazo, obligándolo a ponerse de rodillas. El *vajra* rebotó y volvió a la mano abierta de Aru. Enseguida, Aiden, Brynne y Mini apuntaron al demonio con sus armas.

El *raksasa* levantó la cabeza y se llevó un brazo al pecho. Detrás de él, la cabina echaba humo y la puerta se había abierto: no había nada en el interior.

—¿Qué le habéis hecho a la vidente? —rugió mientras se ponía en pie con dificultad—. ¡Necesito la profecía!

Una vez más, empuñó la piedra en forma de S, pero Aru fue rápida. Su relámpago se convirtió en una red crepitante que se abalanzó sobre el demonio y lo cubrió por completo. El *raksasa* intentó sacar la espada, pero la red lo inmovilizó a toda velocidad.

—Es una pena que no encuentres lo que quieres —dijo Mini, dándole vueltas a la *danda* para que una ilusión brillante rodeara al *raksasa*.

—¡Qué lástima que haga un viento de locos! —dijo Brynne, moviendo el bastón para enviar una ráfaga fría contra él.

Aiden saltó hacia delante y le lanzó una cimitarra brillante por el cemento.

—¡Y lástima que te vayas a caer!

El *raksasa* se tropezó con el filo y, tras soltar un rugido aterrador, se golpeó la cabeza con un poste telefónico y se desmayó al instante. Aiden, Brynne y Mini dejaron caer las armas y rodearon al enemigo inconsciente. El *vajra* hecho red le dio al demonio un último apretón antes de volver a la muñeca de Aru convertido en pulsera.

—¡Eso ha sido la leche! —dijo Mini.

—Te equivocas —contestó Brynne mientras se guardaba el bastón—. Nosotros somos la leche. —Con un movimiento de cabeza, señaló a otros tres *raksasas* que Aiden y ella habían derribado y apartado a un lado del camino.

—Eso también —dijo Aru.

—¿No nos estamos olvidando de alguien importante...? —preguntó Aiden—. ¿Y la vidente? ¿Y la poderosa profecía?

Mini señaló hacia una cabina que estaba tres compartimentos más allá del vagón chisporroteante del suelo.

Brynne utilizó de nuevo el viento para que la noria girara con suavidad. Cuando se hubo detenido, Mini movió la *danda* y el aire frente a la cabina se agitó y retorció, como si alguien estuviera apartando una cortina: el compartimento estaba envuelto en vides negras. Desde el interior salía una luz verde palpitante.

—Ya podéis salir —gritó Aru.

La luz se interrumpió con brusquedad y las vides empezaron a retirarse con un ruido húmedo y succionador, como si fueran tentáculos en movimiento. Aru levantó la barbilla con orgullo. Lo habían logrado. Habían rescatado a las gemelas, derrotado a los *raksasas* y mantenido la profecía a salvo del Durmiente. Sonrió al pensar en cómo reaccionaría el Consejo cuando regresaran.

Dos días antes de la misión, Aru había oído a Bu defenderlas a gritos: «¡Las Pandava están listas para hacer cualquier cosa! Me juego las plumas a que es así».

«No te preocupes, Bu», pensó Aru. «Tus plumas están a salvo».

Y, cuando vio su reflejo en un charco, pensó que le había quedado muy bien el pelo. Otra cosa buena.

Aiden se situó junto a ella y, como siempre, iba a sacar su cámara, Sombragrís. Pero esta vez… esta vez la dirigía hacia… ¿ella? Aru sintió como un montón de agujitas calientes por la piel, lo que podría parecer horrible, pero, en realidad, era una sensación placentera. Se metió el pelo detrás de la oreja y ajustó la postura para que el *vajra* quedara un poco más centrado. Luego, se colocó delante de él.

Aiden la miró.

—¿Aru? —No le hizo ni caso. Según le había contado la *apsara* Urvashi, la indiferencia era la clave para el éxito en todo lo relacionado con los chicos—. Aru —repitió.

—¿Mmm?

—¿Podrías apartarte? Me bloqueas la vista de la noria.

Aru se desinfló al instante. Justo cuando se echó hacia atrás, se abrió la puerta de la cabina. Nikita, la gemela estilosa, dio un delicado paso al frente. Sheela apareció a su lado, tambaleante, con la cara pálida y sudorosa.

—Cuidado, id con cuidado —dijo Mini—. Habéis dado muchas vueltas... Puede que estéis algo mareadas o tengáis náuseas.

Luego le ofreció a Sheela la mano, pero Nikita se puso delante de su hermana, ahuyentando a Mini como si fuera una mosca.

—Sin tocar —le espetó Nikita.

Brynne enarcó las cejas.

—Oh, ¿perdona? ¿Dónde están las gracias?

Sheela gruñó y se tocó el estómago, meciéndose un poco hasta que logró parar, justo delante de Brynne.

—¡La profecía! —dijo Brynne—. ¿Ya está aquí?

—Eh, Brynne, quizá deberías... —comenzó a decir Aiden.

¡BLUAGH! Sheela vomitó sobre los zapatos de Brynne. Aru hizo una mueca.

—Yyy... demasiado tarde.

Aiden sacó una foto. Brynne parecía a punto de lanzar la noria sobre el tráfico.

—No me puedo creer que acabes de hacer eso —le dijo Brynne a Sheela—. ¿Acaso no sabéis quiénes somos?

—Las Pandava —dijo Nikita. La pequeña levantó la barbilla y cogió la mano temblorosa de su hermana—. Igual que nosotras.

TRES

Nada de amigos nuevos

Aru miró a las gemelas. ¿Más Pandava? Por supuesto que sabía que existían dos más, pero ¿tenían que aparecer justo ahora?

Aru pensó que a Bu le iba a dar un soponcio al tener que tratar con las cinco a la vez. Hacía poco, se quejaba de que tenía que tomar suplementos de piñones porque las hermanas Pandava hacían que le salieran canas en las plumas. Y no le había sentado demasiado bien que Aru le dijera que ya tenía las plumas grises… porque era una paloma.

—No os han reclamado todavía, ¿verdad? —les preguntó Mini a las gemelas.

—Pues claro que no —dijo Brynne, secándose los zapatos con el bastón de viento—. Si fuera así, estarían ligadas a un objeto físico. —Levantó el arma como ejemplo y se giró hacia las gemelas—. ¿Alguna vez se os ha aparecido vuestro padre espiritual?

Nikita y Sheela negaron con la cabeza. Brynne alzó una ceja.

—Entonces, ¿qué os hace pensar que sois Pandava? Quizá solo tengáis un don. Además, sois demasiado jóvenes y no hay Pandava alguna que sepa predecir el futuro.

Nikita la fulminó con la mirada.

—Tampoco había ninguna Pandava chica.

Aru no pudo evitarlo y, en voz baja, murmuró:

—¡Zasca!

Brynne puso los ojos en blanco.

—En serio, Aru, tienen ¿qué, ocho años?

—¡Diez! —replicó Nikita.

—Uy, cuidado —dijo Brynne con sequedad.

A la corona de rosas de color rojo intenso entrelazada con la tiara de Nikita comenzaron a salirle espinas en dirección a Brynne.

—Vale, vale —anunció Aru, poniéndose entre ellas—. Dejemos las flores espinosas quietecitas…

—¡Venenosas! —corrigió Sheela mientras removía el aire sobre las corolas de las flores.

—¿Y dejas que se acerquen tanto a tu piel? —preguntó Mini—. Podrías…

—Ahora mismo, podríamos morir todos —la interrumpió Aiden—. Quizás sean Pandava o quizás no. El Consejo revelará la verdad. La gran pregunta es: ¿qué vamos a hacer con estos? —Movió la cimitarra para señalar a los cuatro *raksasas* desmayados.

Aru sintió un nudo en el estómago. Los *raksasas* podían absorber experiencias incluso estando inconscientes. Si los dejaban, le transmitirían información importante al Durmiente. Lo último que quería Aru era que el enemigo descubriera que dos posibles Pandava se iban a unir al equipo, sobre todo porque una conocía una profecía sobre él.

Otra ráfaga de aire frío le recorrió la piel y se estremeció al mirar a su alrededor. Ahora era totalmente de noche. Si el Durmiente esperaba que regresaran sus soldados, se daría cuenta de que estaban tardando demasiado. Puede que incluso enviara más. Tenían que moverse. Y rápido.

—Deberíamos llevar a los *raksasas* a la Corte de los Cielos —dijo Aru—. Dejemos que el Consejo se ocupe de ellos.

—¿Llevar enemigos a nuestro territorio? —preguntó Brynne—. De ninguna manera, Shah.

—Pero saben demasiado —contestó Mini mordiéndose el labio.

Brynne refunfuñó, lo que, para ella, era un «Pues vale».

—Es verdad —comentó Aiden—. Pero incluso aunque quisiéramos llevárnoslos, ¿cómo lo haríamos? El Bazar Nocturno aplica restricciones muy severas. Las gemelas tienen menos de doce años, por lo que legalmente no pueden traspasar el portal sin el permiso del Consejo. Por eso la única opción que nos queda para acceder al Más Allá es atravesar una de las áreas sin cobertura mágica. Y a saber lo lejos que quedará alguna…

—Uno coma uno cinco kilómetros —anunció Brynne, sosteniendo en alto dos dedos. Como era la hija del dios del viento, podía indicarles las coordenadas exactas cuando las necesitaban—. A unos diez minutos andando.

—Un área sin cobertura mágica —repitió Aiden, masajeándose la sien—. Eso significa que ni el *vajra* ni la *danda* ni el bastón de viento funcionarán allí. Brynne es fuerte, pero no puede cargar con cuatro *raksasas* adultos ella sola.

—Reto aceptado —dijo Brynne antes de remangarse.

—Reto no aceptado —repuso Mini—. Te agotarías, y no podremos inmovilizarlos.

Miraron a los *raksasas* un momento. Entonces, Sheela carraspeó y le dio un codazo a su gemela.

—Vale —dijo Nikita con dramatismo—. Supongo que sí. —Sheela sonrió—. Yo me encargo —anunció Nikita, dando un paso al frente.

Abrió la mano y una luz verde irradió de las yemas de sus dedos. La acera tembló cuando la hierba se volvió más alta, se multiplicó y se extendió hacia el exterior hasta formar cuatro cojines rectangulares en el suelo. Unos esponjosos dientes de león plateados —o «hierbas de los deseos», como le gustaba llamarlos a Aru— salieron del barro, cuadruplicaron su altura y se enrollaron bajo los cojines para formar ruedas. Las vides serpentearon desde la tiara de Nikita y crecieron varios metros de largo antes de desprenderse y enrollarse en torno a cada *raksasa*, oprimiéndolos con fuerza. Luego, las vides llevaron los cuerpos inconscientes hasta los carritos. Por último, de los cuatro surgieron cuerdas para arrastrarlos, de las que brotaron pequeñas flores rosas y blancas.

—*Voilà* —dijo Nikita con un deje engreído—. Transporte, protección y, cómo no, un toque bonito.

Al cabo de diez minutos, Aru se encontraba seriamente preocupada por los ciudadanos de Atlanta. Ni una sola persona pestañeaba al mirar a los cuatro chavales que transportaban masas de vides de forma humanoide por las calles del centro.

—¿A alguien más le sorprende que nadie se sorprenda? —preguntó Aru.

Brynne resopló.

—Vivo en Nueva York. Créeme, esto no es nada.

—Quizás no puedan vernos —sugirió Mini—. Es de noche.

—O han decidido no hacerlo —dijo Aiden—. Contradeciría su idea de realidad, así que prefieren ignorarlo.

Mientras doblaban una esquina donde un grupo de motoristas estaban dando gas, Aru decidió probar la teoría de Mini. Gritó:

—¡Buen viaje! ¡Llevo un demonio!

—¿Y quién no? —vociferó un tipo con un impresionante bigote verde neón—. ¡Pásalo bien! —Y, dicho eso, se fue zumbando.

Aru se giró, a punto de soltar un chiste, cuando vio a las gemelas juntas.

—En serio, Nikki, que no pasa nada —susurró Sheela.

—No, sí que pasa —contestó Nikita—. Llevábamos mucho tiempo deseando esto y solo…

De repente, se quedó callada. Cuando Nikita levantó la voz, las rosas rojas de la corona se encogieron en pequeños capullos, de la misma manera en la que alguien cerraría la boca tras decir algo que no debía.

Aru miró a Brynne, Mini y Aiden. Durante un momento, dejaron de tirar de los *raksasas*.

—Sheela, ¿aún te encuentras mal? —preguntó Mini con delicadeza, tendiéndole la mano.

Sheela miró a Mini y, tras el impacto inicial, esbozó una sonrisa de sorpresa. Con cuidado, Sheela levantó la mano, pero Nikita se colocó frente a su gemela.

—Ya me ocupo yo de ella —soltó.

—Pero, Nikki... —empezó a decir Sheela.

—¡No!

—¿Sabéis? Entiendo eso de «no hacer amigos nuevos», pero estamos de vuestra parte, de verdad —dijo Aru.

Sheela le sonrió, pero Nikita frunció el ceño.

—Eso ya lo he oído antes.

Tras caminar un poco más, Brynne señaló al otro lado de la calle, hacia un viaducto enorme de cemento.

—La entrada hacia el área sin cobertura mágica está ahí, entre las sombras.

Aru observó esa zona oscura bajo el puente. Gracias a la luz de una farola cercana, vio que había recipientes de plástico azules vacíos y sacos de dormir raídos en el suelo frente a ella.

—Esto... ¿alguien ha estado alguna vez en un área sin cobertura mágica? —preguntó Mini.

—Yo —dijo Aiden—. Una vez.

—Vi la zona muerta en tu sueño —dijo Sheela con calma.

—¿Has visto nuestros sueños? —quiso saber Aru, que empezaba a entrar en pánico.

Por un momento, se preguntó si las gemelas sabrían lo de su pesadilla recurrente... esa en la que traicionaba a todos los que amaba, como había predicho el Durmiente. Pero Sheela negó con la cabeza.

—No te preocupes, no le contaremos a nadie que, en tus sueños, Aiden...

«¡NO!», gritó la alarma de la cabeza de Aru. «NO, NO, NO».

—¿Es que no os enseñaron modales vuestros padres? —preguntó Brynne—. Eso es de muy mala educación.

Sheela cerró el pico y dejó caer la barbilla.

—Nuestros padres están...

Pero Nikita le pidió con una mirada que se callara y, antes de que Aru pudiera preguntar, Aiden les hizo un gesto para que siguieran adelante.

—Crucemos ahora mientras podamos.

Tirando de los carritos con los *raksasas* detrás de ellos, atravesaron a toda prisa la calle antes de detenerse en la zona de luz amarilla que proyectaba una farola. La luz desaparecía de manera abrupta a un metro y medio de distancia de la sombra del paso elevado, como si alguien la hubiese cortado con un cuchillo. Por delante de ellos, el puente de cemento temblaba por la velocidad de los coches. El aire húmedo olía... a estancado, como si alguien lo hubiera dejado ahí durante mucho tiempo. Por lo general, el aire cerca de un portal mágico se retorcía de una manera concreta o se oía en forma de murmullo, igual que si alguien hubiera punteado la cuerda de un violín y las ondas de sonido hubieran seguido expandiéndose eternamente. Aru no detectó nada de eso. El *vajra* se movió en su muñeca, incómodo.

—Pronto estaremos en el Más Allá —lo reconfortó Aru.

Nikita señaló hacia la cuerda floreada de la que Brynne estaba tirando.

—No las rompáis, porque no seré capaz de arreglarlas cuando entremos.

Aru se giró para mirar al demonio desvanecido, enrollado en vides, de su carrito. Una ligera punzada de miedo le recorrió el cuerpo. ¿Cuánto tiempo estarían los *raksasas* inconscientes?

Mientras el grupo avanzaba, la larga sombra del paso elevado se transformó. Se contrajo, adoptó la forma de un cuadrado y, luego, se despegó del suelo hasta convertirse en una puerta.

Junto a Aru, los ojos de Sheela comenzaron a emitir un ligero brillo gélido.

—Deberíamos pasar —dijo la gemela. El tono era extraño, como si una segunda voz se hubiera superpuesto a la suya—. ¡Ahora!

CUATRO

El área sin cobertura mágica

El área sin cobertura mágica no era lo que Aru esperaba.

—Se parece al Bazar Nocturno —dijo Brynne.

Aru entendió a qué se refería. Tras pasar por la puerta de sombras bajo el viaducto, entraron en una versión extraña del Más Allá, una especie de universo paralelo… si dicho universo fuera como una de esas películas depresivas postapocalípticas donde todo es horrible. Aru levantó la vista, casi esperando encontrar el cielo abierto del Bazar Nocturno que mostraba tanto el sol como la luna. En lugar de eso, solo había un crepúsculo gris que no prometía estrellas ni los luminosos rayos del amanecer. Hizo que Aru sintiera frío.

Personas con ropajes de color apagado se paseaban por el mercado del área sin cobertura. Aru vio a varias con plumas sobresaliéndoles por el cuello y a otras con cuernos serrados en la cabeza, como si intentaran ocultar su verdadera identidad. Todos tenían un inconfundible aire de tristeza.

Puestos de color ceniza ofertaban fruta mágica podrida en medio de la multitud mientras otros comerciantes se abrían paso entre ellos para vender mercancías como frascos opacos de sueños descartados. En las paredes en torno al mercado había varias puertas, todas pequeñas y de aspecto desgastado, excepto una: en el otro extremo del patio se alzaba imponente un portón de acero de quince metros de altura. Al menos unas cien personas hacían cola delante de él.

—Esa es la puerta al Más Allá —dijo Aiden—. Reconoce a quienes pueden pasar al otro lado.

Las Pandava se acercaron y vieron que, frente a la puerta, había una pequeña plataforma de cristal aproximadamente del tamaño de una mesa de comedor. Una a una, las personas que trataban de pasar se subían al rectángulo. Si este desprendía un brillo rojo, la persona se marchaba con un aspecto más alicaído que antes.

Aiden frunció el ceño.

—La puerta sabe que son exiliados.

Junto a la plataforma, había un hombre de piel clara, vestido con un traje blanquecino; sujetaba un rollo de pergamino y gritaba a la multitud:

—Dad un paso al frente, aspirantes, y añadid vuestro nombre al contrato. Habéis oído rumores de que la guerra va a comenzar. Los *devas* os necesitan. —Hizo un gesto dramático hacia la cola de personas frente a la puerta—: Solo un año de vuestras vidas. Pensadlo bien. Luchad por los *devas* y quizás tengáis la oportunidad de regresar a casa.

Junto a Aru, Aiden puso mala cara.

—Menuda estafa —murmuró—. Estas personas no necesitan falsas promesas.

—¿Nos pueden echar del Más Allá? —preguntó Nikita, alarmada—. ¿Por qué?

—Algunos rompen las leyes de confidencialidad. Otros se relacionan con el grupo equivocado. —Aiden cogió aire y se miró los pies durante un segundo—. Otros simplemente se enamoran de la persona incorrecta.

Aru lo miró con atención. Estaba hablando de su madre, Malini. Antaño había sido una *apsara* famosa, pero, cuando decidió casarse con un mortal, se vio obligada a abandonar cualquier vínculo con el mundo mágico. El año pasado, ella y el padre de Aiden se divorciaron, y Aru recordaba lo mucho que él odiaba que su madre hubiera tenido que sacrificarlo todo por un amor que no había durado.

Junto a él, Brynne le pasó el brazo por los hombros y le dio un apretón tan fuerte que lo hizo resollar.

—Vamos —dijo con firmeza, aunque delicadamente—. Tenemos que volver y ponernos a la cola.

Aru dudó unos instantes al ver la cantidad de personas cada vez mayor que esperaba su turno.

—Si saben que no pueden entrar, ¿por qué se molestan en intentarlo?

Aiden esbozó una media sonrisa.

—Todo el mundo necesita esperanza.

Corrieron a través del mercado lo más rápido posible con los *raksasas* inconscientes como compañía. No era fácil tirar de ellos por el irregular suelo de barro, sobre todo entre tanta gente. Al menos nadie prestaba atención a ese extraño desfile. Todos llevaban su propio equipaje, ya fuera físico o mental.

Por fin, las cinco hermanas Pandava y Aiden llegaron al final de la cola. Mientras estaban allí, Sheela se mecía, nerviosa, al tiempo que su iris cambiaba de azul gélido al color del hielo. A Aru se le erizó el vello de la nuca al sentir una repentina explosión de magia retorciéndose en el aire en torno a ellos. ¿Cómo era posible, si estaban en el área sin cobertura mágica? Sabía que la profecía en el interior de Sheela era poderosa, pero esto era diferente, como estar junto a una tempestad reprimida.

—¡Sheela! —gritó Nikita, sacudiendo a su hermana.

La corriente poderosa de magia desapareció, como si alguien la hubiera metido en un tarro y lo hubiese cerrado con una tapa. Aru miró alrededor con nerviosismo. Los ojos vacíos de los miembros exiliados del Más Allá estaban ahora alerta, se giraban hacia Sheela y se entrecerraban con recelo.

—Tenemos que salir de aquí pronto —siseó Aru. La cola se movía rápido, pero definitivamente no lo bastante para su gusto.

Mini comprobó el pulso de su *raksasa*.

—Sigue inconsciente, pero no está muerto —anunció.

«¿Y si los demonios se despiertan antes de que se abra la puerta?», se preguntó Aru, entrando en pánico.

Mientras esperaban, Aiden sacó fotos de las personas de la cola y del área sin cobertura mágica de su alrededor.

—Perdona —lo llamó una pareja molesta a unos pasos de distancia—. ¿Qué estás haciendo?

Aiden bajó la cámara, toqueteando los botones.

—Estoy trabajando en una serie de retratos que capturen la injusticia universal.

La pareja lo miró antes de cambiar de postura.

—Bueno, en ese caso…

—Definitivamente, lo mío es una injusticia —gritó alguien de la cola—. Hazme una foto.

Alguien más vociferó:

—¿Las subirás a Instagram?

Mientras Aiden se movía entre la pequeña multitud a toda velocidad, Sheela se desplomó sobre su gemela.

—Aguanta, ya casi estamos… —trató de convencerla Nikita.

Pronto, solo tenían una persona delante. Como al resto, a él también se le denegó la entrada. Ahora les tocaba a las Pandava. Aru tiró de la cuerda antes de escuchar un «rrriiip». Miró hacia atrás y vio que la vid que sujetaba al *raksasa* se estaba debilitando.

—¡Las plantas están perdiendo la magia! —dijo Mini.

De repente, se pincharon las ruedas hechas con los dientes de león. Brynne dejó de intentar tirar del carrito y comenzó a rodar el cuerpo del *raksasa* inconsciente hacia delante.

—Solo tenemos que subirlos a la plataforma —las instó Aiden.

—¿Todos a la vez? —preguntó Aru—. ¡No cabrán!

Brynne empujó al prisionero hasta allí y lo colocó sobre la superficie.

—Fingiré… que… son… tortitas… de… demonio —dijo entre jadeos.

Aiden y ella subieron a los otros tres *raksasas* encima del primero y los envolvieron con las vides más resistentes que quedaban. Parecía el regalo de Navidad más horrible del mundo.

—Tendremos que ir con cuidado cuando los empujemos por la puerta, pero las vides deberían aguantar —comentó Brynne. Luego, se subió al montón de demonios y se puso las manos en las caderas.

Lo que Aru de verdad quería gritarle era: «¿TE ESTÁS DIVIRTIENDO?». Pero no era el momento.

Las otras Pandava y Aiden se echaron hacia atrás y una luz amarilla iluminó el rectángulo de cristal bajo los demonios. Una pasarela dorada de menos de seis metros apareció desde la plataforma hasta la puerta de acero. Luego, una luz verde empezó a parpadear sobre la entrada del Más Allá, invitándolos a abrir la puerta y cruzarla.

—Somos los siguientes —gritó Aiden—. Rápido.

Brynne saltó y tiró de las vides, arrastrando el montón de demonios por el camino mientras el resto del grupo subía a la plataforma. La tarima brilló con una luz amarilla de nuevo, garantizándoles la entrada. Saltaron sobre la pasarela. Mini, Aru y Aiden cogieron una de las vides mientras Brynne se ocupaba del resto. Las gemelas los seguían, con Sheela casi catatónica y apoyada en Nikita.

—¡Tirad! —dijo Aiden, haciendo lo propio con todas sus fuerzas.

Aru vio que las vides empezaban a marchitarse. Pensó que quizás, si se movían más rápido, estarían a salvo. Un grito a sus espaldas le llamó la atención.

—¡La puerta! —vociferó alguien entre la multitud—. Se va a abrir.

Un conjunto de exiliados con ojos enormes se apresuró hacia las Pandava. Los aspirantes desesperados intentaron subirse a la pasarela, pero una descarga eléctrica surgió de ambos lados y los mantuvo a raya. Sin embargo, eso no impidió que la multitud se aferrara a lo que fuera. A Aru la empujó hacia atrás alguien que la cogió de la manga de la camisa. Tiró del codo para deshacerse del extraño, pero el movimiento partió por la mitad la vid que estaba sujetando.

Aiden soltó su planta y se apresuró a colocarse detrás de los demonios para empujarlos.

—La puerta no os va a dejar pasar —gritó Brynne a la muchedumbre—. ¡Apartaos!

—¿Cómo lo sabes? —le preguntó una mujer de piel pálida y ojos de gato—. ¿Acaso no merecemos la oportunidad de regresar a casa?

Otro exiliado agarró a Aru por la pernera y la hizo caer al suelo. Se oyó un ruido sordo cuando se golpeó la cabeza contra la plataforma. Se giró hacia la derecha y se encontró cara a cara con un *raksasa* inconsciente.

Pero… ya no estaba inconsciente. Un ojo naranja y enfadado pestañeó y la fulminó con la mirada.

El montón de demonios empezó a removerse. Las vides mágicas bastaban para retenerlos… pero ¿unas normales? No aguantarían mucho. Sin pensárselo, Aru llamó al *vajra*, pero el rayo no respondió. Le rodeaba la muñeca como una pulsera normal, era como si estuviera durmiendo y no pudiera oírla.

El pomo de la puerta estaba ahora a su alcance. Lo único que debían hacer las Pandava era entrar, allí recuperarían sus poderes y la profecía estaría a salvo. Pero en cuanto se estiró hacia el pomo, un grito penetrante la detuvo.

—¡Demonios! —chilló alguien entre la multitud.

Con un rugido, dos de los *raksasas* se pusieron en pie, liberándose de las ataduras. La muchedumbre se dispersó.

—¿Pensasteis que podríais capturarnos, pequeños? —gruñó el primer *raksasa*. Sacó una espada de la muñeca y la hizo girar entre los dedos. Miró con rabia la puerta al Más Allá y añadió—: ¿Y arrastrarnos hasta ese odioso lugar?

—Dadnos a la chica de la profecía —exigió el segundo.

—¡Nunca! —rugió Brynne.

Aru empujó a Nikita, que seguía sujetando a su hermana, hacia la puerta.

—¡Pasad lo más rápido que podáis! —gritó.

Nikita asintió y Aiden tendió una mano hacia las gemelas para poder tirar de ellas. Nikita trató de agarrarse, pero Sheela empezó a temblar y se desplomó en el suelo con los ojos muy brillantes. Comenzó a hablar con una voz extraña, como si fuera a la vez terriblemente vieja e increíblemente joven:

«CRECIENDO ESTÁ EL
PODER MENOSPRECIADO
PARA RECLAMAR SU PREMIO
INMORTAL ARREBATADO...».

De nuevo, a Aru se le puso de punta el vello de la nuca.

—¡Está hablando! ¡Cogedla! —gritó el primer *raksasa*.

Aru dio unos pasos hacia delante, preparada para enfrentarse a los demonios, pero Brynne la cogió por la muñeca. Esta se fijó en las vides rotas del suelo y Aru no tuvo que leerle la mente para saber qué debía hacer. Mini y ella cogieron el extremo de una vid y Brynne el otro antes de correr hacia los demonios para hacerlos tropezar.

Cuando los *raksasas* perdieron el equilibrio, Mini sacó su *danda*. La magia seguía inactiva, pero aún era un espejo. Lo puso en el ángulo perfecto para que la luz incidiera en los ojos de los demonios.

—¡Ahora! —gritó Aiden.

Sujetó a Nikita de un brazo y agarró el pomo de la puerta. Brynne cogió a Sheela del suelo y Aru se aferró a la mano de Mini. Corrieron hacia la puerta mientras el suelo vibraba bajo sus pies. Justo en el exterior, Sheela dejó escapar un enorme jadeo. Unos rayos de luz aparecieron en torno a ella y la levantaron de entre los brazos de Brynne.

—¡La estoy perdiendo!

Sheela se quedó suspendida sobre el acceso al Más Allá mientras los demonios se acercaban a ella todo lo posible.

—Habla, niña —le pidieron los *raksasas*—. Háblanos del futuro.

Sheela echó la cabeza hacia atrás.

«CRECIENDO ESTÁ EL
PODER MENOSPRECIADO
PARA RECLAMAR SU PREMIO
INMORTAL ARREBATADO…».

—Tenemos que meterla dentro —dijo Aru.

Aiden y Nikita mantuvieron la puerta abierta mientras Brynne, Mini y Aru formaban una cadena. Aru estiró la mano y cogió el pie de Sheela para bajarla hasta los brazos de Mini, con los que le rodeó la cadera. Luego, Brynne, con un resoplido, empujó a las cuatro dentro del Bazar Nocturno…

Los *raksasas* intentaron seguirlas, pero Aiden empezó a cerrar la pesada puerta desde dentro, a la vez que Mini, con la magia activa de nuevo, creaba un escudo de fuerza para bloquear el espacio abierto que quedaba. El *vajra* se encendió con un parpadeo y Mini bajó el escudo lo suficiente para que Aru lanzara el rayo en forma de arpón. Golpeó a uno de los demonios en el pecho y este cayó hacia atrás.

Pero no fue suficiente. Con una voz que le produjo escalofríos a Aru, Sheela gritó la profecía completa:

«CRECIENDO ESTÁ EL
PODER MENOSPRECIADO
PARA RECLAMAR SU PREMIO
INMORTAL ARREBATADO.
UNA DE LAS HERMANAS NO ES REAL
Y SU MERECIDO EL MUNDO RECIBIRÁ
POR UNA ELECCIÓN BANAL.
UN TESORO ES FALSO Y
EL OTRO ESTÁ PERDIDO,
PERO EL ÁRBOL DEL CORAZÓN
SERÁ EL ÚNICO AFLIGIDO.

SIN ESA RAÍZ NINGUNA
GUERRA GANARÁ.
SIN COSECHAR SUS FRUTOS LA
VICTORIA SE LE ARREBATARÁ.
EN CINCO DÍAS, EL TESORO
HABRÁ FLORECIDO Y MUERTO,
Y TODO LO GANADO
QUEDARÁ DESIERTO».

El *vajra* volvió a la mano abierta de Aru. La puerta de hierro se cerró con fuerza… Pero no lo bastante rápido. Lo último que vio fue la extensa sonrisa del *raksasa* mofándose antes de saltar en el aire:

—Gracias, Pandava.

CINCO

Peor que enviarte al despacho del director

Aru sintió que el tiempo se ralentizaba en torno a ella. Habían fracasado.

El Consejo de Guardianes había sido muy claro acerca del poder de la profecía. El único cometido de las Pandava era asegurarse de que los soldados del Durmiente no la escucharan, y habían fracasado. Aru se sentía como si alguien le hubiera arrebatado un trozo de alma.

Captó algo centelleante con el rabillo del ojo y se dio cuenta de que le brillaban los cordones de las zapatillas personalizadas. Genial. El Consejo las había rastreado y ahora alguien iba de camino a reunirse con ellas.

—¿Qué vamos a hacer? —gimió Mini, caminando en pequeños círculos.

—No es solo culpa nuestra —respondió Brynne antes de señalar a Sheela—. ¿Por qué diantres no has podido guardártela?

Sheela se había desplomado en el suelo después de soltar la profecía. Nikita la incorporó un poco y le preguntó:

—¿Estás bien?

Sheela estuvo aturdida durante unos instantes antes de bostezar sonoramente y sonreírles a todos.

—¡Me encuentro mucho mejor!

—¿Mejor? —estalló Brynne—. ¿Sabes lo que acaba de ocurrir?

—Tranquila, Brynne —dijo Aiden, poniéndole una mano sobre el brazo.

Sheela pestañeó e inclinó la cabeza.

—¿No?

—¿La profecía? —le espetó Brynne.

—Ah, ya —dijo Sheela con una sonrisa—. He soltado energía cósmica de mi interior y ahora vuelvo a estar equilibrada. A veces ver el futuro es como comer demasiado: si te pasas, tienes que tumbarte un rato. Bien hecho, Sheela.

—No —contestó Brynne—. Mal hecho…

Sheela parecía confusa.

—No ha podido evitarlo —dijo Nikita, que se apresuró a ayudar a su hermana a levantarse—. Sus profecías siempre son así.

—Como Pandava, debería ser capaz de controlarse —dijo Brynne, cruzándose de brazos—. O, a lo mejor, no sois como nosotras.

Nikita entrecerró los ojos.

—¿Qué has dicho?

—Creo que ha quedado claro —comentó Sheela encogiéndose de hombros. Pero si estaba igual de ofendida que su hermana, no lo parecía.

—Uy —dijo Aiden, pellizcándose el puente de la nariz—. Se va a liar…

Mini se acercó a Aru.

—Aru…, haz algo.

Nikita extendió la muñeca y unas vides oscuras salieron de ella antes de enroscarse en torno a los tobillos de Brynne y tirarla al suelo.

—Serás… —Brynne balanceó el bastón y envió una ráfaga de viento contra Nikita, que salió volando hacia atrás.

—Esto… no —dijo Aru, alejándose.

Nikita corrió hacia Brynne y se le acercó demasiado. Quizá intentaba coger el bastón o puede que solo se hubiera resbalado, pero se tocaron con los dedos y Aru sintió un cambio en el ambiente, un chisporroteo como el de la energía estática en sus huesos. El cielo se abrió sobre ellos. Dos rayos de luz, uno verde y otro plateado, cayeron de él… y elevaron a las gemelas del suelo.

A lo lejos, Aru vio la silueta de dos dioses con cara de caballo que se asomaban entre las nubes como si estuvieran mirando a las Pandava desde detrás de una enorme bola de luz solar. Nikita, en el rayo de luz verde, flotó hacia el dios de la izquierda, rodeado del brillo del amanecer, con tonos rosados como el cuarzo y blancos satinados, junto a todo el potencial brillante del inicio de un nuevo día. Sheela, bajo el rayo plateado, se elevó hacia el dios de la derecha, rodeado del fuego del atardecer, con tonos escarlata y rubí oscuro y, justo debajo de esas tonalidades rojas… la promesa misteriosa de las estrellas y el anochecer.

Sus padres celestiales eran nada más y nada menos que los gemelos Ashvin, lo que significaba que eran la reencarnación de Nakula y Sahadeva, los hermanos famosos por su belleza, sus habilidades ecuestres, sus aptitudes con el arco y su sabiduría. Aru había oído que eran los médicos de los dioses. Hanuman, que era un semidiós aficionado a la lucha libre, a menudo se pasaba por la consulta médica de los Ashvin para tratarse el lumbago.

«Solo tienes un cuerpo», decía solemne. «Debes cuidarlo».

«¿En serio solo tienes uno?», preguntó Aru una vez. «Quiero decir, en realidad, ¿cuántas veces se ha reencarnado Arjuna? Llevará ya unos cinco cuerpos, por lo menos».

A Hanuman no le había hecho gracia.

Las gemelas volvieron al suelo con lentitud. A diferencia de Mini, Brynne y Aru, ninguna recibió como regalo un arma. Pero algo pequeño, del tamaño de un penique, les brillaba en la base del cuello. El objeto incrustado en la piel de Nikita era un corazón verde. En la de Sheela, una estrella plateada. Nikita se acercó caminando… bueno, pavoneándose, a Brynne.

—Te perdono —dijo.

—No me he disculpado —gruñó Brynne.

—Te habrá costado reconocerme como otra Pandava por mi uniforme —dijo Nikita.

Se tocó el vestido. Llevaba unas ramas floreadas de jazmines en torno a la tela, creando una especie de miriñaque que se extendía hacia el suelo hasta convertirse en una glamurosa cola. El cuello alto elaborado con azaleas rosas de aspecto esponjoso le subía por la garganta. Les echó una mirada fulminante a Aru, Mini y Brynne.

Aru se miró su atuendo: unos vaqueros oscuros y una camiseta verde de manga larga con la palabra «NOPE» estampada. Mini llevaba un modelito negro (porque disimulaba mejor la suciedad, según decía) y Brynne, un mono azul que parecía un delantal con la palabra «HANGRY» cosida.

—Pero seguro que esas prendas repelen a los enemigos —añadió Sheela con amabilidad.

—Gracias —dijo Aru con sequedad—. Pero también a toda la población masculina.

Sheela se tocó ligeramente la estrella del cuello. No parecía sorprendida por su propia reclamación, pero tenía sentido. Seguramente ya lo sabía, pensó Aru. A fin de cuentas, Sheela era capaz de predecir el futuro.

¿La clarividente entendía las palabras que había pronunciado? Las Pandava quizá habían fallado al permitir que los soldados del Durmiente escucharan la profecía, pero, si Aru y sus amigos lograran descifrar todo ese galimatías, tendrían ventaja sobre él. Aun así, una parte de la profecía se le había clavado en el cerebro como una espina: «Una de las hermanas no es real y su merecido el mundo recibirá por una elección banal».

¿Qué hermana? ¿Qué significaba? ¿Y por qué, al decirlo, Sheela no había apartado la vista de Aru… como si pudiera ver algo dentro de ella, algo peligroso?

—Sheela, ¿recuerdas lo que has dicho? —preguntó Aru.

—Por supuesto —respondió distraída.

—Has mencionado algo sobre una hermana que no es verdadera. ¿Qué…? ¿Qué quiere decir?

Sheela suspiró y miró hacia el cielo. Con voz distante, dijo:

—No lo sé. —Se removió en el sitio—. Así es como será el futuro. Tiene una forma peculiar de hacerse realidad. Veo cosas que otras personas no pueden ver todavía.

—¿Como qué? —preguntó Mini.

—Bueno, ahora mismo veo una paloma enfadada.

—¡Bu! —gritó Aiden, moviendo los brazos.

—No creo que eso vaya a espantarla —dijo Sheela con solemnidad—. Las palomas son temerarias.

—No, es que se llama así —comentó Aiden.

—¿Paloma Temeraria? —preguntó Sheela.

Nikita se estremeció.

—Las palomas dan asco.

De entre los pliegues de las nubes coloreadas por el crepúsculo, Bu se lanzó en picado hacia ellos con un fuerte graznido antes de posarse en su rama favorita: la cabeza de Aru.

—¡Llegáis tarde! —chilló, y le mordió la oreja—. Mirad todas las plumas que he perdido esperándoos.

—¿Te has tomado los suplementos? —preguntó Mini, preocupada.

—En realidad creo que son imaginaciones tuyas —dijo Brynne.

—A lo primero, sí. A lo segundo, no. Además, eres una maleducada. Y tercero… —Bu se quedó a media perorata.

Aru no alcanzaba a ver lo que estaba mirando, pero notó que con las garras se movía en dirección a las gemelas.

—Ay, dioses… ¿Los objetivos eran Pandava? ¿Es que no podré descansar nunca?

Como Aru había predicho, Bu se tambaleó y se desmayó. Consiguió cogerlo antes de que se estampara en el suelo. Bu se removió débilmente entre sus manos antes de gemir algo parecido a «los inefables y crueles giros del destino» y « tres ya eran suficiente castigo».

—¿Puedo acariciarlo? —preguntó Sheela.

—¡No soy una mascota! —graznó Bu.

—Pajarito bonito... —lo aduló antes de estirar las manos hacia él.

Bu le picó los dedos. Luego, se enderezó y dijo, mirando a las gemelas:

—A pesar de este último acontecimiento, me alegro de que estéis aquí. —Se ahuecó las plumas—. Espero que la misión fuera como planeamos, que es lo que le he dicho al resto del Consejo...

—De hecho, esto, Bu... —empezó a decir Aru.

—Nos hemos metido en un lío —gruñó Brynne, y cruzó los brazos—. Pero no es culpa nuestra.

—Bueno, no estoy tan segura de eso —intervino Mini—. Aunque lo hemos intentado.

—¿Un lío por qué? ¿La culpa de quién? —preguntó Bu, alarmado—. Habéis escuchado la profecía, ¿no?

Aru hizo una mueca.

—Sí, pero...

Una voz atronadora crepitó por los cielos, igual que por los altavoces del colegio: «ATENCIÓN, ATENCIÓN. INSTRUCCIONES URGENTES PARA LAS PANDAVA: PRESÉNTENSE DE INMEDIATO EN LA PUERTA DE AMARAVATI».

—¿Amaravati? —repitió Aiden, conmocionado.

—¿Quién es ese? —preguntó Nikita.

—No es una persona —contestó Mini con la cara pálida—. Es una ciudad.

El *vajra* zumbó nervioso en la muñeca de Aru. Estaba claro que el rayo echaba de menos su casa. La famosa ciudad de los cielos era la corte de las *apsaras* y, por supuesto, de Indra, el dios del rayo y el trueno y el padre espiritual de Aru.

Pero ninguno de los padres espirituales de las Pandava podía intervenir en sus vidas, así que ¿qué significaba que las estuvieran llamando para ir a la corte de Indra? Solo había dos acontecimientos que atraerían la atención de los cielos: o algo maravilloso o algo horrible. Y Aru tuvo un presentimiento asfixiante: sabía lo que era.

SEIS

¡Contraseña!
Pero hacedlo a la mod-eh

—¿Q ue vosotros QUÉ? —había chillado Bu.
Aru esbozó una mueca al recordarlo mientras permanecía sentada a las afueras del Bazar Nocturno. Estaba reviviendo la conversación que acababan de tener con su mentor hacía veinte minutos. En cuanto le habían dicho que no habían podido evitar que el Durmiente se enterara de la profecía, Bu le había llevado la información al Consejo siguiendo el protocolo de intervención. Fuera lo que fuera eso. A Aru le sonaba a eufemismo adulto de «La habéis cagado pero bien».

Se hundió un poco más en el asiento. Las cinco hermanas Pandava y Aiden estaban apretujados en un banco en lo alto de una colina de hierba desde la que se veía la gema brillante que era el Bazar Nocturno. A la derecha del mercado había una pared con los portales de entrada. A la izquierda, se alzaban los arcos iluminados por la luz de la luna del bosque *chakora*. Bu había volado a través de uno de esos arcos para acceder a los cielos.

Aru apenas se atrevía a mirar el Más Allá. La culpa le pesaba como una losa y sabía que no era la única que se sentía así. Brynne tenía los labios apretados y la expresión impenetrable. Mini parecía a punto de llorar. Y Aiden estaba tan fuera de sí que ni siquiera toqueteaba la cámara.

Aru suspiró. Hacía casi dos años que el Durmiente se había escapado por su culpa y ahora, después del último fracaso, el Más Allá estaba en mayor peligro aún.

Aru percibió la amenaza de la guerra a su alrededor como el ambiente que precede a una tormenta, y eso la hacía sentir aún más culpable porque, a pesar de todo, aún notaba la punzada rebelde de la duda. Había empezado a carcomerla después de derrotar a la Dama M en el Océano de Leche hacía menos de un año. La Dama M había robado el arco y las flechas del dios del amor como parte de un plan malvado para convertir a las personas en zombis sin corazón, aunque lo había hecho porque los *devas* la habían deshonrado. La Dama M le había dicho a Aru que, para muchas personas, el Durmiente no era un monstruo, sino un héroe.

Aquella dura experiencia había trastocado todo lo que Aru creía saber sobre el bien y el mal. A veces se quedaba despierta por las noches, preguntándose si estaba haciendo lo correcto al luchar de parte de los *devas*. ¿De verdad eran el «bando bueno»?

Uf, necesitaba una siesta.

«No te mereces una siesta», escuchó desde un rinconcito de su cerebro.

Aru estaba a punto de llevarse las manos a la cara cuando oyó una voz que preguntaba con suavidad:

—¿Siempre es así el Más Allá?

Aru se giró de repente hacia la izquierda. Había estado tan sumida en sus pensamientos que casi se había olvidado de que las gemelas estaban sentadas a su lado. Sheela observaba las grandes extensiones de carpas decoradas mágicamente por la festividad de Holi. Hileras de caléndulas se mecían en el aire mientras las luciérnagas volaban a toda velocidad entre las flores anaranjadas como estrellitas vivientes. En el mercado, las habituales cintas de colores de los puestos se habían cambiado por una seda brillante que reflejaba el suelo pintado de los colores del arcoíris, las guirnaldas de flores primaverales y las filas de lucecitas parpadeantes, convirtiendo el bazar en un despliegue extraordinario de alegres amarillos, rojos intensos y azules zafiro. Al verlo así le dio una punzada al corazón. Todo esto… todo podría acabar destruido por culpa de su fracaso.

—Más o menos —dijo Aru—. Pero justo ahora está decorado de manera superespecial por el Holi.

Al hablar del Holi, los demás reaccionaron por unos instantes. Holi era el festival hindú favorito de Aru. Según a quién se le preguntase en la India, la festividad podía tratar sobre el amor o la primavera… o ambos. Pero ¿qué era lo mejor? ¡LA FIESTA DE LOS COLORES! Todos los años, en el Bazar Nocturno se desataba la locura. Todo el mundo se presentaba con prendas blancas y lanzaba puñados de polvo de distintos colores mientras las *apsaras* bailaban y los músicos *gandharva* tocaban cientos de canciones con sus instrumentos encantados.

Pero, debido a la amenaza de guerra, este año las celebraciones serían distintas. Quizá tuvieran que cancelarlas.

—Holi es genial. Es el mejor festival. Y punto —dijo Brynne—. El año pasado acabé tan cubierta de colores que me pasé una semana estornudando mocos azules. Fijo que superé un récord mundial.

—Bueno, yo me pasé hecha un umpa-lumpa teñido durante diez días —comentó Aru con suficiencia.

Mini se estremeció.

—A mí casi me pisan.

—Esto no es un concurso —suspiró Aiden.

—No te pongas celosa, Querida —dijo Aru.

Nikita frunció el ceño.

—¿Querida?

—Sí, ahora tú también se lo puedes llamar —dijo Aru, contenta de poder distraerse de sus pensamientos.

—Por favor, no —le suplicó Aiden.

—O *ammamma* —añadió Brynne con una media sonrisa—. Aiden es como una abuelita. Siempre lleva caramelos en el monedero…

—¡Bolsa! —la corrigió Aiden.

—Se queja sobre «los niños de hoy en día»…

Aiden refunfuñó:

—Solo creo que es un poco triste que nuestra generación…

—A las siete ya está cansado.

—Eso solo ocurrió una vez —protestó Aiden—. Y tú también estabas cansada.

—Pero ¿por qué «Querida»?

Aru estaba a punto de responder cuando intervino Sheela:

—Hace un tiempo —dijo con voz cantarina—, el alma de Aiden vivía dentro de una princesa preciosa y poderosa que se casó con los cinco hermanos Pandava, lo que, en ocasiones, era un poco raro, pero la mayoría de las veces estaba bien porque recibía cinco regalos en sus cumpleaños y sus aniversarios. Lo único triste era que amaba a un hermano más que a los demás.

Sheela no se molestó en mirar al resto hasta que terminó y, cuando lo hizo, fijó la vista en Aiden. Los ojos le relampaguearon como la plata durante un momento, como si alguien hubiera lanzado una moneda bajo un haz de luz. Luego, inclinó la cabeza.

—¿Incluso después de varias vidas? —preguntó, como si estuviera murmurando para sí misma.

Aiden frunció el ceño.

—¿De qué estás hablando?

Pero Sheela no hizo caso de la pregunta y volvió a centrarse en las hojas de las ramas iluminadas por la luna.

Bu apareció planeando entre los árboles. Solía posarse sobre la cabeza de Aru o el hombro de Mini, pero, esta vez, se quedó suspendido en el aire.

—Venid, niños —anunció—. Tenemos una reunión.

Mini abrió la boca primero:

—¿Con Hanuman y Urvashi?

—No —dijo con voz entrecortada—. Se han ido.

—¿Qué? ¿Por qué? —preguntó Brynne.

Bu citó las últimas líneas de la profecía:

«Pero el árbol del corazón será el único afligido.

Sin esa raíz ninguna guerra ganará.
Sin cosechar sus frutos la victoria se le arrebatará.
En cinco días, el tesoro habrá florecido y muerto,
Y todo lo ganado quedará desierto».

Aru se sintió aliviada de que hubiera dejado de lado la parte acerca de la hermana falsa y el mundo que recibía «su merecido» por una sola elección.

—El Consejo cree que la profecía significa que el néctar de la inmortalidad está en peligro, por lo que se han marchado a Lanka…

—¿La ciudad de oro? —preguntó Aiden, sorprendido.

—La misma —respondió Bu—. En lo más profundo de la ciudad se encuentra el laberinto que contiene el néctar de la inmortalidad. El resto del Consejo está deliberando con lord Kubera para asegurarse de que esté bien protegido, sobre todo durante los próximos cinco días.

—¿Los Guardianes se han enfadado con nosotros? —preguntó Mini en voz baja.

Ante esto, Bu por fin se ablandó. Con un suspiro, echó a volar hacia la cabeza de Mini y se posó en ella.

—Nadie está enfadado con vosotros.

—¿Estáis…? —Mini se tensó.

«Ay, no», pensó Aru. «La palabra que más odia Mini».

—¿… decepcionados? —se aventuró Brynne.

Bu miró a todos y negó con la cabeza.

—Asustados —dijo—. La guerra está demasiado cerca… No podemos cometer errores. Y vosotros… deberíais haber sido capaces de abordar esta misión. Que no hayáis podido no es culpa vuestra, sino nuestra. Y ahora, venid. Tenemos una reunión con un gestor de crisis para ver qué hacemos con vosotros.

—¿Con todos? —preguntó Nikita.

Era la primera vez que hablaba. Se colocó ligeramente frente a Sheela, como si estuviera preparada para defenderla en cualquier momento.

—Sí —respondió Bu con un tono más delicado—. Todos.

Por vez primera, Aru vio el miedo en el rostro de Nikita.

—No pasa nada —dijo Mini—. Confiad en nosotros.

La expresión de Nikita se endureció y frunció el ceño.

—Ni de broma.

Bu entró volando al bosque *chakora* tras animar a las Pandava a que lo siguieran. Aru caminaba pesadamente detrás de los demás. ¿Un gestor de crisis? Eso sonaba… fatal. ¿Y Hanuman y Urvashi se habían ido para siempre? Notaba un nudo de vergüenza en el estómago y le dio una patada al suelo iluminado por la luna. Caminar por el bosque *chakora* solía relajarla. Era el hogar de los pájaros mágicos que se alimentaban de la luz lunar. Pero ahora, los rayos de luna se le antojaban más duros y despedían un brillo plateado que parecía iluminar los pensamientos de Aru sobre todas las maneras en las que habían fallado.

Bu los guio a través de un túnel esculpido en una colina que desembocaba en una cámara que se asemejaba al vestíbulo de un hotel de lujo, con suelos de mármol y una iluminación cálida. La diferencia era que, en lugar de un ascensor, había

65

una elaborada puerta de oro, cuya parte superior desaparecía por el techo de nubes bajas. Los barrotes de metal se inclinaban y parecían una boca sonriente.

—¿Contraseña?

A Aru, la voz de la puerta le recordó a la orientadora del colegio, con ese extraño tono de dulzura que nunca cambiaba. En serio. Esa mujer podría ser educada y encantadora incluso hablando sobre el apocalipsis.

—¿Por qué necesitamos una contraseña si nos han pedido que vengamos hasta aquí? —preguntó Brynne—. ¿No debería saber ya quiénes somos?

—Nunca se es lo bastante cauto —dijo Bu.

Mini se palpó los bolsillos.

—¿Debemos sabernos la contraseña? Yo no tengo ninguna. ¿He perdido algún folleto? ¿O eran deberes…?

Aru cogió a su hermana por los hombros.

—Respira, Mini.

Bu sobrevoló la zona.

—¿Cómo era…? Algo sobre la actual fascinación de los cielos por… ¡Ah, sí!

—Esa no es la contraseña —dijo la puerta, cortante.

—Sé que…

—Esa tampoco —canturreó.

—¡Te voy a fundir y convertir en una tachuela! —la amenazó la paloma.

—¡Tampoooooco! —cacareó la puerta.

—Bu, ¡dilo ya! —gritó Aru.

—¡ROPACÓMODA!

La puerta se abrió y dio paso a una radiante luz solar.

SIETE

Mira qué cachas estoy

Aru contuvo el aliento cuando, al ver los portales, sintió esa sensación de ingravidez que tan bien conocía. Una luz radiante la inundó y, cuando al fin se atenuó, salió tambaleándose hacia delante, decidida a mantener los ojos cerrados. Iban a Amaravati, la capital de los cielos. Estaría bañada en una horrible luz divina y ¿qué pasaría cuando Aru se encontrara en un hermoso anfiteatro rodeada de enormes dioses enfadados…?

—¡Qué feo! —dijo Nikita.

«Espera, ¿qué?».

Aru abrió los ojos. La primera imagen de los cielos no era el paisaje inspirador y asombroso ante el que se postraría cualquier mero mortal… No, en realidad era como el interior de unas oficinas. Pestañeó y miró a su alrededor. Parecía un enorme edificio administrativo. Sin ventanas, solo gruesas paredes elaboradas con grises nubes tormentosas y unos cincuenta escritorios dispersos. Aru oyó unos gritos estridentes al final de un pasillo.

—Esto no puede ser Amaravati —comentó Aru.

Aiden tosió y señaló al cartel colgado de la pared que se encontraba sobre ellos.

«OFICINAS DE LOS MARUT.
SERVICIOS DE PROTECCIÓN Y POLICÍA
DE LAS TORMENTAS DE AMARAVATI».

—¿Policía? —chilló Mini—. ¿Nos han traído directamente a comisaría? ¿Tenemos que contratar a un abogado? ¿Tendremos derecho a una llamada? ¿Debería hablar con mi madre?

Aru se tocó el bolsillo para reconfortar al *vajra*, que estaba escondido dentro y se había convertido en un tembloroso ovillo relampagueante. Junto a ella, Brynne había empezado a pasearse de un lado a otro, mientras Aiden giraba la lente de Sombragrís una y otra vez.

—Bueno, niños —dijo Bu, a la vez que aleteaba nervioso por encima de sus cabezas—. Sé que la reunión con el gestor de crisis puede ser estresante, pero… ¡Eh! ¡Volved aquí!

Sheela y Nikita se habían dado media vuelta y se dirigían hacia el portal con las manos entrelazadas. El miedo había sustituido la actitud normal y serena de Sheela (a veces un poco despistada). Nikita tampoco tenía mejor aspecto. Su corona de flores parecía diez veces más áspera, con una capa añadida de espinas negras y retorcidas, mientras examinaba aquella sala.

—Eh, ¿qué os pasa? —preguntó Aru.

—¿Servicios de protección? —contestó Nikita—. No los necesitamos. No queremos volver…

—¿Volver a dónde? —inquirió Mini.

—Ahora somos Pandava —respondió Nikita con brusquedad—. No nos podéis echar.

—Nadie os está echando de ningún lado —dijo Aiden con delicadeza—. ¿Por qué no nos contáis de qué estáis hablando…?

Entonces, de uno de los escritorios, surgió una voz a través de un intercomunicador con forma de nube de tormenta:

¡Scrrratch! «Eh, hola, Siete llamando a Cuarenta y dos. Sí, nos ha llegado una denuncia sobre la desaparición de dos niñas perdidas del Sistema de Acogida Temporal del Más Allá. ¿Habéis oído algo de eso?».

¿Dos niñas perdidas? Aru miró a las gemelas. Sheela tenía la cara escondida contra el hombro de Nikita y la corona de flores de esta última se había convertido en un arma de guerra.

«Estamos buscando a un par de gemelas de piel oscura que hablan inglés y criollo guyanés, cuyo apellido quizás sea "Jagan", aunque puede ser falso…».

Nikita chasqueó los dedos y una vid gruesa y serpenteante se lanzó contra el escritorio y tiró el intercomunicador al suelo. El audio se volvió intermitente, pero Aru entendió el mensaje casi por completo:

«No… podido contactar… padres. Según nuestro historial… deportadas de Guyana hace tres años…». *¡Scrrratch!* «Vamos a cubrir los perímetros este y oeste…».

Bu se posó sobre la cabeza de Aru, quien, igual que Mini, Brynne y Aiden, miraba a las gemelas sin saber qué decir. No había duda de que las chicas estaban de los nervios y que no querrían contestar a ninguna pregunta sobre sus padres.

—No podéis entregarnos —gritó Nikita—. Ahora también somos Pandava y tenemos derecho a…

—Nadie os va a entregar —dijo Brynne.

Nikita la miró, sorprendida.

—¿No?

—Ahora estáis con nosotras —intervino Mini.

Bu empezó a saltar, enfadado, sobre la cabeza de Aru.

—¡Qué idea tan absurda la de que os separarían de mí! Ahora me pertenecéis, ¿entendéis?

—Bienvenidas al corral —gruñó Aru mientras se alisaba el pelo.

—¡No somos gallinas! —chilló Nikita.

—Seguro que habéis manifestado vuestros poderes desde el principio —les comentó Bu a las gemelas—. ¿Y a nadie se le ocurrió informar?

—Lo intentamos, igual que nuestros padres adoptivos. Son muy majos, pero tenían que cuidar a muchos niños —dijo Sheela, levantando la cabeza del hombro de Nikita—. De cualquier manera, los del SATMA creían que estábamos mintiendo, por lo que, cuando os vi en una de las visiones, nos… nos escapamos. Pensamos que, tras reunirnos con las Pandava, todo sería distinto. —Hizo un mohín—. Creíamos que quizás podríamos hablar de nuevo con nuestros padres verdaderos.

Se oyó un gran estruendo en el vestíbulo de la izquierda.

—La policía viene a por nosotras, ¿verdad? —preguntó Sheela en voz baja.

Aiden se colocó frente a las gemelas. Giró la muñeca y Aru vio que del puño de sus mangas salía el brillo de sus cimitarras.

—No creo —dijo.

Aru, Brynne y Mini se unieron a él para formar un muro protector. Aru echó un vistazo a hurtadillas por encima del hombro. Nikita y Sheela estaban abrazadas, pero, por primera vez, las espinas de la corona de Nikita parecían más pequeñas y, cuando le sostuvo la mirada a Aru, esta no la vio arrogante ni furiosa… sino sorprendida.

—Nunca he oído hablar de los Marut —susurró Mini.

Aru centró la atención en el vestíbulo.

—Son pequeñas deidades de las tormentas que se ocupan de mantener a los agitadores y revoltosos lejos de los cielos —dijo Bu desde lo alto.

Mini se mordió el labio.

—Parecen muy violentos y agresivos.

El suelo comenzó a temblar y los gritos se hicieron más fuertes.

—Sí, son lo peor —murmuró Brynne—. Gunky y Funky no los soportan.

Aru hizo una mueca. Gunky y Funky eran los tíos de Brynne y eran la pareja más agradable del mundo. Si a ellos no les caían bien los Marut, entonces las deidades de las tormentas debían de ser horribles.

En ese momento, una oleada de guerreros enormes vestidos con armadura dorada y sombreros puntiagudos irrumpieron en la sala, con dagas que desprendían electricidad. Uno a uno, se alinearon contra la pared. Solo se les veía la boca sonriente bajo la visera. En cada una de las corazas doradas había un número del uno al cuarenta y nueve. El último Marut en entrar tenía el número uno. Se acercó al grupo dando grandes zancadas mientras Brynne, Mini, Aiden y Aru cerraban filas delante de las gemelas.

—¿Qué significa esto? —preguntó Bu sobre la cabeza de Aru—. Supongo que sabréis que soy miembro del Consejo de Guardianes y que hemos concertado una reunión.

Número Uno juntó los talones con un clic.

—Debido a las circunstancias, la gestora de crisis nos ha pedido que os retengamos aquí hasta que estuviera preparada para veros, ya que hay mucho de lo que hablar.

A Aru se le revolvió el estómago. A su espalda, sintió la agitación de las gemelas. No habían usado aún el vínculo telepático de las Pandava con Aru, pero ella notaba su ansiedad como cuando la llama de una vela se aproxima demasiado a la piel.

—Mientras esperamos —dijo Número Uno—, mis hombres y yo tenemos una pregunta. —Giró la cabeza para mirar a la fila de chicos—. ¿Quién es la hija de Indra, rey de los dioses y Señor de los Cielos?

Aru contuvo el aliento. ¿La habían identificado como la hija que lo arruinaría todo?

—¿Por qué lo quieren saber? —preguntó Brynne.

—Es una pregunta muy fácil —respondió Número Uno con brusquedad.

Aru se imaginó diciendo «¡YO!» con la misma fuerza con la que la doncella Éowyn, tras quitarse el casco, gritó en aquella escena de *El señor de los anillos: El retorno del rey*: «¡YO NO SOY UN HOMBRE!». En lugar de eso, su voz se pareció más a la de un hámster asfixiado:

—¡Yo!

A su lado, Brynne sintió un escalofrío. Incluso Mini, que normalmente sabía fingir una sonrisa, parecía querer que la tierra se la tragara.

—Tengo algo que preguntarte —dijo Número Uno.

Aru esperó. Al cabo de un segundo, el Marut se subió la visera y mostró unos ojos radiantes de entusiasmo.

—¿Puedo luchar junto a vosotros en la guerra?

—Yo iba a pedirle lo mismo —se quejó uno de los otros Marut.

—Demasiado lento, tío.

Rápidamente, todos los Marut empezaron a levantarse la visera y a romper filas.

—¡Pandava! Son Pandava reales —gritó Número Cuarenta y Tres—. Buah, esto es brutal…

—Jo, colega estoy a tope con esto de la guerra —dijo Número Treinta y Uno—. En plan, muy muy emocionado. Este lugar es demasiado apacible y armonioso. Uf.

Otro vociferó:

—¡Sí! ¡Esto da asco!

Alguien lanzó una espada al suelo, donde relampagueó con fuerza. Los Marut se quedaron en silencio, miraron la espada y comenzaron a soltar vítores.

—¡SÍÍÍ! ¡GUERRA!

Brynne se inclinó hacia delante y susurró:

—Creo que ya sé por qué Gunky y Funky piensan que son lo peor…

Detrás de Aru, ambas gemelas se relajaron. Bu voló hasta el hombro de Aru y cacareó, desdeñoso.

—Detesto a las jóvenes deidades —murmuró sombrío—. Voy a ir a buscar a la gestora de crisis para intentar conservar las pocas neuronas que me quedan tras escucharlos durante dos segundos.

Y, dicho eso, se marchó volando.

—¿Quién es la hija de la Muerte? —quiso saber otro Marut.

Mini, confundida, levantó la mano con lentitud. Al instante, una caterva de admiradores se agolpó alrededor.

—¿Puedo luchar contigo? —preguntó uno de ellos—. Soy superduro. Mira mis tatuajes.

—Eh, vale... —contestó Mini.

Un Marut se aproximó a Aiden y flexionó el bíceps, donde las palabras «PURA *LEIENDA*» aparecieron rodeadas por un alambre de púas tatuado.

Aiden dio un grito ahogado.

—Ya, suele provocar ese efecto en la gente —dijo el Marut—. Pues espera a ver este otro. —Levantó el otro brazo donde las palabras «SOY *TÚ* BESTIA» le cruzaban el antebrazo.

Aru no estaba muy segura de cuánto tiempo perdieron —perdón, pasaron— con los Marut. Parecía que la policía no tenía mucho trabajo que hacer, por lo que se pasaban los días haciendo competiciones de flexiones (Brynne ganó la de aquel día), concursos de comer (Brynne también lo ganó) y viendo en secreto maratones de *Masterchef* (que, según dijo repetidas veces, Brynne también podría ganar).

Mientras todos los demás se mezclaban con los Marut (Mini les ofrecía consejos médicos, Aiden les explicaba que las fotografías iban más allá de las selfis, Nikita les arreglaba los modelitos y Sheela les leía la palma de las manos), Aru se acercó a la única ventana que había para observar Amaravati. Ofrecía una vista perfecta de la ciudad celestial a treinta metros de distancia. La metrópolis estaba dividida en islas de nubes conectadas por puentes celestiales. En una de ellas, Aru vio una extensión de radiante vegetación que debía ser Nandana, el bosquecillo sagrado de los cielos. Un puente con el cartel I-85N BLVR. CONSTELACIÓN / MANSIONES LUNARES desaparecía entre la niebla brillante.

Amaravati era un lugar de gran resplandor. Pero no estaría allí si los *devas* no hubieran recuperado su inmortalidad al derrotar al Océano de Leche. No podían hacerlo solos, por lo que les pidieron ayuda a los *asuras*, prometiéndoles compartir la vida eterna. Sin embargo, al final, rompieron su promesa y varias personas salieron heridas. Personas como la Dama M, quien solo quería que se la recordara por su verdadero ser. O incluso Takshaka, el rey serpiente, que odiaba a las Pandava porque en otra vida habían prendido fuego al bosque en el que vivía y habían matado a su esposa.

Esos dos tenían razones para estar enfadados, pero no habían sabido gestionar sus sentimientos. Todo eso hacía que Aru se encontrara incómoda.

Seguía mirando por la ventana cuando Bu voló por el hueco de la puerta.

—¡Ya viene! —cacareó.

Al instante, los Marut salieron en desbandada. Se bajaron las mangas, abandonaron las conversaciones y se colocaron los cascos en su sitio. En apenas unos segundos, los cuarenta y nueve estaban pegados a la pared, serios y callados de nuevo.

Aru no sabía qué esperar de una «gestora de crisis», pero estaba claro que no era lo que traspasó el umbral: una *apsara* de extremidades delgadas y oscuras que vestía un mono de tejido brillante. Puso las manos en alto y en una llevaba una *tablet* ostentosa.

—Holaaa, Pandava. Soy Ópalo. De nada por adelantado. Antes de empezar, démosles una rápido repaso a las EEB, ¿vale?

—¿Qué es eso? ¿Una enfermedad? —preguntó Mini.

—Significa «escenas entre bambalinas» —respondió la *apsara* antes de darse la vuelta para hacerse una selfi con las Pandava.

Pilló a Aru en mitad de un «¿EH?», de modo que seguramente saldría horrible en la foto. Ópalo editó la imagen a toda velocidad.

—Perfe. Podemos usarla para una pequeña promoción al estilo «un día en la vida de...». De algún modo, lo que hacemos es «maquillar» un poco la realidad.

—Entonces, no es la realidad —dijo Aiden con sequedad.

Ópalo lo miró y reparó en la cámara que llevaba a la cadera. Luego, sonrió con una expresión preciosa pero vacía.

—Bueno, si prefieres la realidad, ¿qué tal esto? Has aterrizado en los cielos en mitad de una crisis seria y no te quieres enfrentar a la ira de los dioses enfadados, créeme.

Justo ahora, la mitad del Consejo de Guardianes está en una misión extraoficial en Lanka, donde intentarán descifrar la profecía antes de que se acaben los cinco días. La otra mitad está aquí, tratando de mantenerlo todo en orden para que no se convierta en una pesadilla publicitaria. Mucha gente ha oído hablar del jaleo que armasteis en el área sin cobertura mágica y ahora quiere saber qué dice la profecía, por lo que estamos corriendo la voz de que solo ha sido una falsa alarma.

—Podemos ayudar —la interrumpió Brynne—. Solo dinos cómo podemos arreglarlo…

—Ay, no, no, no —dijo Ópalo con una carcajada—. Muy cuqui, pero no. Como si alguien pudiera confiar en vosotros después de esa última misión chapucera… Tenéis que seguir entrenando y debéis manteneros ocultos, así que dejadme que salve lo único que os queda. —A Ópalo le brillaban tanto los dientes que Aru captó un destello irisado en la comisura de esa enorme sonrisa cuando dijo—: Vuestra imagen.

OCHO

Es tan *fashion*

Antes de que pudieran hacerle una pregunta a Ópalo o incluso despedirse de los Marut, la gestora de crisis susurró algo y las Pandava aparecieron en una sala de conferencias hecha de nubes. Era muy luminosa y espaciosa, pero no tenía ventanas. En el centro había una amplia mesa blanca ovalada, rodeada de siete butacas de nube y un posadero acolchado para Bu, que aleteó hasta él y, una vez asentado, farfulló:

—No puedo creer que Hanuman y Urvashi se marcharan sin mí.

Ópalo no se molestó en mirarlo mientras tomaba asiento y ordenaba a los demás que siguieran su ejemplo:

—¿Para qué te necesitarían? —preguntó, despectiva.

Aru estuvo a punto de levantarse de un salto movida por la rabia, pero Brynne y Mini le llamaron la atención. «No podemos arriesgarnos», le dijo la segunda telepáticamente. Aru odiaba que sus hermanas tuvieran razón. Estaban en un lío y no les quedaba más remedio que esperar y escuchar lo que Ópalo tenía que decir.

La gestora de crisis los examinó por primera vez antes de detenerse en las gemelas.

—No estoy segura de que esta conversación sea apropiada para niños…

—Tenemos diez años —protestó Nikita, entrecerrando los ojos—. Y podemos ayudar.

Ópalo no parecía muy convencida.

—Seré yo la que decida eso.

Con una caligrafía brillante, aparecieron en el aire las frases que Sheela había pronunciado hacía menos de una hora:

«Creciendo está el poder menospreciado
Para reclamar su premio inmortal arrebatado.
Una de las hermanas no es real
Y su merecido el mundo recibirá
Por una elección banal.
Un tesoro es falso y el otro está perdido,
Pero el árbol del corazón será el único afligido.
Sin esa raíz ninguna guerra ganará.
Sin cosechar sus frutos la victoria se le arrebatará.
En cinco días, el tesoro habrá florecido y muerto,
Y todo lo ganado quedará desierto».

—Sabemos que los dos primeros versos se refieren al Durmiente y a su ejército —dijo Ópalo—. El tercero es un poco alarmante… ¿Una hermana no es real? —Silbó—. No es la mejor imagen.

A Aru le dio un vuelco el estómago. Las palabras le parecían una tomadura de pelo y, durante un segundo, solo consiguió ver la visión del Durmiente en la que le daba la espalda a su familia. Apartó el recuerdo de la mente.

—En cuanto a la parte del tesoro, Hanuman y Urvashi están investigándolo con Kubera, el Señor de las Riquezas —continuó la mujer—. Creemos que es una pista de que falta un objeto de su colección o de que alguno es falso. Quizá un arma poderosa que pudiera alterar el curso de la guerra. —Ópalo se inclinó hacia delante—. Pero ¿sabéis algo sobre el «árbol del corazón»?

Todos los ojos se centraron en Sheela, que pestañeó y se encogió de hombros.

—Quizás sea un árbol amable —comentó con una sonrisa—. Eso sería genial.

Nadie dijo ni pío.

—Yyy eso es todo —le dijo Ópalo a Sheela—. Gracias por tu contribución, pero no creo que tengas mucho más que ofrecer. Te puedes ir.

Ópalo chasqueó los dedos y las butacas de nube de las gemelas se separaron del suelo y flotaron en el aire.

—Anda. ¡Volamos! —musitó Sheela.

—¡No te vas a librar de nosotras! —anunció Nikita—. No aceptamos órdenes de nadie con un mono de brillantitos. Es una mezcla atroz entre la elegancia de los noventa y una bomba de baño demasiado cara.

—Ópalo, no nos precipitemos —cacareó Bu—. Acaban de llegar. Y están a mi cargo…

Aru, Brynne, Mini y Aiden se pusieron en pie, preparados para sujetar a las gemelas, pero la magia de Ópalo fue demasiado rápida. Dos pequeños cinturones de seguridad aparecieron en uno de los laterales de las butacas de nube de las gemelas y se cerraron sobre su regazo. Luego, se abrió un agujero en el suelo, debajo de ellas, y cayeron en picado por él.

—No os preocupéis. Estaréis en buenas manos —dijo Ópalo antes de pasear la mirada hasta Aiden—. De hecho… ¿por qué no enviarles un canguro también? Puedes contarle a tu madre todas las cosas que has visto, Aiden. Total, ella no puede verlas por sí misma.

Aiden puso unos ojos como platos.

—Oye, espera un segundo…

Brynne movió el bastón de viento mientras la butaca de Aiden se elevaba. Creó un ciclón que no le permitió caer por el agujero. Durante unos instantes, la magia de Ópalo se enfrentó a la de Brynne, pero, luego, Ópalo abrió un portal en la pared que se tragó la butaca de Aiden como una enorme aspiradora: salió zumbando hacia atrás y desapareció. Brynne se giró hacia la *apsara*. Mini sacó la *danda* de la Muerte y, en cuanto Aru abrió la palma de la mano, el *vajra* se convirtió en un arpón reluciente.

—¿Queréis que añada un enfrentamiento a los representantes de los cielos a vuestra preciosa lista de errores? —preguntó Ópalo con una sonrisa.

Brynne, Mini y Aru vacilaron al mismo tiempo. Bu paseaba por el posadero, aleteando enfadado.

—Puedes estar segura de que, seas o no gestora de crisis, voy a informar a los demás de tu comportamiento impulsivo, Ópalo. ¡No tolerarán un trato tan desacertado!

—Los dos angelitos están ahora visitando los jardines Nandana, que son muy bonitos, luminosos y seguros —respondió Ópalo, jovial—. No te preocupes tanto.

Bu aterrizó sobre el hombro de Mini con las plumas altivas. Ópalo chasqueó los dedos y, una vez más, todo el mundo se sentó. Las palabras desaparecieron en el aire.

—Las profecías no son exactas. Las personas no necesitan incertidumbre en su vida, ya que esta solo causa pánico. Lo que el Más Allá necesita es creer que los *devas* y las Pandava van a ganar la guerra.

—Pero no sabemos si podremos —dijo Mini con el ceño fruncido—. ¿Nos…? ¿Nos estás pidiendo que mintamos?

—Os estoy pidiendo que, como mínimo, deis esperanza a la gente. Esta es una oportunidad privilegiada de *marketing*. Si no podéis llevar a cabo un acto heroico, al menos haced que lo parezca mientras los *devas* y el Consejo luchan por corregir vuestros errores. Confío en que podréis con unas preguntitas más.

Aru sintió como si alguien le hubiera soltado un trueno dentro de la cabeza. Todo se mezclaba: la profecía, la desaparición de Aiden y las gemelas y el tono venenoso que se insinuaba en la voz de Ópalo. Pero no había tiempo. El suelo de nube bajo las Pandava se esfumó y fue sustituido por unos paneles con espejos brillantes que mostraban diferentes bocetos de las chicas con atuendos de colores a juego y peinados nuevos. En otro panel, había un esbozo de fotos de Instagram y citas, así como tuits y respuestas prefijadas para las entrevistas.

—Pensad en vuestra marca como una promesa —dijo Ópalo—. Empecemos por la estética.

Se levantó, caminó hasta Mini y le pasó la mano por el rostro. Su melenita, que le llegaba a la altura de la barbilla, se volvió más brillante y lisa al instante. En el centro, tenía una mecha morada. Le habían desaparecido las gafas y los ojos… ¿ahora los tenía violeta?

—Un toque gótico elegante —dijo Ópalo—. Eso podría funcionar. Tenemos que explotar tu imagen…

Mini movió la cabeza y la ilusión se desvaneció.

—Me gusta cómo soy.

—Esa es la actitud —respondió Ópalo, dándole un golpecito en la cabeza.

«¡Qué maleducada!», pensó Aru.

—Necesitamos historias personales —continuó la mujer mientras rodeaba la mesa—. Un poco de vulnerabilidad va genial para la publicidad. Os hace accesibles, con aspiraciones… auténticas. —Se inclinó sobre el hombro de Brynne—. ¿Quizás un pequeño corte biográfico sobre cómo te abandonó tu madre? —Brynne parecía a punto de enviar a Ópalo a la estratosfera. Pero la gestora de crisis prosiguió—: El quinto día de la profecía coincide con la fiesta del Holi del Más Allá. El momento perfecto. Cuando aparezcáis en todo vuestro esplendor, las personas se fijarán en vosotras, en lugar de en el Consejo. Cuando os haya pulido la imagen, ya no pensarán en las misiones chapuceras ni se preguntarán cuál es la Pandava «falsa».

Ópalo se detuvo y miró a Aru, que sintió como si le hubieran dado una patada. Bu se colocó delante de Ópalo, batiendo las alas.

—¿Cómo te atreves a insultar a mis chicas? —soltó—. ¡Su reputación es impecable! Nada de esto es necesario, pongo la mano en el fuego por ellas.

—¿Qué más da por quién pongas la mano en el fuego? —preguntó Ópalo—. El Más Allá aún no ha olvidado que antaño te llamaban el Gran Embustero. ¿Y ahora entrenas a esta generación de Pandava? A algunos les parecerá curioso, como mínimo.

—Su nombre está limpio —anunció Mini, enfadada—. Si él confía en nosotras, la gente nos escuchará.

Ópalo esbozó una sonrisa.

—¿En serio? Bueno, repasemos las notas, Subala.

Se sentó y, ante ella, apareció mágicamente un montón de papeles. Bu volvió a su puesto, donde se posó, tenso.

—Por lo que sé, has hecho ¿cuántas? ¿Doscientas visitas al Kalpavriksha?

—Eso… eso es PRIVADO —farfulló la paloma.

Aru frunció el ceño. ¿De qué estaba hablando?

—Vuestro pequeño maestro sufre una horrorosa maldición —les explicó Ópalo a las Pandava—. ¿Cuáles eran las condiciones exactas? Ah, sí. «Paga lo que debes y muestra tu valía; un deseo de esta tierra te liberaría». Y has viajado innumerables veces hasta los jardines Nandana para visitar el árbol de los deseos, pero no funciona, por lo que sigues reducido a este pequeño y patético pájaro.

Ópalo movió la mano y, sobre la mesa, se extendió la imagen de Bu sobrevolando la acera cuando el sol estaba en lo más alto. Aru lo había visto hacer aquello miles de veces en sus días libres. Brynne suponía que era para aclararse las ideas. Mini insistía en que quería la vitamina D de la luz solar. Pero Aru se había dado cuenta de que Bu nunca miraba hacia arriba, solo hacia abajo, donde su sombra se estiraba hasta hacerse grande y épica.

—¿Intentas engañarte para recordar tus días de gloria? —se mofó Ópalo—. Porque créeme cuando digo que, al mirarte, todos ven a un hechicero caído en desgracia y una paloma despeluchada. A nadie le importa que pongas la mano en el fuego por tus estudiantes mal entrenadas.

Bu se quedó tan estupefacto que dio un traspié sobre el posadero y Aru tuvo que correr a cogerlo antes de que cayera.

—¿Bu? —preguntó Aru con suavidad.

Estaba temblando entre sus manos, en silencio. Hirviendo de rabia, Aru miró a Ópalo, pero la gestora de crisis ni siquiera se percató. Se levantó y volvió a rodear la mesa con lentitud.

—Ahora me necesitáis a mí, Pandava, y no a este viejo profesor —anunció Ópalo—. Solo yo puedo deciros la verdad sobre cómo se ve todo esto desde fuera. ¿Una hermana «falsa»? Todos se preguntan quién es. —Sonrió y señaló a Mini—. Quizás la pequeña y tímida… Es probable que sea más fácil manipularla para que trabaje para los enemigos. —Hizo un gesto hacia Brynne—. O la fuerte, cambiante y beligerante, con sangre *asura*, lo que nunca da buena imagen —dijo bajando la voz en la última parte. Luego, se giró hacia Aru—. ¡O tú! La hija de carne y hueso del Durmiente. Hace casi dos años, no fuiste capaz de destruirlo… ¿Por qué, exactamente? ¿Sentiste piedad por tu querido y anciano padre? Seguro que ya te habrás acostumbrado a vivir sin él. En cualquier caso, no creo que una hermana «real» hubiera dejado que eso ocurriera…

Aru les lanzó una mirada agonizante a Mini y a Brynne, pero ambas se miraban el regazo.

—En cuanto a las gemelas… —Ópalo se encogió de hombros—. Para ser sincera, no se puede hacer gran cosa con ellas, pero os diré que una clarividente que no consigue controlar sus poderes es muy peligrosa. En adelante, se quedará en Amaravati hasta que las consideremos menos inestables.

Mini se puso en pie.

—No puedes hacer eso. ¿Y su familia?

Ópalo resopló.

—¿Qué familia? Aquí no tienen familia.

—Nos tienen a nosotras —dijo Aru.

Ópalo la ignoró y dio una palmadita. El suelo de espejos se iluminó al instante y una puerta con diamantes incrustados apareció en la pared.

—Confiad en mí, niñas. Estoy de vuestro lado. Lucharé a favor de los cielos tanto como vosotras o los *devas*. —Tomó asiento de nuevo—. Volved dentro de cinco días para que pueda prepararos para las festividades del Holi. Mientras tanto, empezaré a correr la voz sobre vuestras buenas acciones para limpiar la reputación que habéis empañado con esa misión fallida. —Ordenó los papeles y les dedicó a las Pandava una última mirada desdeñosa—. Lo mejor que podéis hacer ahora es manteneros ocultas. —Señaló hacia la puerta—. Idos. Tengo mucho que hacer.

Cuando entraron en el portal, Bu voló a su alrededor para presionar el botón verde que los llevaría a los jardines Nandana, donde recogerían a Aiden y a las gemelas. No dijo nada. Quizás estaba triste por tener que volver al lugar en el que tantos deseos no se habían cumplido, pensó Aru.

Todos les estaban dando vueltas a las palabras de Ópalo. Mini estaba al borde de las lágrimas y Brynne parecía a punto de romper algo.

Aru seguía agitada cuando llegaron a los jardines, por lo que apenas reparó en la preciosa vegetación que bordeaba el camino de mármol. Cruzaron varios patios, subieron y bajaron explanadas y, por fin, llegaron a una pequeña plaza. En el centro, había un enorme árbol dorado.

Al verlo, Aru se quedó sin aliento. Cuando de niña había escuchado las historias sobre ese árbol legendario, nunca pensó que fuera a verlo en persona. Ya se había sentido afortunada de haber visto algunas ramas en el suelo del Océano de Leche el año anterior.

Se erguía sobe sus cabezas como un rascacielos y la parte superior desaparecía entre el velo de la niebla. Frutos brillantes como joyas de muchos colores pendían de las ramas y perfumaban el aire con el olor de la ambrosía. El suelo en torno al árbol estaba frío y húmedo, salpicado con mágicos arbustos con flores. Entre dos enormes raíces, había un letrero que anunciaba:

KALPAVRIKSHA,
EL ÁRBOL DE LOS DESEOS.
PROPIEDAD DE ARANYANI,
DIOSA DE LOS BOSQUES.

Encontraron a sus amigos al otro lado del tronco. Aiden estaba ocupado haciendo fotos. Sheela parecía estar hablando con un arbusto mientras Nikita estaba agachada en el suelo, con las manos enterradas en el barro y los ojos cerrados. Le brillaban las venas de color verde pálido y, cuando abrió los párpados, la corona de flores de la cabeza pareció relucir con más fuerza aún.

En cuanto vio a las otras Pandava, Nikita señaló hacia el árbol.

—Eso… —dijo con dramatismo— es falso.

NUEVE

Objetivo: no acabar
siendo pienso de dragón

Aru miró el Kalpavriksha que se alzaba sobre ellos. No le parecía falso. Las cosas falsas deberían ser más obvias. Como una película pirata grabada por alguien que se ha levantado y se ha ido del cine a la mitad.

Nikita sacó la mano del barro y, durante unos instantes, sus ojos azul gélido desprendieron un brillo verdoso.

—Soy una experta en distinguir lo que es de diseño de lo que es una porquería y esto es una basura. Lo veo en sus raíces —afirmó—. Su primer recuerdo es que lo trajeron en una maceta oscura y lo plantaron aquí. Y, definitivamente, no puede conceder deseos.

—Lo hemos probado —añadió Sheela, apenada.

Nikita dio una palmada y la suciedad le desapareció de las manos. Las apoyó en las caderas.

—El árbol no puede ser falso —dijo Bu—. Eso significaría que… todo este tiempo yo…

Se quedó callado, estupefacto. Pero cuanto más miraba el árbol, mayor era la urgencia que crecía dentro de Aru.

—La profecía —musitó—. Mencionaba un tesoro falso.

—«Un tesoro es falso y el otro está perdido, pero el árbol del corazón será el único afligido» —canturreó Sheela.

—Si este árbol es falso… —dijo Aru.

—¿El real está perdido? —terminó Mini.

—«Sin esa raíz ninguna guerra ganará… Sin cosechar sus frutos la victoria se le arrebatará» —comentó Aiden, dejando la cámara a un lado.

—¿Y si eso significa que el ganador de la guerra dependerá de quién lo encuentre? —sugirió Brynne—. Y la parte sobre la victoria… Quiero decir, es un árbol de los deseos. ¡Alguien podría desear ganar!

—Pero ¿y lo de «el árbol del corazón»? —preguntó Mini—. ¿Por qué es el «único afligido»?

—Quizás sea una pista sobre dónde está el Kalpavriksha de verdad —propuso Aru.

—A lo mejor… —dijo Mini, aunque no parecía muy convencida.

—Bueno, entonces tenemos que encontrarlo —anunció Aru, cada vez más entusiasmada—. Es decir, tenemos solo cinco días, ¿no? Tenemos que ir ahora mismo al Consejo y decirles…

—No podéis.

Los seis se giraron hacia Bu, que miraba al árbol. A Aru nunca le había parecido tan pequeño. Pensó en cómo buscaba su propia sombra y sintió una punzada en el corazón.

—Es imposible contactar con Hanuman y Urvashi en Lanka —continuó—. La ubicación de su reunión con

Kubera es secreta. Nadie sabrá nada de ellos antes del Holi. Ni siquiera yo.

—¿Y Ópalo? —preguntó Mini.

Aru y Brynne torcieron el gesto a la vez.

—Como si nos fuera a creer… —respondió Brynne—. Nos ha dicho que nos mantengamos ocultas. Y, según ella, nadie creerá nada de lo que digamos ahora… Si vamos a buscar el árbol, debemos hacerlo nosotros solos.

—Me apunto —anunció Mini.

—Y yo —dijo Aiden.

Una vez más, el destino del Más Allá dependía de ellos, pensó Aru. Y no solo el del Más Allá… también el suyo. No podía quitarse de la cabeza las horribles palabras de Ópalo sobre ser la hija del Durmiente. Si recuperaban el árbol de los deseos, nadie volvería a dudar de ellos.

—Ya somos tres —dijo Aru con firmeza.

Incluso las gemelas levantaron la mano. Pero, cuando miraron a Bu, estaba horrorizado. Aru había aprendido a leer sus señales físicas: las plumas disparadas en todos los ángulos, los ojos muy grandes y redondos y el pico entreabierto.

—¿Qué pasa, Bu? —preguntó Aru—. Creía que te pondrías contento. Si encontramos el árbol real, podrás desear lo que quieras y… ser libre. —El mentor giró la cabeza y se alejó ligeramente arrastrando las patas.

—¿Bu? —insistió Aiden con delicadeza.

La paloma suspiró.

—Hay algo que tenéis que saber.

Aru notó que se le erizaba el vello de la nuca.

—¿Qué?

—Llevo años viniendo hasta aquí. No sé cuándo puso aquí este señuelo, pero Aranyani debió tener una buena razón para esconder el árbol real. Supongo que temía que la persona incorrecta intentara pedir un deseo…

—¿La persona incorrecta? Como… ¿el Durmiente? —sugirió Aru.

—Si fuera así, debió de ser antes de convertirse en el Durmiente —dijo Bu—. No habría podido entrar a Amaravati después.

«¿Y antes, cuando era un hombre normal?», se preguntó Aru. «¿Qué habría deseado en el pasado?».

Bu respiró hondo.

—Si comenzáis a buscar el Kalpavriksha auténtico, puede que el Durmiente descubra que este es falso. Entonces podría localizaros para conseguir el árbol real —continuó—. Y eso sería catastrófico.

—Podemos mantenerlo en secreto —dijo Aru—. Hemos…

—La misión es demasiado arriesgada. No puedo dejaros ir y no puedo ir con vosotros. Estoy seguro de que el equipo de Ópalo estará vigilando cada uno de mis movimientos.

—Bu, tenemos que hacerlo —respondió Aru—. Solo nos quedan cinco días. El ejército del Durmiente podría estar ya de camino para atacar el Más Allá. ¡No podemos dejar que eso ocurra!

—Aunque os dejara ir, ¿qué haréis si encontráis el árbol real? —preguntó Bu.

Aru miró hacia el árbol del tamaño de una secuoya.

—Esto… Supongo que excavaremos en torno a las raíces, nos pasaremos por Leroy Merlin y lo meteremos en una maceta para el camino de vuelta —sugirió con voz lastimera.

—Frena ese optimismo, Shah —dijo Aiden.

—No confío en las formas y los tamaños —dijo Sheela mientras acariciaba con delicadeza las hojas de un arbusto de colores vivos que parecía mecerse a pesar de que no había brisa—. Nunca se sabe cómo se puede esconder algo con un poco de… magia. —Arrancó una hoja.

La hoja se partió en dos y entonces vieron que, en realidad, era una mariposa de alas verdes y brillantes. El insecto se alejó volando.

«Sheela tiene razón», pensó Aru. Si hubo magia suficiente para esconder un árbol de ese tamaño, entonces habría magia también para devolverlo a los cielos, donde pertenecía. Ya buscarían la manera.

—¿Dónde estará escondido el Kalpavriksha real? —preguntó Bu.

Nikita carraspeó.

—Mientras estaba leyendo las raíces… he visto algo.

Colocó las manos sobre el tronco de árbol. Una vez más, las venas empezaron a brillarle, verdosas. Con lentitud, una parte de la corteza del tamaño de una mano se abrió. Las ramas bajo el Océano de Leche eran de oro sólido. Varias capas de oro recubrían el árbol falso, pero Nikita las apartó con facilidad y acabaron viendo la corteza de madera de debajo, en la que habían tallado una especie de serpiente o de dragón que se mordía la cola:

A7

—Conozco ese símbolo de la serpiente. Pertenece a la Cripta de los Eclipses —dijo Brynne.

—Parece el típico lugar en el que entraría Indiana Jones —dijo Aru.

—¿Indiana Jones? —preguntó Bu—. ¡¿Cómo se atreve?! ¿Dónde vive?

—¿En Hollywood?

Bu echaba humo.

—Pagará por su descaro…

—¿Qué hay en la cripta? —quiso saber Aru.

—Los secretos de todos —respondió Bu—. Ese A7 debe de ser una taquilla o una sala del interior. La única manera de hacerse miembro es con una invitación, y está reservada a aristócratas, deidades y demonios del Más Allá. Aranyani habrá escondido una pista sobre la ubicación del Kalpavriksha en su cámara. Debería estar a salvo allí. A fin de cuentas, el lugar está custodiado por un dragón.

—Perdona, ¿has dicho «dragón»? —preguntó Mini.

—¿Por qué no nos ahorramos las molestias y hablamos con Aranyani? —dijo Aru—. Podríamos explicarle lo ocurrido, convencerla de alguna manera para que nos diga dónde está… ¡Podríamos sobornarla! ¿Cuál es su sabor de helado favorito?

Bu negó con el pico.

—Aranyani es famosa por ser escurridiza. Solo la he visto dos veces en tres siglos. No le gustan mucho los cielos.

—Me pregunto por qué será… —comentó Aiden.

—Eh, ¿y el dragón? —repitió Mini.

Brynne hizo alarde de su fuerza.

—Podemos ocuparnos de él.

—Eh, ¿de qué clase de dragón estamos hablando? —preguntó Aru con nerviosismo—. ¿Como Smaug sentado sobre todo su oro o como el pequeño y agradable bebé Norberto saliendo de la caldera de Hagrid?

—Es más probable lo primero —respondió Aiden.

Mini gimió.

—Antes de preocuparnos de eso, asumamos que somos capaces de entrar en esa cripta «solo para invitados» —dijo Aru—. ¿Qué pasa con la cámara? ¿Cómo la vamos a abrir?

Brynne tocó el bastón de viento, que había tomado la forma de una gargantilla en torno a su cuello.

—Quizá tenga un plan. Se dice que el arquitecto de los dioses puede hacer cualquier cosa. Me imagino que podrá crear una llave que abra cualquier cerradura. Y adivinad quién tiene un tío que trabaja para él. —Se señaló con los pulgares.

Ante esto, la expresión de escepticismo de la cara de Bu se transformó en otra cosa: esperanza.

—Vamos, Bu —insistió Aru—. Podemos hacerlo. Lo que ocurrió con las gemelas y la profecía fue un accidente. Deja que lo arreglemos.

—Los *devas* no os permitirán salir de Amaravati —comentó Bu con cautela.

Aru mantuvo una expresión neutra. No había dicho que no y eso era buena señal. Solo tendrían que planearlo con cuidado.

—Entonces, lo haremos de incógnito.

—¿Con uniformes a juego? —preguntó Nikita ilusionada.

—No —contestaron Aru, Brynne y Mini a la vez.

—Aunque necesitaremos unas zapatillas distintas —dijo Mini, señalando las suyas—. Sin dispositivos de rastreo.

—Sí, dejaremos estas aquí para que todos crean que no nos hemos movido —respondió Aru—. Nadie nos buscará hasta dentro de unos días. Todos están demasiado ocupados con la profecía y los preparativos del Holi.

Brynne la interrumpió:

—Nadie, salvo nosotras, sabe que el árbol es falso.

—Y el ejército del Durmiente estará distraído con la misión de Hanuman y Urvashi —añadió Aiden.

Bu se balanceó hacia delante y hacia atrás, moviendo el pico de un lado a otro antes de refunfuñar:

—Nada de procrastinar y malgastar el tiempo de la misión —dijo mientras señalaba a Aru con el ala—. Nada de aleccionar sobre todas las oportunidades de fracaso y hundir la moral del grupo —riñó a Mini—. Nada de meterse en peleas con cosas que te hayan ofendido —le ordenó a Brynne. Por último, se giró hacia Aiden—. Y tú, sigue trabajando así.

Aiden sonrió mientras las tres chicas lo fulminaban con la mirada.

—Entendéis que esta no es una tarea oficial, ¿verdad?

—continuó Bu—. Manteneos en la clandestinidad. Si os metéis en problemas con alguien del Más Allá, no podréis demostrar que trabajáis para los *devas*. Y debéis volver a tiempo para la celebración del Holi dentro de cinco días para que nadie sospeche. —Aru asintió tan rápido que pensó que se le iba a caer la cabeza —. Y bien, ¿cuál es la misión? —les preguntó.

—Conseguir una llave que abra la cámara de la Cripta de los Eclipses —contestó Brynne.

—Entrar en la cripta y, con suerte, encontrar una pista sobre la localización del árbol auténtico —dijo Aiden.

—Ir de incógnito —añadió Mini.

Bu se giró hacia Aru, que dijo:

—Esto… ¿No acabar siendo pienso de dragón?

Bu suspiró.

—Sigo preocupado.

—¡Tenemos armas celestiales! —dijo Aru—. No te preocupes.

Bu los miró con un brillo cálido en los ojos redondos.

—Pandava, sois mucho más que los objetos con los que lucháis.

—Que sí, pero también tenemos armas celestiales —enfatizó Aru.

Justo cuando Bu parecía a punto de gritarle, las gemelas intervinieron.

—¿Y nosotras qué? —preguntó Nikita, cruzándose de brazos.

—Hasta los doce años, se os considera menores de edad —dijo Bu—. Y si abandonáis los cielos, los *devas* lo sabrán gracias a ese regalo que os han hecho vuestros padres espirituales. —Señaló con el pico las formas brillantes que llevaban incrustadas en la piel—. Esos símbolos no solo indican que vuestros poderes no se han manifestado por completo, sino que también sirven como dispositivos de rastreo.

—Entonces, ¿no podemos ir? —preguntó Sheela en voz baja.

A Aru le dio un vuelco el corazón. A las gemelas las habían separado de sus padres… y quién sabe por lo que habrían pasado. No le extrañaba que quisieran pedir ese deseo.

Quería decirles que tendrían su oportunidad, que solo tenían que darles un poco de tiempo, pero, en cuanto abrió la boca para explicárselo, Nikita se puso delante de su hermana y los fulminó con la mirada.

—Que no podamos ir con vosotros no significa que podáis libraros de nosotras. Podemos viajar en sueños. Os encontraremos.

—Y ayudaremos —dijo Sheela—. A mí me gusta ayudar.

—Lo necesitaréis —comentó Nikita con arrogancia—. No vamos a dejar que la fastidiéis esta vez.

—Recuerda esto, Aru —dijo Sheela con los ojos enturbiados y la voz profunda—: Hay mucho más por encontrar.

DIEZ

Toc, toc. ¿Quién es?

Cuando Aru llegó a casa para prepararse, el Museo de Arte y Cultura de la Antigua India de Atlanta ya estaba cerrado. Miró el enorme reloj colocado sobre la entrada de la Sala de los Dioses. ¿Cómo era posible que fueran ya las nueve? Reprimió un bostezo, tocó la piedra de la trompa de Greg, la estatua del elefante, y entró pesarosa en el claustro antes de detenerse para pasar por el torniquete.

—¿Aru?

Levantó la cabeza y vio a su madre bajar las escaleras de su piso.

—Es tarde. Empezaba a preocuparme —dijo.

—Tengo una nota de Bu para ti —comentó Aru antes de rebuscar en los bolsillos del pantalón y tendérsela—. Debo irme a otra misión, pero no se lo puedes contar a nadie.

Su madre leyó el mensaje con el ceño fruncido y suspiró con resignación. Luego, abrió los brazos para estrecharla en ellos y Aru se dejó estrujar, inhalando con fuerza. Por muchas fragancias milagrosas que llenaran el Bazar Nocturno, esa era su favorita: el champú de jazmín de su madre combinado con el olor de los papeles y de la paja de su trabajo como arqueóloga e historiadora.

—Ese «objeto sagrado esencial» que intentáis encontrar... —dijo su madre con calma—. Creo que ya sé qué es.

—¡No lo digas en alto! —le pidió Aru mientras oteaba las sombras.

—Alguien más lo buscó hace mucho tiempo... —continuó su madre. Aru se echó hacia atrás y vio lágrimas en sus ojos—. Tu pa... —Se detuvo y respiró hondo.

«Entonces, tenía razón», pensó Aru. Su padre había sido la «persona incorrecta» que había intentado pedir un deseo al árbol.

—Aru hay algo que llevo tiempo queriéndote enseñar —dijo su madre—. Lo he llevado conmigo sin saber cuándo sería el momento perfecto, pero este me parece tan bueno como cualquier otro.

Dio un paso atrás y, del bolsillo de la chaqueta, sacó un papelito doblado en forma de pájaro un poco más grande que el pulgar de Aru. Este se despertó en la mano de su madre, movió las plumas de pergamino, inclinó la cabeza y cantó una melodía preciosa. Los extremos del pico y la cola estaban desgastados, como si lo hubieran tocado muchas veces.

—Tu padre lo hizo para mí —dijo sin mirar a Aru—. Era en parte descendiente *gandharva* y le encantaba la música. Me puse tan nerviosa al saber que te iba a tener, Aru, que me pidió que escribiera cada temor en un trozo de papel. Luego, los convirtió en ruiseñores para recordarme que las cosas que nos asustan también nos pueden dar alegría. Solo tenemos que aprender a mirarlas desde otra perspectiva. —Hizo una pausa, sonriendo para sí—. Antes era inteligente, divertido, atento y decidido. Sabíamos cuál era la profecía sobre él…, que, de alguna manera, se convertiría en una fuerza de destrucción, en el terror de los dioses. Él quería cambiar su futuro más que nada en el mundo y por eso fue en busca del Kalpavriksha. —La doctora K. P. Shah respiró hondo antes de guardarse el pájaro en el bolsillo de la chaqueta—. Volvió convertido en una persona totalmente distinta, como si le faltara algo. Nunca supe si encontró el árbol. Se negó a hablar del tema y, en aquel momento, tenía otras cosas de las que preocuparme. —Se puso una mano en el vientre.

Aru recordó la imagen que había visto de su padre en el Pozo del Pasado, cuando ella y Mini se habían adentrado en el Reino de la Muerte. En la visión, él tenía un bebé en brazos y lo miraba con una alegría que hizo que el alma se le cayera a los pies.

—Cuando vi lo mucho que había cambiado, no supe qué hacer —dijo su madre—. Tenía que protegerte a toda costa. Lo encerré en la lámpara, creyendo que algún día encontraría la solución, pero… —Se le quebró la voz; Aru le tomó las manos y le dio un apretón.

No podía imaginar cómo se habría sentido su madre. El pánico y el amor que se habrían mezclado en aquella decisión imposible de encerrar al hombre al que había amado durante once años… y todo por ella, por Aru.

—No sé qué ocurrió cuando se fue en busca del Kalpavriksha. Sea lo que sea, hizo que se perdiera a sí mismo. No quiero que te ocurra lo mismo, mi Aru.

Mientras su madre le besaba la coronilla, Aru sintió que le deslizaba algo por el cuello. Era el collar que su madre había llevado siempre: un pequeño colgante con un zafiro y una delicada cadena de plata. A Aru le encantaba ese zafiro, colocado sobre una hilera de tres agujeros pequeños. Nunca había visto una joya de ese color, como si no solo encerrara el azul de la piedra, sino también el de los océanos y el horizonte.

—Mamá, ¿para qué es esto? —preguntó Aru mientras tocaba la joya.

—Protección —contestó su madre—. Hace años, un *yaksha* me lo dio. Me prometió que serviría para cuidarme y para hallar las cosas perdidas. Espero que te proteja del peligro que Suyodhana encontró en ese viaje. Cuídate, ¿vale, mi Aru? Te quiero.

Un miedo innombrable le contrajo el pecho. ¿Qué le había ocurrido a su padre? ¿Le pasaría también a ella? ¿Algo de lo que enfrentara en esa misión la cambiaría tanto que terminaría siendo la hermana «falsa» de la profecía? «No», se dijo a sí misma. No podía empezar a pensar de esa manera o no se marcharía. Además, su padre había viajado solo. Aru no estaba sola.

Notaba el colgante frío sobre la piel. Y, a pesar de ser pequeño, pesaba sutilmente. Pero no era incómodo; le recordaba a un talismán. Aru lo tocó una vez más y se sintió un poco más valiente.

—Yo también te quiero, mamá —dijo.

Antes del amanecer de la mañana siguiente, el reloj del vestíbulo del museo repicó cinco veces. Mini, Brynne y Aiden llegarían pronto, pero Aru no había terminado de hacer la maleta. El *vajra*, que se suponía que debía actuar como linterna, no paraba de saltar de una pared a otra.

—¿Podrías echarme una mano? —le pidió Aru.

El *vajra* se detuvo, como si se lo estuviera planteando. Luego, el rayo continuó jugueteando por la sala. Aru puso los ojos en blanco. Estaba decidiendo entre qué zapatos llevar cuando una extraña sombra se elevó por la pared. Se hizo enorme, con una cabeza extraña y deformada... ¿Eso era una cola? Un viento frío recorrió el vestíbulo. ¿Se había dejado la puerta principal abierta y alguien había entrado sin que se diera cuenta?

—Psss...

«¡DEMONIO!», pensó Aru.

—¡*Vajra*! —gritó, extendiendo la mano.

El rayo voló hasta sus dedos y Aru giró sobre sí misma antes de lanzar el *vajra* como si fuera una jabalina. Brilló con fuerza, inundando de luz al demonio y casi cegándola a ella. Cuando la luz se atenuó, Aru pestañeó y vio al *vajra* convertido en una red contra la pared, con el demonio atrapado debajo. Pero... no era un demonio.

—Bueno —dijo el no-demonio, sonriente—, definitivamente no eres aburrida.

ONCE

Venga, héroes,
nos vamos de misión

El no-demonio era un chico de su edad con unas gafas de sol posadas en la cabeza, a pesar de que el sol aún no había salido. Llevaba una chaqueta vaquera horrenda teñida a lo casero y unos vaqueros oscuros. Aru solo lo reconoció cuando este sonrió.

—¡Tú! —dijo.

—*Moi!* —confirmó el chico.

Era el chico *naga* que los había liberado el año anterior de Takshaka, su propio abuelo, al poner música a todo volumen. Sin embargo, esta vez no parecía mitad serpiente. Ahora parecía completamente humano, excepto por la extraña mancha con forma de escama que tenía en la sien derecha, aunque cualquiera pensaría que solo era una marca de nacimiento. Aru lo miraba fijamente. Lo engreído que se mostraba a pesar de estar pegado a la pared con una red eléctrica era impresionante.

—Te dije que me cobraría ese favor algún día, Aru Shah.

—¿Cómo has entrado en casa? —preguntó Aru.

—¿Puedo preguntar yo primero?

—No.

—Lo suponía —dijo el muchacho—. A las chicas les cuesta pensar con claridad cuando me conocen.

—Te voy a electrocutar, literalmente —lo amenazó Aru—. ¿Qué estás haciendo en mi casa?

—Primero, esto es un museo...

—*Vajra* —le ordenó Aru.

La electricidad chisporroteó por toda la red.

—¡Ay! ¡Ay! —se quejó el chico—. Vale, vale. Dile a la cuerda trastornada que pare.

El *vajra*, muy ofendido por esa descripción, le lanzó otra descarga eléctrica.

En ese momento, la puerta principal se abrió de golpe. Aru se giró y vio a Aiden en el umbral con la cámara colgada sobre un hombro y su bolsa sobre el otro. Justo entonces, Greg, el elefante de piedra (Mini lo había llamado así después de leer sobre la gangrena, una infección que, al parecer, hace que el tejido muerto se vuelva gris como la piedra), levantó la trompa y dejó caer la mandíbula al suelo, lo que permitió que Mini y Brynne salieran del portal.

Aiden miró al chico atrapado bajo la red eléctrica y suspiró.

—Veo que ya has conocido a mi primo Rudy.

—En realidad, soy príncipe Rudy. Ahí lo dejo.

¡ZAP! Después de que Aru le soltara una última descarga eléctrica, Rudy cayó al suelo y el *vajra* volvió zumbando hasta su mano. Esta vez no lo hizo en forma de bola, sino de imperioso arpón crepitante cargadito de electricidad. Aru incluso sintió que el pelo se le elevaba del cuero cabelludo y ondulaba a su alrededor, lo que suponía que la hacía parecer superépica.

Aru decidió comprobarlo mentalmente con Mini y Brynne, que caminaban hacia ella.

«En la escala del uno a Galadriel, ¿qué tal tengo el pelo?».

Mini: «Bueno, eh…».

Brynne respondió al instante con «Te quiero, pero parece que te acabes de pelear con Pikachu».

Aru resopló.

«Y hayas perdido», añadió Brynne.

La carga eléctrica del rayo se desvaneció de forma abrupta. Aiden, Brynne y Mini se acercaron y los tres vieron como Rudy se tambaleaba y… ¿sonreía?

—¿Le has hecho una foto a eso, primi? —le preguntó a Aiden.

—No me llames así —contestó él.

Aru no pudo contenerse.

—Aquí lo llamamos «Querida».

Aiden suspiró.

—Gracias, Shah.

Rudy frunció el ceño.

—Alguien me va a tener que explicar eso más tarde.

—Nadie te debe ninguna explicación —respondió Aru.

—Déjame que empiece desde el principio —dijo Rudy. Cogió aire e hizo una reverencia—. Yo, príncipe Rudra de Naga-Loka, descendiente de la reina Ulupi, estoy aquí para ofrecer mis servicios a las Pandava.

Aru frunció el ceño. ¿Cuál era el protocolo en estos casos? ¿Les iba a regalar una cesta de fruta o algo?

—Perdona, pero ¿quién te ha pedido tus servicios? —preguntó Brynne antes de darle un codazo a Mini—. ¿Verdad, Mini? Dile que no lo necesitamos.

Detrás de Brynne, a Mini se le pusieron los ojos como platos y Aru recordó la primera (y última) vez que su hermana había visto a Rudy. Le había guiñado un ojo. ¿Y qué había hecho Mini? Bueno, se había chocado con un poste de teléfono.

Mini aún no dominaba el arte de los chicos. En el baile de Halloween del Más Allá, se había pasado todo el tiempo hablando con un chico sobre los distintos gérmenes que había en las manos de las personas hasta que el chaval se excusó para ir a por ponche y ya no volvió. También estaba ese otro momento en el que Mini quiso decirle a un chico que tenía las pestañas bonitas, pero, en lugar de eso, le habló sobre la tricomegalia de las pestañas y le enseñó unas fotos en Google que daban muy mal rollo. Al mirar a Rudy, Mini abrió la boca, la cerró, la volvió a abrir y dijo:

—«Necesitar» es una palabra extraña. Supongo que depende de las circunstancias, ¿no? Por ejemplo, no me gustaría que mi flora intestinal estuviera esparcida por toda la mesa, pero está claro que la necesito.

Después, soltó una carcajada histérica.

Rudy frunció el ceño.

—¿Qué?

—Aiden, ¿por qué has traído a esta serpiente? —preguntó Brynne, y ocultó con lentitud a Mini, que seguía riéndose.

Él suspiró mientras se acariciaba los rizos oscuros.

—Mi madre solo mantiene el contacto con una princesa *nagini* prima suya…

—Mi madre —lo interrumpió Rudy— pensó que era mejor si me exponía a algo de cultura mortal, por lo que me envió con mi tía. Y oí a Aiden hablar sobre una búsqueda en la que estáis metidos…

—¡Leíste mis mensajes!

—Detalles, primi, detalles —dijo Rudy, desdeñoso—. Básicamente he oído que queréis entrar en la Cripta de los Eclipses, pero no podéis hacerlo sin un miembro. Resulta que yo soy miembro. Así que, ya sabéis, de nada y todo eso. Decidme cuándo nos marchamos.

Rudy se alejó mientras las tres chicas se miraban entre sí, compartiendo expresiones que decían «¿Qué acaba de pasar?». Aiden se encogió de hombros con aire de impotencia. Rudy empezó a pasearse por el museo y a tocar las estatuas.

—¿Estas cosas están vivas y comen ladrones? —preguntó.

—Eh… no —respondió Aru.

—Oh —dijo Rudy, negando con la cabeza—. El mundo mortal es muy raro.

—¿Por qué quieres unirte a esta misión, príncipe? —lo interrogó Aru—. No somos tus siervos.

Brynne movió la muñeca y el bastón de viento llegó zumbando hasta su mano.

—Y ni se te ocurra pedírnoslo —lo amenazó.

Rudy no pareció afectado.

—Tengo mis razones, Shah. Me debéis un favor y me lo estoy cobrando. —Le guiñó un ojo.

Aru puso cara de fastidio, pero incluso al hacerlo, sintió un ligero entusiasmo. Ningún chico le había guiñado el ojo antes. Bueno, salvo esa vez en la que pensó que David Kyrre le guiñaba constantemente el ojo en una excursión al zoo con la escuela, pero resultó que solo le había entrado una pestaña.

Fue acordarse de esa anécdota y mirar a Mini: tenía el ceño fruncido, pero no era por envidia, sino por tristeza, que era mucho peor. Y el ligerísimo entusiasmo de Aru desapareció.

Brynne le lanzó una mirada candente y fulminante a Rudy y le dijo a Aiden:

—Tu primo, tu responsabilidad.

Esperaron en el exterior del museo al taxi que Brynne había pedido. Rudy no paraba de exigirle a Aiden que le hiciera varias fotografías dramáticas con distintas poses ante el amanecer, pero este se negaba. Brynne estaba ocupada acumulando lo que fuera que había sacado de la nevera, al tiempo que Mini practicaba sus dotes de transformación con el cuerpecillo casi perdido dentro de la enorme sudadera gris que llevaba mientras convertía la *danda* en objetos aleatorios: una calavera iluminada y un frasco con dientes, un par de alas violetas y una manzana pintada de negro. No podía negar que era hija de la Muerte.

—Sabes que eres la única aquí que no preferiría seguir en la cama, ¿verdad? —dijo Aru.

Mini suspiró.

—No puedo evitarlo. Me pongo nerviosa antes de los viajes. Y, total, ¿qué más da dormir? —Miró a los chicos, sentados a unos metros de distancia, y gruñó—. Aru, ¿ha sido muy extraño lo que le he dicho a Rudy?

—Bueno, tampoco…

—Sé sincera.

—Vale, sí, horrible.

Mini lloriqueó.

—Aunque ni mejor ni peor que cuando ves a cualquier otro chico que te parece mono.

Mini se dejó caer al suelo.

«Ups», pensó Aru. Incluso el *vajra*, en su forma de brazalete, le soltó una severa descarga eléctrica. «¡Ay! ¡Mensaje recibido!».

—Pero las primeras impresiones no lo son todo. Piensa en todas las cosas raras que suelo decir yo.

Mini se sorbió los mocos.

—Es verdad.

—¿Te gusta?

Mini se ruborizó.

—Seguro que piensa que soy una friqui.

—Hija. Del. Dios. De. La. Muerte —enunció Aru marcando cada palabra—. ¡Repítelo! «Soy más guay que el noventa y nueve por ciento de la población…».

Un bocinazo interrumpió a Aru. Parecía provenir de arriba. En esas apareció un enorme coche volador ante ellos. Era como un taxi supersofisticado, pero con unas alas blancas enormes que se movían grácilmente mientras bajaba hasta la calzada. Las palabras «VIMANA EXPRÉS» relucían en uno de los costados.

—Vamos, héroes —gritó Brynne—. Nos vamos de misión.

DOCE

El juego de la oca

Aru y Mini se subieron al *vimana*, que era mucho más grande por dentro de lo que parecía por fuera. En la parte trasera, había espacio para siete personas. Cada asiento era como un pequeño trono de terciopelo, por lo que daba la impresión de que estaban sentados en un elegante recibidor y no en un coche. Unas enormes ventanas flanqueaban los tronos. Había un par de altavoces colgados en las esquinas del *vimana* y pequeños estantes sobresalían de la separación entre los asientos traseros y delanteros con copas de cristal con posavasos, pequeños frascos con calcetines para pezuñas, abrillantador para cuernos, hilo dental para colmillos, tijeras para garras… y un cargador de iPhone. Aiden, Rudy y Brynne ya estaban en sus sitios. La chaqueta horrenda de Rudy contrastaba con el atuendo sobrio habitual de Aiden: una camisa oscura de manga larga y unos pantalones aún más oscuros.

Los primos estaban enzarzados en una discusión.

—La idea es ser sutiles —dijo Aiden—. Es una misión de incógnito.

—Nací para destacar.

—Bueno, pues morirás de la misma manera, al parecer.

Rudy se encogió de hombros.

—Los *haters, haters* son.

Aiden farfulló algo para sí mismo y cogió la cámara.

Brynne rebuscó en su mochila y sacó comida envuelta en papel de aluminio.

—Os he traído el desayuno —anunció—. Bayas reducidas en azúcar y caramelo, mezcladas con mantequilla de frutos secos molidos y extendidas sobre una tostada de trigo.

—Vamos, un sándwich de mantequilla de cacahuete y mermelada, ¿no? —preguntó Aiden.

—Exacto —respondió Brynne. Golpeó el techo del coche—. ¡Arranque!

El carro volador aulló antes de salir zumbando por el aire a tanta velocidad que Aru quedó aplastada en su asiento. Cuando levantó la vista, se percató de que en el techo había una pantalla. Alguien había puesto en silencio la televisión del Más Allá, pero aún se veían los titulares:

Noticia de última hora: problemas de seguridad en la celebración del Holi de este año. ¿Empieza la guerra?

¿Están los *devas* ocultando la profecía pandava?

Y, a continuación…

112

¿ALGUNA DE TUS EXTREMIDADES SE HA CONVERTI-
DO EN PIEDRA? ¡QUIZÁS SUFRAS UNA MALDICIÓN!
¡LOS EXPERTOS OPINAN!

Aru intentó apartar todos los pensamientos acerca de la profecía mientras se enderezaba en el asiento.

—Por favor, decidme que no es un coche volador robado... —dijo Mini con nerviosismo.

—Pues claro que no —respondió Brynne—. Y no es un coche volador. Es un *vimana*, más parecido a un carro volador. Este modelo está inspirado en la versión de lujo que Ravana conducía en el pasado.

—¿Ravana? —preguntó Mini—. ¿El...? ¿El rey demonio?

Brynne asintió.

—Gunky es el arquitecto jefe de VPD, por lo que el servicio de carros voladores lo lleva todos los días desde casa hasta el trabajo.

—¿VPD? —inquirió Aru.

—Vishwakarma, Prajapati y Daksha —dijo Brynne—. Es uno de los mejores estudios celestiales de arquitectura.

—Bueno, ¿cuál es el plan? —preguntó Aiden—. ¿Vamos a presentarnos en ese estudio diciendo «¡Hazme una llave!» y ya está?

Brynne asintió.

—Pues... ¿sí? Vishwakarma es literalmente el dios de los arquitectos. Pero solo trabaja en proyectos que le gustan, por lo que tendremos que planteárselo bien.

Aru levantó las cejas.

—¿Con qué? ¿Con una presentación de PowerPoint?

—Uy, no —dijo Brynne—. Solo tenemos que decirle quiénes somos y con eso bastará.

Mini carraspeó.

—Pero… según Bu, se supone que tenemos que ir de incógnito todo el tiempo.

A Brynne se le ensombreció la expresión.

—Se me había olvidado.

—No debería ser un problema —dijo Rudy. Estaba jugueteando con el sistema de sonido, acercando gemas reales a los altavoces—. Son modificadores de sonido —explicó—. No puedo ir de misión sin una buena lista de reproducción.

Cogió otra gema de la bandolera naranja que tenía a los pies y giró el sintonizador que había bajo los altavoces. La música pasó de hiphop de los noventa a pop latino antes de detenerse en una canción que Aru no había oído nunca. Tenía un ritmo fuerte y le recordaba a una canción de lucha. Cuando Rudy acercó la gema al altavoz, el sonido no solo se volvió más fuerte, sino que cobró vida. La música parecía colarse por la piel de Aru y hacía que se le erizase el alma. Sintió la extraña necesidad de tirar al suelo un par de guantes de boxeo en plan dramático.

—La música lo es todo —dijo Rudy.

Brynne cruzó los brazos.

—Buen truco —gruñó—, pero ¿podemos hablar de VPD?

Rudy movía la cabeza al ritmo.

—Soy un príncipe, ¿recuerdas? Podéis ser mis laca-yos mientras le pido a Vishwakarma que me haga una llave —anunció—. ¡Bum!

—¿Bum? —repitió Aiden poniendo los ojos en blanco.

—¿Lacayos? —preguntó Brynne enfadada.

De repente, el carro se inclinó hacia delante brusca-mente y los cinco pasajeros chocaron con el divisor de cris-tal. Por primera vez, Rudy perdió su calma habitual.

—¿Qué le pasa a este trasto? —dijo, asustado—. Pensaba que era seguro.

—Y lo es —afirmó Brynne—. O bastante seguro, siempre que el carruaje no vea ningún pájaro. Se pone celo-so… o quiere comérselo. Gunky no está muy seguro. Pero no te preocupes, aún estamos a principios de la primavera y muchos pájaros no…

—Brynne. —La voz de Aiden desprendía un tono alarmado. Era el que se encontraba sentado más cerca de la ventana y se había inclinado para hacer fotos, como siempre, pero ahora estaba presionado con fuerza contra el asiento—. Espero equivocarme, pero acabo de ver…

¡ON, ON!

—Oh, no —gimió Mini—. No…

Como respuesta, el carro se detuvo en seco y giró en el aire. Un estremecimiento recorrió los cojines aterciope-lados, como los músculos de un gato a punto de atacar.

¡¡ON, ON!!

Una bandada de, al menos, una docena de ocas pasó zumbando por el aire en torno a ellos. El *vimana* se encabri-tó y las copas de cristal tintinearon en sus posavasos.

—Coche malo —dijo Brynne—. Coche muy malo.

—Pero ¿quién lo conduce? —preguntó Mini, aferrándose al reposabrazos.

—Se conduce solo.

Aiden se inclinó hacia delante, abrió el cristal de separación y se coló en el asiento del conductor.

—Volveré a nuestra ruta.

—¡Pero si no sabes conducir! —dijo Brynne.

—¡Oye, que he llevado un kart!

—No es lo mismo.

Pero Aiden ya se había acomodado en el asiento del conductor. Rudy, sin embargo, se sentó en el suelo y se aferró a su trono. Toda su calma había desaparecido.

Fuera, las ocas empezaron a mover el carro, que se inclinaba hacia la derecha y hacia la izquierda. Aru cayó contra la ventana y vio algo horrible: el *vimana* se había elevado en el cielo y estaban por encima de una zona de nubes. Se veían trocitos del centro de Atlanta a cientos de metros de distancia.

—No me gustan nada las alturas —gimió Rudy.

—Por lo menos, las ventanas no… —comenzó a decir Brynne.

Las ventanas bajaron, se abrieron y volvieron a cerrarse como si fueran unos dientes masticando. Mini se agarró a uno de los asideros que había sobre su cabeza.

—Creo que el *vimana* está intentando morder a los pájaros.

Una oca metió la cabeza por la ventana, graznó y le quitó el sándwich a Brynne.

—¡Va a ser que NO! —gritó esta.

Cogió el bastón y alejó al ave con una ráfaga de viento; la oca salió despedida del coche antes de acabar dando vueltas por el cielo. Las ocas se detuvieron un momento. Luego, todas a la vez, fueron directas al *vimana*.

—¿No puedes hacer nada para que el coche pase de los pájaros? —preguntó Aru.

—Eso intento —gritó Aiden.

Y era cierto. Agarraba el volante con fuerza mientras lo giraba de un lado a otro, pero el carro trazaba círculos como un perro persiguiéndose la cola. O, en este caso, a una oca. El coche se tambaleó de nuevo. Esta vez, Aru no se chocó con la ventana… ¡cayó por ella! El viento le azotaba el pelo y ella se aferraba al extremo de la puerta con los pies colgando en el aire.

—¡*Vajra*! —chilló.

El rayó se activó y Aru lo cogió con una mano. Apuntó con el *vajra* y la electricidad llenó el aire. Las ocas se echaron hacia atrás…

Pero el sonido debió de asustar al *vimana*, porque giró con brusquedad y a Aru se le soltó una mano. «No mires abajo, no mires abajo…». Miró el suelo a cientos de metros de distancia y la invadieron las náuseas. El *vajra* zumbó bajo sus pies en forma de aerodeslizador y la devolvió al interior por la ventana.

—¡Lo has empeorado! —dijo Rudy, tumbado sobre el suelo del carro.

Con todo ese follón, Brynne no podía agarrar bien el bastón de viento y Aru no podía volver a usar el *vajra* contra las ocas. Pero entonces, Mini dio un paso al frente. Tampoco le encantaban las alturas precisamente, pero se incorporó como pudo y dirigió la *danda* de la Muerte hacia el exterior de la ventana. Con una palabra susurrada, hizo que un enorme espejo apareciera en la parte trasera del *vimana*.

—Aquí no hay nada que ver —dijo con calma—. Solo nubes. Nubes y nada más.

Eso debió de parecerles a las ocas. El espejo reflejaba el cielo y ocultaba el vehículo. Los pájaros se quedaron atrás y el balanceo del *vimana* se ralentizó. Brynne pudo, al fin, utilizar el bastón de viento. Lo movió en el aire para crear un ciclón que bloqueó el graznido de las ocas.

Aiden dirigió el *vimana* aún más alto, entre las nubes, antes de ajustar a toda velocidad el piloto automático para que se condujera a un ritmo suave. Después, se dejó caer en el asiento trasero. Mientras dejaban los pájaros atrás y Mini retiraba el espejo, Aru miró por la ventana a una de las aves rezagadas.

—No pienso volver a daros de comer —dijo sombría.

—Ahí está —anunció Brynne—. La sede de VPD.

Cuando Aru se enteró de que VPD tenía su propio rascacielos, supuso que sería como cualquier otro edificio alto de los que integraban el horizonte neoyorquino. Pero no era así. Se encontraba encajado entre dos bloques enormes y parecía tener el cometido de pasar desapercibido a ojos de los humanos de a pie. Era literalmente un rascacielos. El edificio parecía un brazo gigantesco elaborado con oro fundido y, en lo alto, tenía unos dedos que sujetaban las nubes y que se movían de un lado para otro como si estuvieran aliviando la picazón del cielo.

El *vimana* voló a través de la inclinada palma dorada, que tenía un enorme agujero negro en el centro. Brynne les explicó que, a través de esa abertura, accederían a un conducto que los llevaría al interior del edificio. Rudy tragó saliva y se agarró al borde exterior del carro.

—¿Podemos ir por las escaleras? —A su lado, Mini sonrió, lo que hizo que Rudy se echara un poquito hacia atrás—. ¿Qué pasa?

—Me gusta verte asustado.

—¿Eso te mola? —preguntó apartándose un poco más.

—Bueno, ¿y ahora qué hacemos? —intervino Aru.

—Saltar —afirmó Brynne—. Gunky dice que todos los empleados de VPD entran por esta ruta. Se supone que simboliza un salto de fe e inspiración o algo así. No sé, los arquitectos a veces son un poco raros.

Brynne sacó la tarjeta de empleado de Gunky del bolsillo delantero de la mochila. La movió sobre la abertura oscura y una ligera luz refulgió en el interior.

—Démonos las manos y saltemos.

Cogió la de Aiden y este le ofreció la otra a Aru. Dudó antes de tenderle la suya. Sabía que solo era un salto, pero el tiempo pareció ralentizarse mientras barajaba las miles de situaciones horribles: ¿y si le sudaba la palma? En ese caso, le resbalaría la mano y Aiden caería. ¿Y si, en lugar de sudada, la tenía callosa y a él le daba tanto asco que la soltaba y acababa espachurrado en la calzada?

«Ay, por todos los dioses, me estoy convirtiendo en Mini».

Aiden le cogió la mano.

—Perdona si la tengo sudorosa o callosa —soltó Aru.

Aiden la miró, muy confuso.

—Bueno es saberlo.

Con la otra mano, Aru agarró a Mini, que estaba cogida ya a Rudy. La chica sonreía, pero él parecía aterrorizado. Rudy aferró la de Brynne.

—A la de tres —dijo esta—. Una, dos…

Brynne saltó y, mientras se precipitaban por la oscuridad, Mini vociferó:

—¿Y EL TRES QUÉÉÉÉÉÉ?

TRECE

Salid de aquí, alcachofas en oferta

En teoría, a Aru le parecía genial llegar al trabajo bajando un enorme tobogán. En la práctica, sin embargo, era aterrador. El viento le azotaba la cara mientras avanzaba y le recordaba a la garganta oscura de un monstruo gigantesco. Se habían soltado las manos al caer y Aru empezaba a agitarse. Le ordenó al *vajra* que se hiciera una bola, pero daba la impresión de que el tobogán estaba encantado y protegido de toda luz. Quizás no habría sido tan malo si hubiera podido oír a sus amigos, pero un sistema de intercomunicación comenzó a retumbar por el túnel y una voz que supuso que pertenecía al gran Vishwakarma o señor V, como lo llamaba Brynne, anunció:

«EL TEMA CREATIVO DE HOY ES EL *MINDFULNESS*, O SEA, QUE TENDRÉ LA MENTE A TOPE. NO OS ACERQUÉIS A MI DESPACHO CON UN DISEÑO INÚTIL COMO GRAPADORAS TRANSLÚCIDAS. SÍ, ES UNA REFERENCIA DIRECTA A TU PAYASADA, CASEY LIEU. TENEMOS QUE DAR LO MEJOR DE NOSOTROS MISMOS. ¡SORPRENDEDME, PEONES! ¡CORTO!».

La voz hizo una pausa antes de decir de forma amenazadora:

«Y RECORDAD... TODO ESTÁ PREDISEÑADO».

Aru salió del pasadizo por fin y cayó boca abajo sobre unos baldosines azules brillantes. Su primer pensamiento fue «pobre Casey». El segundo, «¿dónde narices estoy?». Se metió el *vajra* en el bolsillo, se apoyó sobre los codos y giró la cabeza para mirar alrededor.

Estaban debajo de una gigantesca cúpula de vidrio de colores que representaba las alas de una magnífica mariposa, con cada segmento de color perfilado en blanco. Las paredes eran elegantes y pálidas. Una de ellas estaba cubierta con toda una gama de espejos pulidos que mostraban reflejos de distintos escenarios: playas y dunas desiertas, acantilados envueltos en nubes y junglas frondosas humeantes. Aru se puso en pie y leyó una pequeña placa de cristal en la pared:

ESTE EDIFICIO SIGUE LAS NORMAS OFICIALES CELESTIALES. TODOS LOS MATERIALES UTILIZADOS SON 100 % RECICLADOS. LA MADERA PROCEDE DE LA CIVILIZACIÓN PERDIDA DE KUMARI KANDAM, LOS PANELES DE VIDRIO DE COLORES SE EXTRAJERON DE LAS LÁGRIMAS PROPORCIONADAS POR PRINCESAS DESESPERADAS Y TODOS LOS BORDES PROVIENEN DE LOS DIENTES DE LECHE DESECHADOS DE LOS LEVIATANES DE LA COSTA INDIA. SI QUIERE REDUCIR SU HUELLA, PEZUÑA O PATA DE CARBÓN, PIDA A NUESTROS ARQUITECTOS QUE LO AYUDEN CON LAS NECESIDADES DE SU EDIFICIO.

Junto a una de las paredes blanquecinas, había una burbuja de cristal con un recepcionista en el interior. Tenía la piel oscura y era guapo. Llevaba una camiseta blanca extragrande llena de agujeros, unas gafas enormes con montura roja brillante y unos vaqueros tan rotos que parecía que se los hubiera quitado de la boca a un tiburón.

—Namasté —saludó al grupo, juntando las manos—. ¿Cómo podemos redirigir la energía del universo para… —dudó antes de mirarlos de arriba abajo— adaptarla a vuestras necesidades? —Elevó la voz al decir la última palabra.

Aru se miró su atuendo. Vale… quizás no era alta costura ni nada parecido, pero no estaba tan mal. O quizás sí, a juzgar por la sonrisa que le curvaba los labios al recepcionista. Mini se escondió detrás de Aiden, que se metió, desafiante, las manos en los bolsillos. Rudy, que era el único que no se ganó la burla del recepcionista, se ajustó el cuello. Brynne tomó la iniciativa y se acercó al escritorio.

—Estamos aquí para ver al señor V —dijo.

El recepcionista la miró por encima de las gafas.

—¿Habéis pedido cita?

—Bueno, no, pero, verá, nosotros somos…

Brynne se detuvo. No podía decir «Pandava».

—Sois… ¿qué? —repitió él—. ¿Unos chicos que se han perdido, quizá?

Una ráfaga de aire frío recorrió el vestíbulo, lo que significaba que Brynne no estaba contenta. Rudy dio un paso hacia el escritorio y carraspeó.

—Perdona a mi asistente —dijo con suavidad—. Debe de haberse golpeado la cabeza al bajar por el tobogán. No tenemos cita, pero el señor V me está esperando. Soy el príncipe Rudra de Naga-Loka y he venido a solicitar sus servicios. Estos son… —Señaló a los demás—. Mi séquito: fotógrafo, cocinera, asistente, sanadora. Hoy viajo con la plantilla esencial.

Los ojos del recepcionista se agrandaron y se puso en pie antes de hacer una rápida reverencia.

—Oh. Perdóneme, su alteza.

—Por favor, llámame Rudy.

Se materializó un pasadizo en una pared vacía.

—Le haré saber que está aquí. Pero debo avisarle de que el señor V no está de buen humor hoy. —Hizo un movimiento hacia el pasillo—. Vayan pasando… si se atreven.

El corredor hacia el despacho del señor V estaba flanqueado por los planos de todas las grandes ciudades que había diseñado, como Dwarka, donde el dios Krishna gobernó y vivió, o la ciudad mística dorada de Lanka, gobernada por Kubera, el dios de las riquezas.

—¿Cómo es ese tal señor V? —le preguntó Rudy a Brynne en un susurro—. Tengo que ajustar mi actitud, ¿sabes? ¿Debo ser encantador? ¿Rico? ¿Rico y encantador? ¿Un poco raro? ¿Intelectualmente raro? ¿O…?

—¿Callado? —sugirió Aiden.

Rudy hizo una pausa antes de tocarse la barbilla.

—Sííí. Callado y melancólico como tú. Vale, dame algún consejo. ¿Odias a todos o es algo más interior, dirigido hacia ti mismo?

Aiden lo fulminó con la mirada.

—No odio a nadie, pero tú eres la excepción.

—Vale, entonces nada de interior ni dirigido a ti mismo…

Aru no pudo contenerse y se le escapó una terrible mezcla entre una carcajada y un resoplido. Rudy le sostuvo la mirada y esbozó una sonrisa.

—Gunky dice que Vishwakarma es muy creativo —dijo Brynne—. Pero a veces puede ser un poco impredecible...

Al final de pasillo, una papelera salió volando de un despacho, seguida de una sarta de maldiciones. Los cinco se pegaron a la pared mientras el contenedor giraba hasta detenerse frente a ellos, antes de prenderse fuego.

—¿POR QUÉ ESTÁ TODO EL MUNDO OBSESIONADO CON VOSOTROS? —gritó el señor V en el despacho—. No entiendo vuestro atractivo. ¡Dadme inspiración! Ninguno sois inspiradores...

Se oyó un fuerte estrépito en torno a ellos. El señor V debía haber tirado un montón de cosas de su escritorio.

—¡Eso es! —chilló—. ¡SALID DE AQUÍ, INSÍPIDAS ALCACHOFAS EN OFERTA!

Aru arqueó las cejas. ¡Qué insulto más raro! Luego, varias plantas suculentas salieron por la puerta del despacho y rodaron por el pasillo. Algunas parecían un poco quemadas. Una de ellas se estremecía mientras se alejaba a máxima velocidad del señor V.

—Vaya —dijo Aru, mirando las pequeñas plantas—. Pues sí que parecen alcachofas en oferta, sí.

Rudy dio varios pasos vacilantes hacia la puerta del despacho. De repente, el suelo de mármol bajo sus pies se iluminó como vetas de oro que brillaban y proyectaban luz sobre las paredes.

—¿QUÉ PASA? —gritó el señor V—. VEN DONDE PUEDA VERTE.

—Quizá deberíamos enviarle la propuesta por correo —sugirió Rudy, retirándose.

Brynne lo empujó hacia delante.

—Fue idea tuya ir el primero, y necesitamos esa llave.

Aru miró hacia la puerta mientras el corazón le palpitaba en los oídos. ¿Y si Vishwakarma se negaba a hacer la llave? No tendrían manera de abrir la cámara A7 de la cripta ni de saber el paradero del árbol de los deseos. Además, si el señor V decidía que los odiaba, quizá ni siquiera llegaran a la cripta.

—Necesito un segundito —dijo Rudy antes de inspirar por la nariz y espirar por la boca—. Pensamientos positivos, chicos. Decidme cosas positivas.

—He perfeccionado la receta de los *macarons* —propuso Brynne.

—Genial, me gusta. —Rudy se volvió hacia Aiden, que lo fulminó con la mirada—. Vale, a ti te saltamos. —Se giró hacia Mini—. ¿Se te ocurre algo?

—Yo, eh, bueno… —Se puso roja—. Hay unas cuarenta mil bacterias en la boca humana. Y el intestino humano mide seis metros y…

Rudy arrugó la nariz.

—Vale, dejémoslo ahí. Voy a entrar.

Dentro del despacho, las ventanas llegaban hasta el techo y dejaban entrar la luz del sol, además de observar los rascacielos de las distintas ciudades: Bombai, Nueva Delhi, Nueva York y Londres. En la esquina de la habitación, cerca de una planta en una maceta dorada, había una oca de color blanco puro. Graznó cuando entraron y Rudy se echó hacia atrás, probablemente aún traumatizado por el encuentro de antes en el *vimana*. Pero el pájaro no se alejó del nido.

En el centro de la estancia, sentado detrás de un enorme escritorio de caoba con una solitaria hoja de papel encima, estaba el dios de los arquitectos y de los artesanos, vestido con un traje gris carbón. El señor V tenía cuatro cabezas, todas ellas con una pulcra barba blanca, el pelo negro con toques plateados en las sienes y gafas de media luna sin montura sobre la punta de la nariz. Tenía la piel bronceada y sus cuatro brazos se movían en torno a él, agitados. En una de las manos, sujetaba una pluma estilográfica; en otra, un rotulador; en la tercera, un martillo de oro y, en la cuarta, una pequeña regla negra.

—Creo que tienes una propuesta para mí, principito —espetó mientras los ojos de la Cabeza Dos se fijaban en Rudy.

Las otras iban a su bola. Una observaba el papel. La tercera miraba por la ventana mientras soltaba un suspiro y la cuarta entrecerró los ojos al reparar en Aiden, Brynne, Aru y Mini. Aru retrocedió; lo último que quería era que Vishwakarma se diera cuenta de que eran Pandava.

—Así es —contestó Rudy con tono grave.

En el chico serpiente se produjo un cambio instantáneo. No se le borró la sonrisa, pero se incorporó y arqueó las cejas como si acabara de oír algo insignificante.

—Al reino de mi padre siempre le han encantado sus exquisitos diseños y él…

Vishwakarma se recostó en su butaca y puso los pies sobre el escritorio.

—A ver si lo adivino... ¿quiere un reino dorado? —preguntó con desdén—. Porque ME NIEGO.

—No...

—¿Un carro volador en forma de cisne con alas doradas y pinta de avión?

—No...

—Entonces, ¿qué? ¡Suéltalo! Estás malgastando la valiosa energía de mis cerebros con tanta adivinación.

—Una llave —farfulló Rudy.

Vishwakarma lo miró durante lo que parecieron siglos antes de pestañear y echar la cabeza hacia atrás con una carcajada.

—¿Una llave? —aulló—. ¿Y qué voy a hacer después? ¿Robots aspiradores? —El señor V hizo una pausa—. ¿Sabes? Quizás no sea mala idea. Son extraños y encantadores... A lo mejor podría hacer un híbrido entre aparato y mascota. Requeriría algunas mejoras, claro. No tiene la capacidad de defenderse, por lo que los colmillos son imprescindibles. La cola podría servir de fregona. Y luego...

—Necesitamos una llave que pueda abrir todas las puertas —lo interrumpió Aru—. Incluidas las mágicas y encantadas.

El señor V se detuvo y se giró para escudriñarlos con un poco más de atención.

—¿Quiénes decías que eran tus acompañantes? —le preguntó a Rudy.

—No lo he dicho —contestó él con indiferencia—. No son importantes. Mi séquito cambia todos los días.

La cuarta cabeza del señor Vishwakarma estiró el cuello hacia Aru.

—Esa me quiere sonar.

—Se lo dicen mucho —intervino Brynne—. Tiene una... esto... cara muy común.

Aru la fulminó con la mirada y ella le sonrió y la saludó con la mano.

—Oh, venga ya, Cuatro —dijo la cabeza número uno—. Solo es una niña.

La cuarta cabeza resopló.

—No me fío de las niñas.

—Bueno, pareces una cascarrabias. ¿Qué pensáis, Dos y Tres? —preguntó Cabeza Uno.

—Roombas con colmillos... —dijo distraída la tercera cabeza.

—Hemos perdido a Número Tres —dijo Uno con un suspiro—. Estoy pensando en la utilidad de esa llave. ¿Servirá para liberar a doncellas cautivas? ¿Robar tesoros? ¿Esconder galletas? Me gustan las galletas...

—Me conocen por construir ciudades, principito —rugió Cabeza Cuatro—. ¡Palacios! ¡Cosas bonitas! ¡No herramientas! ¿Qué quiere hacer un príncipe *naga* con una llave así? Podría convertirse en una cosa curiosa y ambiciosa.

Rudy carraspeó y se cruzó de brazos.

—En el reino de Naga-Loka, tenemos un amplio sistema de túneles en el que guardamos joyas y tesoros. Los hemos tenido allí desde hace, al menos, cuatro milenios. —Hizo un gesto dramático con la mano—. Por desgracia, a veces nos encontramos con que no podemos entrar a nuestra propia cámara o se nos ha olvidado la contraseña. Una llave como esa resolvería el problema.

Por vez primera, Vishwakarma pareció inquieto. Se acarició las cuatro barbillas con las cuatro manos. Luego, la tercera cabeza se inclinó para rascarse la punta de la nariz con una de ellas.

—Hace bastante tiempo que no acepto un encargo así —dijo Cabeza Uno—. Supongo que no es una petición descabellada, dada tu condición de príncipe *naga*. Y estaría en mi poder garantizar…

El señor V levantó las manos. Al girarlas, la habitación se quedó totalmente a oscuras. Un globo brillante apareció en el aire y comenzó a rotar con lentitud antes de moverse como si fuera el puntero de un láser y cambiar de forma: de orbe a espátula, de esta a llave y, de nuevo, a una bola de luz.

No se parecía a ninguna llave que Aru hubiera visto con anterioridad. El *vajra* salió del bolsillo para examinar con curiosidad esa nueva magia. La cuarta cabeza de Vishwakarma miró con intensidad la bola brillante y Aru, a toda velocidad, ocultó el *vajra* de su vista. La bola relampagueante le soltó una descarga con un rápido e insatisfecho *¡zap!*

—Usar una llave como esta no será fácil —musitó el señor V. Estiró la mano para coger la esfera de luz y la hizo girar sobre la palma. Se transformó en una serpiente reptante y, después, en un pez con escamas arcoíris—.

Una llave que abre todas las cosas debe ser capaz de ver lo que está haciendo. Está, por así decirlo, viva, y pedirá algo a cambio de sus servicios. —El señor V los miró con los cuatro pares de ojos antes de decir—: ¿Estáis dispuestos a pagar el precio?

CATORCE

En el que una nariz
gigante huele a peligro

«¿**E**stáis dispuestos a pagar el precio?». Pues menuda pregunta.

Cada minuto que pasaba, el Durmiente se hacía más y más poderoso. Y, si no encontraban el Kalpavriksha auténtico, ganaría la guerra. Aru solo tenía que cerrar los ojos para que, en su mente, aparecieran imágenes del Más Allá devastado. Los preciosos puestos del Bazar Nocturno desgarrados como sacos de trigo; los cielos en llamas y su familia y amigos… muertos.

—Sí —dijo ella.

Vishwakarma inclinó las cabezas y las paredes del despacho se acercaron entre sí.

—Muy bien —dijeron las cuatro bocas—. En esta parte del mundo, el pago se debe hacer por adelantado. Si atrapáis la llave, será vuestra.

Las paredes brillaron con tanta fuerza que era casi imposible mirarlas. Aru se tapó los ojos y pestañeó con rapidez. Cuando consiguió abrirlos de nuevo, estaba en una habitación totalmente nueva. El dios se había esfumado, igual que las paredes y las ventanas con vistas a ciudades lejanas.

Aru miró al suelo y vio rocas frías bajo sus pies. A los cinco los habían llevado a una zona que se asemejaba a una cripta. Estaba iluminada por un puñado de velas colocadas sobre nichos en las paredes rocosas, y unas vides pegajosas y llenas de hojas lo cubrían prácticamente todo. Cuando el candelabro parpadeó frente a ellos, casi parecía que las plantas se estaban moviendo.

De reojo, Aru captó un ligero revoloteo. ¿Era una polilla? No, se dio cuenta al acercarse. Era una florecilla blanca que brincaba por las vides. En el centro de la habitación, había una columna de cristal y, dentro de ella, se encontraba el orbe brillante que contenía la llave de oro. Brynne miró la columna y levantó el bastón.

—Solo tenemos que romperla y…

—¡No! —gritó Mini, cogiendo a Brynne del brazo—. Si lo hacemos, el señor V sabrá que somos Pandava.

Brynne frunció el ceño durante unos instantes antes de sonreír.

—Entonces, utilizaremos la fuerza bruta.

Caminó hasta la columna, alzó el brazo y le pegó un puñetazo al cristal. Dentro, la llave tembló, pero no se movió, aunque sí lo hizo otra cosa. Sobre ellos, se oyó un terrible chirrido.

—¡Has roto la sala! —exclamó Rudy.

Aru miró hacia arriba. En el techo se extendía una copia de las cuatro caras de Vishwakarma, todas ellas talladas sobre la roca y con la misma expresión severa.

—Perdone, ¿puedo retirarme? —dijo Rudy en voz alta—. Yo no soy el que pagará por la llave, sino ellos.

—Tú eras el que quería formar parte de la misión —comentó Aiden.

—Sí, de una misión, no de un día de compras mortal.

—He visto el Reino de la Muerte y no está tan mal —le aseguró Mini.

Rudy gimió antes de gritar:

—¿Holaaa?

Algo cayó del techo y tintineó sobre el suelo como un guijarro. Aru se agachó para cogerlo... Era un guijarro. Más y más cayeron sobre ellos, acompañados con un extraño quejido, como si alguien estuviera moviendo una roca muy pesada.

—Chicos... —dijo Aiden—. ¿El techo está bajando?

Así era, las cuatro caras de Vishwakarma habían empezado a bajar con lentitud. La columna de cristal que contenía la llave de oro comenzaba a contraerse poco a poco. Aru se dio cuenta entonces de lo que el señor V había planeado para ellos: una muerte arquitectónica. Los iba a aplastar, vamos.

—Es mejor que sepa quiénes somos mientras estemos vivos que cuando estemos muertos —comentó Brynne, levantando una vez más el bastón. Miró hacia Aru y Mini—. ¿Alguna otra idea?

—Yo... —comenzó a decir Aru, pero se detuvo.

Algo le chocó, y no fue la roca. La llave en el centro de la habitación... El techo que caía... La manera en que la voz de Vishwakarma se había distorsionado al decir que la llave estaba viva...

—¿Qué? —gritó Aiden, pero el techo gimió de nuevo y Aru perdió el hilo de sus pensamientos.

—¡No tenemos tiempo para hablar! ¡Rompamos el cristal! —dijo Brynne, enseñando los dientes.

Mini asintió, moviendo la *danda* hacia la derecha. La *danda* de la Muerte se convirtió en un martillo largo y pesado. Aru flexionó los dedos y el *vajra* le apareció en la mano en forma de rayo. Aiden presionó un botón de Sombragrís y la cámara se dobló y se esfumó al tiempo que dos largas cimitarras brillantes le salían de los puños. A su lado, Rudy tenía unos ojos como platos. Se tocó la parte delantera de la chaqueta de forma extraña.

—Esto… creo que me perdí la lección sobre llevar un arma escondida. ¿Me podéis prestar alguna?

—Pero ¿sabes luchar? —le preguntó Brynne.

—Eh, sí —contestó Rudy mientras se llevaba la mano al corazón—. Soy un príncipe entrenado en mi reino.

Aiden sacó una pequeña daga de la bolsa. Se la pasó a Rudy, que se estiró, pero no fue capaz de atraparla y tuvo que agacharse rápidamente para cogerla del suelo.

—¿Cómo se…?

—Con la punta hacia fuera —gritó Brynne.

Esta movió el bastón sobre su cabeza para crear un torbellino de aire y lo lanzó contra la columna de cristal. El viento rebotó, le levantó los pies del suelo y la arrojó contra Aiden, que consiguió cogerla antes de que cayera al suelo.

Sobre ellos, el techo se acercaba cada vez más. Estaba tan cerca que Aru alcanzaba a ver los detalles de los rostros de piedra y oler las rocas, que hedían a hierro, como a sangre seca. El terror la embargó, pero intentó no pensar en eso.

«Hoy no, Shah», se dijo a sí misma. «Hoy no te van a aplastar con una NARIZ gigantesca como si fueras un mosquito».

Apuntó a la columna cristalina con el rayo y soltó el *vajra*. Con un estallido fuerte, el rayo chocó con el cristal. Surgieron chispas de luz que salieron despedidas hacia el exterior. La columna permaneció intacta.

Aiden frunció el ceño antes de cargar contra la columna mientras las cimitarras relampagueaban. Las cuchillas aterrizaron con un ruido sordo. Nada. Mini golpeó el pilar con la *danda* y la luz violeta inundó la habitación, pero, aun así, el cilindro encantado no se rompió.

Las piedras sobre sus cabezas se movían cada vez más rápido. Ahora el techo estaba apenas a metro y medio por encima de ellos. Rudy se pasó la mano por el cabello repeinado y midió la distancia entre el techo descendente y él.

—¿No deberíais estar haciendo algo?

Brynne gruñó y se giró para mirarlo.

—Estamos intentando romper esta cosa. Si tienes alguna idea inteligente, no te cortes y cuéntanosla.

Cargó contra la columna una vez más con Aiden y Mini a su lado, pero Aru se quedó atrás.

—¡Shah! —gritó Brynne—. Ven aquí.

Sin embargo, Aru sabía que la columna no iba a moverse. Permanecía igual de intacta ante sus poderes. Y, aun así… junto a ella, esa florecilla blanca bailaba y brincaba de vid en vid como si estuviera… viva.

—¡Olvidaos de romper el cristal! —vociferó Aru—. Esa no es la llave.

—¿De qué estás hablando? Está justo ahí —insistió Brynne.

—Es una trampa.

Corrió hacia la florecilla blanca, que había saltado sobre una hoja a la altura del hombro de Aru. Estiró el brazo y, con delicadeza, la sostuvo entre las manos. Se quedó quieta sobre las palmas durante unos momentos y luego un destello de luz surgió de sus pétalos. La luminiscencia ahuyentó las vides, que se movieron hacia abajo y desaparecieron en el suelo...

—¡Las raíces! —dijo—. La llave está en las raíces.

El techo seguía descendiendo.

—Tú encárgate de las raíces, yo me ocupo del techo —le ordenó Brynne tras echarle un vistazo.

Con un relámpago de luz azul, se transformó en un elefante del color del zafiro y se arrodilló en el suelo. Con la espalda enorme, sujetó el techo.

—No... podré... aguantar... mucho rato —consiguió decir.

Aru agarró la planta con fuerza. Sintió una repentina presión en torno a la cintura y al bajar la vista vio que la envolvía la trompa de Brynne.

«Te tengo, Shah».

Aru sonrió.

—Lo sé —dijo en voz alta—. Mini, Aiden, estad alerta. Sea lo que sea lo que hay en la base, puede cambiar y cobrar vida, por lo que debéis estar preparados. A la de tres... Una, dos...

En el tres, Brynne y Aru tiraron de la vid. Un ovillo de raíces emergió del barro con un brillo intenso y, en el fondo, algo se revolvía y giraba. La luz era tan intensa que Aru apenas podía ver, pero al final empezó a cambiar de forma: un pez plateado se convirtió en un pájaro plateado, que se transformó después en una llave plateada. Una llave imposible que palpitaba como un corazón. La vid forcejeó contra Aru, agitándose como un pulpo poseído.

—¡Coged la llave! —les gritó a los demás.

Mini se lanzó a por ella, pero el diminuto objeto se le escapó. Saltó una vez más para intentar soltarla de las raíces, pero la llave era demasiado escurridiza. Se oyó un sonido metálico y, por el rabillo del ojo, Aru vio a Aiden saltar hacia delante con las cimitarras relampagueantes. Cortó la bola de raíces con un movimiento brusco y la extraña planta aulló y cayó al suelo.

Aru se estiró y cogió la llave justo cuando Brynne se desplomaba con un gruñido, pasando a su forma humana, por lo que el techo de roca cedió. Se produjo un destello violeta y Rudy gritó de la impresión cuando una cúpula translúcida cubrió al grupo para protegerlos de las piedras que caían. Mini apuntaba hacia arriba con la *danda* de la Muerte y tenía una mirada triunfal en la cara. Encima de ella, había un fragmento del cielo del atardecer. Rudy miró la luz y luego se volvió hacia Mini, sorprendido.

—¿Tú has creado este escudo? —preguntó—. Si no lo hubieras hecho, habría muerto en un segundo, fijo.

Mini bajó la *danda* y la sonrisa se hizo más grande.

—No creo que hubiera ocurrido tan rápido —respondió—. Al final, quizás habrías sufrido asfixia y te hubieras ahogado.

—Esto… gracias.

—¡De nada! —dijo Mini, alegre, antes de añadir—: Brynne también nos ha protegido.

Aiden gateó hasta Brynne para asegurarse de que estaba bien. Ella le enseñó los pulgares.

—El ingenio ha vuelto a evitarnos una catástrofe —anunció Brynne con un movimiento de cabeza, satisfecha.

Aru cerró los dedos en torno al frío objeto plateado. Al hacerlo, sintió como si viera los últimos meses con otros ojos. Algo había empezado a cambiar en el grupo. Sentía el peso de la confianza de sus amigos en ella, como si creyeran que sabría qué hacer, aunque intentaba averiguarlo igual que los demás. Brynne tenía razón en que a Aru siempre se le ocurrían los planes, pero eso no significaba que quisiera estar al mando para tomar las decisiones. Era demasiada confianza… y la sentía como una carga. ¿Y si los decepcionaba? Pensó en las palabras de Ópalo: «¡O tú! La hija de carne y hueso del Durmiente…». Aru quiso responder, pero justo entonces se oyó una voz retumbante sobre ellos:

—¿SOIS PANDAVA?

QUINCE

Esto no iba a ser una búsqueda de horrocruxes

L os cinco se transportaron al despacho del señor V en un abrir y cerrar de ojos. El dios de los arquitectos estaba de pie, detrás del escritorio de caoba, con las cuatro manos apoyadas sobre la mesa, las cuatro cabezas estiradas hacia delante y los cuatro pares de ojos muy abiertos.

Aru mantenía la llave pegada al pecho y, al hacerlo, le dio la sensación de que se retorcía no solo entre sus manos, sino también en su corazón. Un recuerdo escondido durante mucho tiempo se coló en sus pensamientos. Era el baile semiformal de sexto, un gran acontecimiento en el colegio. Le entusiasmaba la idea de ir e, incluso, su madre le había prestado una de sus pulseras de oro auténtico. Pero había comenzado con un baile de padres e hijas y Aru había entrado en pánico. No soportaba la idea de apoyarse en la pared con el vaso de ponche de frutas en la mano mientras la carencia de un padre brillaba en su interior como un foco de luz. En cuanto empezó el baile, fingió que se tropezaba y se torcía el tobillo. Uno de los profesores la llevó a casa en silencio mientras Aru se esforzaba por no llorar durante todo el trayecto. Si hubiese tenido un padre, ¿habría bailado con ella? O, al menos, ¿la habría llevado hasta allí y la habría ido a recoger mientras le daba lecciones sobre chicos, igual que hacían en las películas? «Sí que tienes padre», le susurró una voz en la cabeza. Y se había ido a buscar el árbol de los deseos, igual que ella estaba a punto de hacer.

Aru soltó la llave de golpe. Al instante, todos esos pensamientos y sentimientos volvieron a su escondite habitual y el pulso se le ralentizó hasta marcar un ritmo normal. No hizo ningún movimiento para cogerla. El sonido de la llave al chocar con el suelo hizo que Vishwakarma volviera en sí. Los ocho ojos pasaron de la llave a la cara de las Pandava y cruzó los cuatro brazos con la perspicacia asomándose a su mirada.

—¿Qué queréis conseguir con esa llave, Pandava? —preguntó Cabeza Uno.

Los cinco empezaron a hablar a la vez.

Rudy se señaló a sí mismo y contestó:

—Príncipe, no Pandava.

—Apelo a la confidencialidad entre cliente y arquitecto antes de decir nada —dijo Brynne.

—Técnicamente no soy un Pandava… —farfulló Aiden.

—No estoy segura de si deberíamos contarle esa información. Lo siento… —respondió Mini con cautela.

Pero la llave había liberado algo nuevo y terrible en el interior de Aru: la honestidad.

—Salvar el Más Allá —anunció—. Solo tenemos cinco días.

El resto se sumió en el silencio mientras los ojos de Vishwakarma se centraban en ella. Parecían traspasarla y entrar en su interior.

—La llave es algo muy peligroso para ese propósito —dijo Cabeza Uno.

—Creo que sabemos cómo abrir una puerta —resopló Brynne, pero se encogió de miedo cuando las cuatro cabezas se giraron hacia ella.

—Niña, es una llave con vida propia. Las cosas con vida no pueden evitar ser curiosas, pedir respuestas. Abrir puertas que deben estar cerradas tiene un coste. Algunos han pagado un precio bastante alto.

Aru se estremeció al recordar cómo la llave había iluminado sus pensamientos y sentimientos, como si alguien hubiera encendido una luz en los rincones más oscuros de su cerebro.

—¿Les contará a los *devas* que hemos venido? —le preguntó Brynne.

El señor V los miró en silencio durante un momento antes de que Cabeza Tres dijera finalmente:

—No. Soy constructor de la grandeza, no agente de la destrucción…

—Bueno, entonces quizás pueda construir algo grande para nosotros —comenzó a decir Aru.

—¿Te crees muy lista? —preguntó Cabeza Cuatro con voz áspera—. Quizás pensáis que sois los únicos que habéis intentado cambiar el destino. ¡Ingenuos! Ya me han hecho esa petición antes…

Movió las cuatro manos y la panorámica de los horizontes de las ciudades desapareció y fue sustituida por la imagen borrosa de un hombre joven sosteniendo una llave de oro, cuyo brillo iluminaba el color inusual de sus ojos: uno azul y otro marrón. A Aru le dio un vuelco el corazón al reconocerlo. Era él.

Cuando la ventana del señor V volvió a la normalidad, Aru se dio cuenta de que Brynne y Mini se habían acercado más a ella. El hombro de Mini rozaba el suyo y Brynne le tocaba el brazo con la mano. Pero por mucho que quisiera extraer fuerzas de ellas, no pudo. En torno al cuello, notó el colgante de su madre frío como el hielo al rozarle la piel.

—El Durmiente estuvo aquí —dijo Aru.

—Usó la llave, niña.

—¿Y qué abrió en su interior? —se obligó a preguntar.

Cabeza Uno dudó antes de responder. Su mirada se volvió distante y un extraño brillo perlado le cubrió los ojos.

—Ya lo descubriréis, Pandava. Abrió tanto de su interior como se atrevió durante su búsqueda, y los fragmentos aún permanecen.

«¿Fragmentos?». Aru sintió un ardor incómodo en el estómago. ¿Qué significaba? Se acordó de lo que le había dicho su madre en el museo: «Volvió convertido en una persona totalmente distinta, como si le faltara algo».

—¿Estás diciendo que el Durmiente dejó atrás horrocruxes? —preguntó Aru.

—Jo, esto no iba de buscar horrocruxes —dijo Rudy mientras buscaba la salida con la mirada.

Mini levantó la *danda* para bloquearle el paso.

—Solo digo que, si seguís ese camino, encontraréis los fragmentos —dijo el señor V.

La llave flotó desde el suelo y se transformó en una serpiente enroscada en torno a la muñeca de Aru, posando la cabeza de plata contra su pulso. No podía quitársela, por mucho que lo intentara.

—Le has gustado, Aru Shah —dijo Cabeza Uno—. Y eso significa que, en su primer uso, solo tú puedes emplearla.

—Pero…

El señor V le pasó una funda de terciopelo azul sobre el escritorio.

—Esto impedirá que se mueva. Ahora, marchaos. Os habéis ganado la llave, pero puede que no os dé lo que deseáis.

Aru cogió la bolsa y abrió el cordón. De inmediato, la llave se le despegó del brazo y saltó a la funda. Aru hizo un ovillo con ella y se la metió en el fondo de la mochila. Notó la presencia fantasmal de la llave e imaginó que podía oírla ronronear satisfecha. Quiso disfrutar de una oleada de entusiasmo por el éxito obtenido, pero solo sintió miedo.

Esa cosa había leído fragmentos de su interior. ¿Qué más tendría que dar de sí misma en esta misión? ¿Le quitaría pedazos y volvería a casa siendo una persona distinta? ¿Qué significaba que el Durmiente hubiera perdido fragmentos de sí mismo en su búsqueda del árbol de los deseos? La voz de Sheela surgió de entre todos los pensamientos: «Hay mucho más por encontrar».

DIECISÉIS

¿Flores para la primavera?
Revolucionario.

El *vimana* los llevó al apartamento de Brynne, donde vivía con sus tíos, para tomar una comida casera y dormir antes del viaje del día siguiente.

Rudy seguía a Gunky y Funky por toda la casa, haciéndoles preguntas importantes como: «¿Qué es un microondas? ¿Es como parte de una radio embotellada?». «¿Este mando a distancia abre un portal?». «¿Podríais hacerme lasaña?».

Después de cenar y mantener una incómoda charla trivial con los tíos porque las Pandava no podían revelarles nada de la misión, Aru solo quería dormir en la habitación de Brynne. La cama plegable ya estaba hecha y, por suerte, no tenía que compartirla con Mini, que se había quedado frita en el sofá del salón después de lamentar haberse olvidado el hilo dental. Aiden se había ido directo al cuarto de invitados.

Rudy se detuvo en la entrada de la habitación de Brynne y se apoyó en la puerta como si fuera suya.

—A primera hora de la mañana, nos dirigiremos a la Cripta de los Eclipses —dijo emocionado—. Pero eso está dentro de la Casa de los Meses y no puedo dejar de ninguna manera que me vean con vosotros a menos que mejoréis vuestros atuendos. Creo que podríais…

Brynne, enfadada, le cerró la puerta en las narices.

—¡BUENAS NOCHES, Rudy!

Segundos después, Aru estaba dormida.

No tuvo uno de sus sueños habituales. Lo sabía porque solían empezar con ella paseando por Leroy Merlin antes de que los pasillos se convirtieran en el aula de Matemáticas. Esta vez estaba en el estudio de un diseñador de moda. Una de las paredes tenía paneles con diferentes muestras de colores. Otra estaba cubierta de perchas de las que colgaban rollos de tela. Una tercera estaba compuesta solo de ventanas y, en la última, había una pizarra con bocetos de mujeres vestidas a la moda. Los dibujos se desprendían mágicamente de la superficie negra y se paseaban por la sala como si fuera una pasarela.

Sheela y Nikita estaban frente a Aru a la mesa. Nikita estaba sentada en un extraño trono de flores y Sheela, posada sobre un taburete alto cubierto de pegatinas de estrellas. Sheela la saludó, alegre, antes de volver a trazar letras en el aire. Con cada gesto de la mano, una hilera de pequeñas estrellas iluminaba el lugar mientras flotaban.

—Ya os dijimos que os veríamos en sueños —dijo Sheela.

Aru pestañeó y observó a Brynne y Mini, de pie junto a ella, con cara de confusión. Brynne miró a Aru, sorprendida.

—Oye, estaba a punto de ganar un concurso de cocina. ¿Por qué ahora estoy en tu sueño?

—Si fuera el de Aru, estaríamos en Leroy Merlin —le recordó Mini.

—Pues es un lugar fantástico. —Aru se puso a la defensiva—. Puedes…

Nikita dio dos palmadas y las tres chicas centraron en ella la atención. Iba vestida, como siempre, con un atuendo nuevo: pantalones blancos, chaqueta blanca, pañuelo blanco para retirarse las trenzas de la cara y una delicada gargantilla de vides.

—Bonito conjunto —dijo Aru.

—¡Pues claro! —soltó Nikita—. Es mi conjunto de primavera.

—No me parece muy primaveral. ¿No necesitarías flores o algo así?

Nikita entrecerró los ojos.

—¿Flores? ¿En primavera? Uy, sí, revolucionario.

«¡Qué maleducada!», pensó Aru, que no era capaz de decidir si estaba molesta o impresionada. ¿Era el comportamiento normal de una hermana pequeña? Si era así, eran lo peor.

—Bu nos ha dicho que la Cripta de los Eclipses está dentro de un lugar superpijo —dijo Nikita—. Para entrar en la Casa de los Meses, necesitáis un cambio de estilo.

Aru cruzó los brazos.

—De aquí al amanecer… no tenemos mucho tiempo para ir de compras.

—Ahí es donde intervengo yo —anunció Nikita—. Ya improvisaré algo. Tenemos acceso a todas las plantas de los cielos, que pueden convertirse en prendas con un poco de magia. Bu dijo que podía contratar a un mensajero celestial para que os las entregara mañana por la mañana.

—Sus palabras exactas fueron: «Haré lo que sea si dejáis de tratarme como a un maniquí con plumas. Quítame el sombrero de seda de la cabeza ahora mismo, niña abominable» —citó Sheela.

Nikita chasqueó los dedos y una cinta métrica amarilla apareció en el aire. Serpenteó por ahí antes de lanzarse hacia Mini con la punta de metal temblando como si fuera un depredador olisqueando a su presa. Instantes después, se desató el caos cuando Nikita envió a un ejército de cintas métricas a por ellas. Estas se movían como anguilas y se enroscaban en torno a las cinturas y las piernas de las Pandava. Brynne intentó zafarse de ellas, pero se le aferraban con fuerza. Aru se encontró flotando mientras varios pares de zapatos esperaban su turno para calzarla antes de escabullirse como ratones enfadados. Durante todo el tiempo, Nikita gritaba observaciones de moda aleatorias como: «El corte acampanado es muy aburrido» o «¡MÁS PELO FALSO DE DIENTE DE LEÓN!» y, a veces: «¿Qué tal un tono rico e intenso? Un color que grite: "¡CUIDADO, DEMONIOS!" Quizás el berenjena...».

Al final, Aru se vio libre del diminuto ciclón de cintas métricas y se acercó a tientas hasta Sheela, que seguía posada en el mismo taburete, mirando con tranquilidad una imagen que tenía sobre el regazo. Las estrellitas giraban en torno a ella, y Aru cogió una.

—A Nikita le gusta mucho la moda, ¿no? —dijo Aru.

—Es lo suyo —respondió Sheela con sencillez y sin mirarla—. Cuando te mudas tanto, no conservas muchas cosas, por lo que aprendió a hacerse sus propios conjuntos. Nikki los llama armaduras. Piensa que no hay motivo para que una armadura no sea también bonita.

De repente Aru sintió que le costaba respirar. Se acercó a ella y vio que Sheela miraba una fotografía de dos personas que solo podían ser la madre y el padre de las gemelas. La mujer, que tenía unos ojos marrones inmensos y una sonrisa con los dientes separados, rodeaba con los brazos a un enorme hombre negro que reía con tanta fuerza que se le habían cerrado los ojos.

Aru no tenía ni idea de qué haría si no pudiera ver a su madre, pero sabía que cada familia era distinta. Brynne, por ejemplo, estaba acostumbrada. De todas maneras, su madre, Anila, nunca había estado muy interesada en quedarse a su lado.

—¿Cuánto tiempo hace que no veis a vuestros padres? —preguntó Aru con delicadeza.

—Mil ciento diecisiete días —contestó Sheela con voz tensa—. Pensé que podríamos verlos en sueños, pero cada vez que lo intentamos, vienen las pesadillas. No puedo detenerlas. Según las reglas del Más Allá, nuestros padres no podrán contactar con nosotras hasta que tengamos trece años. Creíamos que, cuando nos reclamaran, todo cambiaría, pero no es así. Y encima el árbol de los deseos era falso... ¿Y si nada funciona? —La habitación empezó a oscurecerse. Los ojos de Sheela se desenfocaron—. ¿Y si...?

—¡Sheela! —gritó Nikita.

El estudio de diseño comenzó a deformarse y cambiar. Un agujero negro se abrió en el centro del suelo y empezó a tragarse los bocetos que habían cobrado vida, los rollos de tela e, incluso, las estrellas soñadoras que giraban en torno a Sheela.

—¿Qué ocurre? —preguntó Brynne.

—¡La pesadilla! —respondió Nikita con voz ahogada—. Sheela, ¡despierta! ¡Despierta! ¡No pasa nada!

Mini corrió hasta ella para bajarla del taburete y alejarla del peligro, pero la chica no se movía. Quizá no pudiera, pensó Aru mientras tiraba de uno de los brazos sin obtener resultado.

—Los echo de menos —sollozó Sheela—. Los echo muchísimo de menos.

«Solo es un sueño», se dijo Aru a sí misma. Intentó desear que las cosas cambiaran, que el agujero negro dejara de extenderse, silenciar el repentino aullido de los truenos.

Pero no era su sueño, sino el de Sheela y Nikita. Apretó los puños y la diminuta estrella que había cogido hacía unos instantes le arañó la piel.

—Marchaos —gritó Nikita—. ¡Salid de aquí! Se supone que ya no debéis estar en nuestro sueño.

Aru la miró. El traje de chaqueta que llevaba ahora era demasiado grande, como si hubiera estado jugando a vestirse con la ropa de su madre. Era solo una niña encerrada en una pesadilla mientras todo se desmoronaba alrededor. Aru estiró el brazo y Nikita miró hacia la mano extendida.

—No te vamos a dejar sola —dijo Brynne con fiereza.

—Pero… —empezó a decir Nikita.

Sheela comenzó a sollozar. Mini la rodeó con los brazos mientras la acallaba y tranquilizaba, pero era como si la niña no pudiera oírla.

—Nikita, ¿qué hacemos? —preguntó Aru.

Pero, cuando se dio la vuelta, el sueño había cambiado. Las gemelas ahora tenían tres años menos y estaban hechas un ovillito en el suelo de un dormitorio mientras Aru, Brynne y Mini flotaban por él como fantasmas. La madre de las gemelas estaba de pie cerca de la puerta cerrada, con un dedo sobre los labios como si las mandara callar.

—¡Abrid! —gritó una voz masculina—. ¡Sabemos que estáis ahí!

La voz tronó por toda la casa, moviendo los cuadros de las paredes.

—¡Mamá! —chilló Nikita estirando los brazos.

—¡No! —dijo su madre medio susurrando y gritando, con los ojos dilatados y frenéticos—. Quedaos ahí, en silencio. Alguien del Más Allá vendrá a por vosotras. No intentéis seguirnos. Os quiero, mis niñas preciosas. Os encontraremos de nuevo, lo prometo.

—¡No te vayas! —chilló Sheela—. Por favor…

Las lágrimas recorrían el rostro de su madre.

—Haría lo que fuera para no tener que dejaros —musitó—. Os veré en sueños. No os preocupéis, pequeñas. Os espera mucho más de lo que imagináis. Yo…

El sueño comenzó a retorcerse y cambiar de nuevo. Un segundo, la madre de las gemelas estaba de pie cerca de la puerta y, en un abrir y cerrar de ojos, la puerta se estiró hasta convertirse en una ola que cayó sobre ella. Aru, Brynne y Mini se vieron atrapadas en la corriente de agua oscura que se agitaba y giraba en torno a las gemelas. Sheela y Nikita permanecían pegadas al suelo, abrazadas la una a la otra, y Aru supo que se habían olvidado de que era un sueño. Las Pandava mayores intentaron nadar hacia las chicas, pero la pesadilla se lo impedía.

—¡Despertaos! —gritó Brynne.

—¡No chilles! —dijo Mini—. Necesitan consuelo.

A Aru le dolía el corazón. Se miró las manos y vio que seguía teniendo la estrellita entre los dedos; brillaba con fuerza. Se le ocurrió una idea.

—Necesitan luz —susurró.

Con lentitud, abrió la mano y la brizna luminosa viajó hacia el exterior.

—Despertaos —dijo Brynne con más delicadeza.

—Estamos con vosotras —dijo Mini con suavidad.

A Aru le entraron ganas de acercarse y abrazarlas. Le daba igual que Nikita fuera pedante y fría. Entendía lo que significaba despertarse de una pesadilla y descubrir que seguía viviendo en una pesadilla en la vida real, por lo que buscó las palabras que siempre le decía su madre cuando Aru tenía un mal sueño:

—Si estáis asustadas… encended la luz.

DIECISIETE

Nunca confíes en un puesto de perritos calientes

Aru se despertó y vio que Brynne balanceaba un paquete sobre su cabeza. Mini estaba detrás de ella, con los hombros encorvados y el rostro contraído de preocupación.

—Nos ha llegado una entrega de los cielos —dijo Brynne con frialdad.

Las chicas desataron el lazo de seda marrón y rasgaron el envoltorio de papel dorado: era una caja pintada con esteatita blanca. Mientras buscaban la forma de abrirla, Mini hizo la pregunta que pesaba en su mente:

—¿Qué vamos a hacer con las gemelas? Ni siquiera pueden hablar con sus padres y ahora están encerradas en Amaravati y no... —A Mini se le fue apagando la voz antes de sorberse los mocos con fuerza.

La rabia invadía a Aru. Estaba claro por qué Nikita actuaba como lo hacía. Ella sería igual si se lo hubieran arrebatado todo.

—En cuanto consigamos el árbol, lo arreglaremos —dijo Brynne—. No más guerras, no más dudas...

—No más pesadillas —terminó Aru.

La caja se abrió de golpe y dejó al descubierto unos conjuntos resplandecientes y una carta escondida dentro de un pliegue. Brynne la sacó y esbozó una sonrisa mientras se la enseñaba a Aru y a Mini. Parecían instrucciones y, justo encima, con una pulcra caligrafía negra, había una sola línea: «Gracias por encender la luz».

Aru sonrió. «Genial», pensó. Quizás las gemelas no fueran tan malas después de todo.

—Estamos in-cre-í-bles —dijo Aru mientras examinaba los pantalones encantados.

Eran de seda amarilla brillante con espirales blancas y resplandecientes en el dobladillo. Según las notas de Nikita, el bordado estaba elaborado con hilos adhesivos que podían soltarse y transformarse en una cuerda casi irrompible. Brynne llevaba una chaqueta mullida de color azul cielo que servía como paracaídas, a la vez que le proporcionaba la temperatura adecuada. Mini vestía un jersey y una falda de color ciruela que no solo le servían de armadura, sino que iban a juego con la *danda*.

—¿Nos podemos ir ya? —gritó Aiden.

Rudy y él se habían visto obligados a esperarlas en el pasillo.

—Sí, sí —respondió Aru.

Los chicos entraron en el salón. Rudy dio un paso atrás. El conjunto hortera del día consistía en una cazadora vaquera blanca, con una camiseta blanca, unos pantalones blancos y zapatos altos de un blanco cegador. A su lado, Aiden parecía una sombra elegante. Rudy las miró de arriba abajo.

—Chicas, estáis casi tan guapas como yo.

—¡Gracias! —dijo Mini con alegría antes de fruncir el ceño al percatarse de que era el típico halago de Rudy, es decir, que no era tal.

Aiden, por su parte, no dijo nada. Solo paseó la mirada de Brynne a Mini y, por último, a Aru, sobre la que la mantuvo una fracción de segundo más, lo bastante larga para que Aru se preguntara si debería haberse recogido el pelo o utilizado el delineador de Mini o…

—¿No te parece que estamos despampanantes? —soltó, levantando la barbilla.

Por una parte, la opinión de Aiden no le importaba porque ella misma pensaba que estaba fantástica, igual que sus hermanas, y eso bastaba. Sin embargo, por otra, quería que él se diera cuenta de que no era una niña correteando con un rayo e imitando a Sméagol, sino que era una semidiosa y lo parecía.

—Estás… —empezó a decir él antes de apartar la mirada de repente.

Aru se inclinó hacia delante con un hormigueo en la piel, aunque sabía que esta vez no era el *vajra*.

—¿Sí?

—Bien —dijo simplemente Aiden.

«Bien». Aru se desinfló un poco, pero trató de deshacerse del sentimiento. «Bueno, vale», pensó, y pidió a todos que fueran hacia la puerta.

—Hora de ir…

—Oh, Aru, por favor, no lo hagas —gruñó Mini.

—No lo soporto —suspiró Brynne.

—¡Hasta el infinito y más allá! —gritó Aru riendo.

Tras utilizar sus dotes para adivinar las coordenadas exactas, Brynne las guio por un ajetreado paso de cebra. En torno a ellos, los taxis de color amarillo brillante pitaban y recorrían las calles. Los altos árboles se mecían junto a escaparates relucientes y lujosos que mostraban maniquíes envueltos en joyas, sedas y muchas otras cosas que Aru no se imaginaba poniéndose porque parecían picar mucho. Al otro lado de la calle, se encontraba el callejón que buscaban, pero estaba bloqueado por un puesto de perritos calientes cuyo dueño dormía. Brynne se llevó la mano al estómago y olfateó el aire, hambrienta.

—Me apetece un perrito caliente.

—¿Cómo puedes tener hambre si acabamos de desayunar? —preguntó Mini.

—Estoy creciendo —contestó Brynne con suavidad.

Aiden rebuscó en la bolsa de la cámara y le tendió a Brynne una barrita de proteínas.

—¡Yuju! —Sonrió—. Gracias, *ammamma*.

Rudy parecía aterrorizado.

—¿Perritos calientes? —preguntó—. Estáis mal de la cabeza.

—No son perritos de verdad —le explicó Brynne.

—Ah, entonces son criaturas mutantes imaginarias a las que llamáis perritos, ¿no? —dijo Rudy asintiendo como si fuera lógico.

—No —dijo Brynne.

—Ahora estoy confuso —afirmó él sacudiendo la cabeza.

Se aventuraron por el callejón, que estaba lleno de basura y, al menos, dos ratas muertas. Aru no solía ser escrupulosa, pero ¿hola? Los nuevos pantalones amarillos no estaban hechos para esto.

—¿Esta es la entrada a la superfabulosa Casa de los Meses? —preguntó Aru.

—Confía en mí —contestó Rudy.

Mini se giró hacia la entrada del callejón. El vendedor de perritos seguía dormido. Un par de personas pasaron justo delante de él con perros pequeños dentro de bolsos grandes o mirando el móvil.

—*Adrishya* —dijo Mini.

Movió la *danda* en el aire como si estuviera corriendo una cortina y un velo de luz violeta titiló entre ellos y la calle. Cuando Aru miró a través del escudo de fuerza, fue como ver la ciudad debajo del agua. Las imágenes temblaban y parecían lejanas, incluso el sonido llegaba amortiguado. Rudy se arremangó con lentitud. Aru percibió, por vez primera, un dibujo de escamas en torno a la muñeca izquierda. Él movió la mano con un gesto complejo.

—Yo, príncipe Rudra de Naga-Loka y visitante frecuente de la Casa de los Meses… —murmuró algo que se asimilaba muchísimo a «con mi madre»—, pido permiso para ver al guardián del día.

Eso de «guardián del día» sonaba muy épico. Ayer Rudy les había dicho que el ser que permitía o denegaba las visitas a la Casa de los Meses era la personificación de un día concreto, aunque no necesariamente el de la fecha actual. Esto sorprendió a Aru, ya que era un poco extraño. ¿Cómo sería un guardián del día? ¿El viernes trece de octubre sería terrorífico? ¿Y el día nacional de los gatos qué aspecto tendría?

De repente, la atmósfera frente a Rudy brilló y se estremeció. Una enorme puerta de plata se materializó ante él. Estaba grabada con las palabras «3 DE FEBRERO» y la observación: «Día en el que el resentimiento del año nuevo cala hondo y todos los pensamientos sobre mejora personal abandonan poco a poco el cerebro».

«Vaya», pensó Aru. «Pues qué positivo».

En el centro de la puerta apareció un gigantesco llamador en forma de león, con la boca abierta como si rugiera de manera espantosa. De los dientes colgaba un pequeño aro de hierro que Rudy levantó y dejó caer con un golpe. Al llamar, el león se despertó. Movió la mandíbula hacia delante y hacia atrás antes de escupir el círculo de hierro con un decisivo *¡stup!* El círculo tintineó sobre el suelo y el león hizo un ruido con los labios antes de fulminarlos con una mirada plateada y legañosa.

—¿Me han llamado unos críos? —resopló el león de la puerta antes de cerrar los ojos—. No sois clientes nuestros. Por favor, marchaos.

—Perdona, pero soy un príncipe —dijo Rudy.

El león de la puerta abrió un ojo.

—¡Qué novedad!

—Exijo que nos dejes pasar a mí y mi séquito.

—Exijo bla, bla, bla —se mofó el león—. ¡No! ¡Anda, marchaos!

—Vale, vamos a tener una conversación… —dijo Brynne antes de levantarse las mangas de la chaqueta.

—¡Ooohhh, una amenaza! —respondió el león—. ¿Qué vais a hacer, *abisagrarme*? ¿Intentar sacarme de *quicio* para que os deje pasar? Dejad que os recuerde que yo decido quién cruza el *umbral*.

Brynne le dio un empujón a Rudy en el hombro para apartarlo mientras se llevaba la mano a la gargantilla azul del cuello, que se convertiría de inmediato en el bastón de viento.

Aru la cogió del brazo y le envió un mensaje mental: «Como descubran nuestra tapadera, la misión habrá fracasado».

Brynne gruñó, pero se quedó inmóvil. El león se regocijó.

—¿Veis? No os voy a dejar *meter cuña*.

Aru estaba a punto de embestir la puerta cuando algo ocurrió. Mini soltó una carcajada y una sonrisa le recorrió el rostro. El león se detuvo, con los ojos plateados dilatados. Si hubiera podido inclinar la cabeza hacia un lado, lo habría hecho.

—¿Os he hecho reír? —dijo el llamador, sorprendido.

Mini miró a sus acompañantes, en parte sintiéndose culpable.

—¿Qué? Es divertido.

—¿Divertido? —repitió el león, que miró a lo lejos, como si estuviera repasando todas sus conversaciones pasadas—. Nadie me había dicho algo así. Siempre es «¡Abre!» o «¡Cállate!». ¿Sabéis que una vez alguien utilizó mi hocico como perchero? ¡Como perchero!

Aiden cruzó los brazos con la cámara en la mano.

—¿Era al menos un abrigo bonito?

El león lo pensó.

—No estaba mal.

Aru se dio cuenta de que si no le gustaban a la puerta, nunca entrarían en la Cripta de los Eclipses. Se le ocurrió una idea.

—Espera un segundo —dijo en voz alta—. ¿Eres el león de la puerta del tres de febrero? —Dio un paso atrás, como si estuviera releyendo el cartel grabado.

Los bigotes del león se retorcieron.

—¿Habéis oído hablar de mí?

—¡Por supuesto! —respondió Aru antes de girarse hacia sus amigos—. ¿Verdad? ¿No acabamos de hablar de lo mucho que desearíamos que nos tocara una puerta como tú?

Aiden pestañeó antes de contestar:

—¡Sí! Esto… sí, lo hemos dicho. Claro que sí.

Mini asintió con ganas mientras Brynne seguía fulminándolo con la mirada.

—Siempre me ha entristecido que mi puerta principal no tenga cara —dijo Aru.

El león resopló.

—¡No! ¡Qué indignación! Pobre puerta. ¿Cómo espanta a los intrusos?

—Se… se cierra muy fuerte y les pilla los dedos.

El león asintió.

—Tiene sentido.

—¿Sabes? Eres una puerta famosa —dijo Aru, lanzándole una mirada penetrante a Rudy, quien carraspeó.

—Es verdad, oh, puerta… benevolente.

Las mejillas del león plateado se oscurecieron, como si se estuviera ruborizando.

—Bueno, yo…

—De hecho —anunció Aiden levantando la cámara—, ¿podría hacerte una foto?

—¿A mí? —preguntó la puerta—. Yo… Yo… Bueno, sí. Sí, si quieres.

Aiden contó hasta tres y disparó una llamarada de luz.

—¡Gracias! —dijo—. Es una pena que no podamos comprar en la Casa de los Meses. Quizás podríamos encontrar algún *souvenir* que nos recuerde a ti.

Los bigotes del león de la puerta cayeron.

—Bueno, quizá pueda dejaros echar un vistazo…

—Eso sería muy generoso por tu parte —dijo Mini con sinceridad.

El león se acicaló un poco antes de abrir la puerta. Cuando entraron, Aru se detuvo para hacerle una reverencia al llamador, que soltó un enorme bostezo fingido.

—No es nada —comentó con arrogancia, aunque no pudo evitar devolverle la sonrisa a Aru.

El pasillo al otro lado de la puerta estaba iluminado con candelabros de constelaciones. Las paredes parecían láminas de océano inmaculado con medusas luna arrastrando delicados tentáculos de colores gélidos. El suelo se asemejaba a una lujosa alfombra, pero, en realidad, estaba cubierto de musgo con franjas de flores silvestres resplandecientes.

—Donde el cielo, el mar y las estrellas se encuentran —explicó Rudy mientras señalaba a su alrededor—. Ah, por cierto, de nada por haber conseguido que os dejen pasar.

Aru puso los ojos en blanco, intentando ignorarlo, a la vez que observaba el mundo en el que habían entrado. La magia, a veces, la cogía por sorpresa. Le encantaba que la hiciera sentir pequeña, no insignificante, sino como si el mundo fuera mucho más vasto y colorido de lo que había imaginado, como si perteneciera a algo más grande que ella. Aun así, toda esa belleza podría destruirse con facilidad.

«En cinco días, el tesoro habrá florecido y muerto,
Y todo lo ganado quedará desierto».

Solo quedaban cuatro días. Si el Durmiente ganaba, no solo destruiría el Más Allá, sino también a las familias.

Aru se metió las manos en los bolsillos al pensar en las gemelas y en la cara de su madre cuando dijo: «Haría lo que fuera para no tener que dejaros». Sintió un dolor agudo detrás de las costillas, como si siguiera teniendo en las manos la llave del señor V. La madre de Aru la quería, pero nunca le había dicho nada así. En cuanto a su padre… Bueno, no había tenido problemas en dejarla atrás y no le importaba que Aru fuera su hija. El Durmiente era un monstruo, lo sabía. Pero, entonces, ¿por qué deseaba saber con tantas ganas si en algún momento habría luchado por mantenerla a salvo, igual que la madre de las gemelas?

Aru apartó el pensamiento mientras recorría el camino de flores silvestres. Unos pasos después, el suelo se transformó en cristal y, en el pasillo, apareció una bifurcación. A la izquierda había un túnel con una señal que decía: «SOLO PARA PERSONAL Y MANTENIMIENTO». A través del suelo de ese lado, Aru percibió las aguas negras y bravas del río Yamuna. El pasadizo parecía tan estrecho que solo se podía entrar de uno en uno. En la parte derecha, se encontraba un pasaje abovedado, decorado y enorme y, detrás de él... la Casa de los Meses.

Aru nunca había visto nada igual. Parecía más una mezcla de centro comercial y rascacielos que una casa. El edificio estaba dividido en doce capas, con una planta dedicada a cada mes. En la última estaba diciembre y, por las ventanas, vio estantes con batas hechas de hielo brillante y plata delicada. Encima estaba noviembre, con cortinas elaboradas con hojas otoñales del color del oro antiguo. Luego, octubre, repleto de calabazas, y septiembre, con árboles cargados de manzanas. Aru no podía ver más allá. El edificio era demasiado alto y tendría que traspasar el pasadizo para obtener una perspectiva mejor. Rudy pareció leerle el pensamiento. Dio un paso frente a ella y negó con la cabeza.

—El pasadizo abovedado registra a cada persona y criatura que camina por él —dijo.

—Y tenemos que seguir de incógnito —añadió Brynne, sombría.

Aiden seguía mirando la Casa de los Meses con la cámara en la mano.

—Pero ¿dónde está la Cripta de los Eclipses?

—¿En un eclipse? —contestó Rudy en un tono que claramente significaba «obvio».

—¿Cómo... escondes un sitio... en un eclipse? —preguntó Aru.

—Recorre este lugar —explicó Rudy—. Cada uno de esos pisos incluye todos los días de un mes. La cripta estará en el día en que se produjo el último eclipse lunar total. Fácil.

«Claro», pensó Aru. «Fácil».

—¿Cuándo fue el último eclipse lunar? —preguntó Aiden.

—Entre el veinte y el veintiuno de enero —contestó Mini—. Fue una superluna de sangre de lobo.

—Entre el veinte y el veintiuno de enero —dijo Rudy a la vez—. Creo que los mortales lo llaman la muerte del hombre lobo o algo así de raro.

—Superluna… —intentó decir Mini, desanimada, antes de rendirse.

—Mini lo acaba de decir —señaló Aru.

—Ah —dijo Rudy—. No lo he oído.

—O no lo has escuchado —respondió Mini con tristeza.

Brynne estiró la mano para darle un apretón a Mini en el hombro mientras caminaba hacia la entrada estrecha para los de servicio y mantenimiento.

—Entonces, ¿vamos por aquí?

Rudy asintió.

—Es la única manera de entrar en la Casa sin que nos detecten. Nos llevará al veintiuno de diciembre, creo.

—¿Y lo dejan así, sin vigilancia? —preguntó Aru.

—Creo que asumen que nadie querría pasar por el túnel del río.

Aru miró hacia la estrecha entrada oscura. A esa distancia creyó oír el río Yamuna debajo de ellos, tan frío y sigiloso. Se le pusieron de punta los pelos del brazo.

—¡Vamos! —dijo Rudy.

Aiden miró a Aru.

—¿De verdad crees que va a funcionar?

Aru estuvo a punto de soltar alguna tontería para destensar el ambiente y hacerlo menos serio… menos aterrador. Pero Aiden no era el único centrado en ella. Los ojos de Rudy desprendían esperanza. La mirada de Mini mostraba nerviosismo, pero con decisión. Incluso Brynne, que solía querer guiar al grupo, estaba esperando, expectante, la respuesta de Aru, quien enderezó los hombros.

—Claro que funcionará.

DIECIOCHO

El plan no funciona

La entrada de mantenimiento no medía más de un metro de ancho y, de alto, metro y medio. Junto a la abertura del túnel, había un cartel un poco amarillento que decía: «No beber el agua», lo que sorprendió a Aru, ya que le pareció un poco raro. ¿Quién querría beberse el agua del río? ¡Qué asco!

Al principio, el grupo pensó entrar en fila de a uno, pero sería demasiado peligroso si algo iba mal y solo una persona podía mirar qué había ante ellos, por lo que el plan fue enviar a un explorador para que lo examinara todo y volviera.

Rudy no parecía tener ni idea de lo largo que era el pasadizo. Aru no sabía mucho más del río, aparte de que se llamaba así por una diosa de los ríos que una vez abrió las aguas para permitir que el dios bebé Krishna escapara de su terrible tío, que quería matarlo. Le pareció muy dramático, pero Aru había aprendido que tener un familiar que quería tu cabeza en bandeja era lo normal en la mitología.

—Tiene que ser corto —dijo Rudy con fingida despreocupación—. La Casa de los Meses no está muy lejos de aquí. Quizás haya un puente…

—O quizá el túnel se acabe de repente —lo interrumpió Aiden— y tengamos que nadar el resto del camino. ¿Y si solo contratan a personas de las zonas acuáticas del Más Allá?

Mini gimió y la verdad es que Aru tampoco se sentía demasiado entusiasmada con la idea de nadar en esas aguas oscuras.

—Vamos, chicos —dijo Brynne, poniendo los ojos en blanco—. Seguro que no es más que un riachuelo.

Aiden tosió ligeramente, lo que había empezado a hacer después de que Aru lo amenazara con electrocutarlo por comenzar una frase con «Bueno, en realidad…».

—¿Qué pasa, *ammamma*? —preguntó Brynne.

—El río Yamuna es el segundo afluente más largo del Ganges.

—¿Y eso significa…? —lo presionó Aru.

—Que es enorme.

—Bueno, uno de nosotros tiene que ir primero para comprobar que sea seguro —comentó Brynne.

—Estoy de acuerdo —dijo Rudy antes de dar un paso atrás—. Haced los honores…

—Rudy —respondió Brynne—. Puesto que eres el único con permiso para estar dentro de la Casa de los Meses, ve tú primero. De esa manera, si te pillan y te mandan de vuelta, ya veremos cómo lo solucionamos.

Parecía que Rudy se hubiese tragado un bicho.

—Pero…

—Eres un príncipe —dijo Aiden—. Seguro que nadie se meterá contigo.

—Sí, tienes razón. Soy… un príncipe —repitió Rudy con tristeza. Paseó la mirada entre ellos y la entrada antes de armarse de valor—. Vale.

Se sacó una gema de la bandolera. Era como un pedazo de cuarzo, pero cuando Rudy lo apretó con fuerza, de él se desprendió el sonido de las gotas de agua al caer con suavidad sobre un cristal. El ruido blanco aplacó las aristas más afiladas de la ansiedad de Aru y le ralentizó la respiración. Sin mirarlos, Rudy caminó hasta la entrada antes de desaparecer en la oscuridad mientras tarareaba algo.

Al final, el canto de Rudy se desvaneció y dejó paso al sonido del agua corriendo.

—¿Rudy? —gritó Aiden. No hubo respuesta. Los cuatro intercambiaron una mirada de preocupación—. Debería poder contestar —dijo con nerviosismo—. Mi madre me va a matar como le ocurra algo.

—No le pasará nada —lo consoló Brynne, cruzándose de brazos.

Pero dos minutos se convirtieron en tres… y luego en siete.

—Voy a por él —anunció Aiden al final. Se tocó el puño de las mangas y salieron las cimitarras—. ¿Shah?

Aru movió la muñeca y el *vajra* se activó crepitando. Lo acercó a las armas de Aiden y la electricidad recubrió el filo.

—Tienes dos minutos. Después, iremos a por ti.

—Estoy seguro de que solo se ha distraído mirando su reflejo —dijo antes de entrar.

Una vez más esperaron y una vez más… no ocurrió nada.

—No me gusta —se quejó Mini, abrazada a la *danda*.

—Seguro que es una barrera mágica y están esperándonos al otro lado —dijo Brynne, pero, por vez primera, no parecía convencida. Miró a Aru y a Mini—. No quiero dejaros solas.

—Estaremos bien —le aseguró Aru, aunque Mini había empezado a negar con la cabeza—. Si pasa algo, al menos podremos entrar las dos juntas.

Brynne suspiró, aún insegura.

—Si no vuelvo en dos minutos, venid a buscarme, ¿vale?

—¡Tú puedes! —dijo Aru, dándole una palmada en la espalda.

—Brynne, ten cuidado —dijo Mini antes de apretarle la mano con fuerza durante unos instantes—. ¿Sabes lo que podría haber en el agua? Peces enormes. Y fuertes corrientes. Incluso un tiburón…

—Necesitas mejorar las charlas motivacionales —comentó Aru.

Pero Brynne era la más valiente de todas y, al principio, Aru no se preocupó cuando entró por el estrecho pasadizo. Al principio. Los segundos pasaron y Mini comenzó a cantar con suavidad para sí misma. Luego, se detuvo.

—Ha ocurrido algo horrible. Lo presiento —insistió.

—No lo sabemos —dijo Aru—. Aún no han pasado los dos minutos…

¡Ding!

El temporizador del reloj de Mini se activó y las dos chicas lo miraron. Aru sintió presión en torno al corazón. No podían ignorar las aguas oscuras del río.

—¿Qué les habrá ocurrido? —preguntó Mini.

—Seguro que nada de lo que preocuparse —le aseguró Aru, pero se notó el regusto a mentira en la lengua.

Rudy podía haberse extraviado, distraído o algo así, pero ¿Aiden y Brynne? No habrían perdido el rumbo con tanta facilidad.

—Vale, venga —dijo Mini.

Esa era Mini. Tenía una lista de fobias impronunciables, pero conseguía parecer valiente cuando más lo necesitaban. Entrar juntas en el pasadizo no fue tan difícil. Como eran las más pequeñas de los cuatro, Aru y Mini solían ocupar por turnos el asiento del medio en la parte trasera cuando la madre de alguna de las dos los llevaba al cine. Por suerte para Aru, Mini era bastante lenta pidiendo turnos y terminaba sentándose en el centro con más frecuencia.

En cuanto pisaron el túnel, las sombras se apresuraron a sellar el espacio tras ellas, convirtiéndose en piedra sólida y negra. La oscuridad se las tragó y lo único que Aru conseguía oír era el rugir del río.

Miró hacia abajo y sostuvo el *vajra* hecho un ovillo para iluminar el camino. La suposición de Rudy era cierta. En lugar de un suelo de cristal, se encontraban sobre un puente pequeño con un enrejado de hierro. A menos de medio metro debajo de ellas, el río fluía a toda velocidad. No había barandillas a los lados para impedir que cayeran, por lo que se aferraban la una a la otra como si les fuera la vida en ello.

Una aguda punzada de sed recorrió la garganta de Aru. Tragó de manera compulsiva; no le gustaba nada la sensación de sequedad en la boca. Buscó en la mochila antes de dejar caer la mano. Aiden llevaba todas las botellas de agua y a saber dónde estaba. Aru tendría que esperar. En cuanto salieran de allí, se bebería toda el agua fría del mundo.

Miró el agua que corría bajo sus pies. Parecía tan negra como la tinta, pero Aru empezaba a fantasear con su sabor. Sabría como un invierno embotellado. Como si el alma entera se le hubiera secado y una sola gota bastara para llenarla de humedad. Como…

—¿Qué hay ahí arriba? —preguntó Mini.

Señaló hacia el techo y Aru se percató de lo que las rodeaba. En el aire, sobre el agua, había cientos de reflejos brillantes. Las imágenes titilantes de templos y ciudades, con juncos y riberas pantanosas, se amontonaban; le recordaba a un *collage* de hologramas.

—Deben de ser todas las orillas a las que llega el río —comentó Mini, mirándolas asombrada.

—Quizás —contestó Aru. Se sintió un poco culpable porque no la estaba escuchando. Solo podía pensar en lo seca que notaba la garganta, en que el interior de la boca se le pegaba a los dientes. Necesitaba salir de allí. Cuanto antes pudiera hacerlo, antes se reunirían con los demás y podría beber. Aru iluminó con el *vajra* el camino que había más allá y alcanzó a ver el brillo de un farolillo pequeño a menos de diez metros de distancia. Estaba conectado a una diminuta puerta de metal—. Debe ser la salida —afirmó—. Pero eso significa que no han tenido que caminar mucho…

Un escalofrío le recorrió la espalda. Mini miró de izquierda a derecha.

—No están aquí. Habrán cruzado ya…

Aru no se molestó en contestar. Estaba demasiado enfrascada en el agua que había debajo. Por los dioses, tenía una sed tremenda. Solo quería un vaso de agua. Pero no cualquier agua. La corriente del río Yamuna la atraía como un canto de sirena. Sería tan fácil hundirse en ella, dejar que le mojara la ropa y la arrastrara hasta el fondo, donde podría beber toda el agua que quisiera…

—¡ARU!

Aru sintió las manos de Mini en los hombros. Pestañeó. El *vajra* brilló ante sus ojos, como si el rayo hubiera zigzagueado con frenesí para captar su atención. Miró hacia abajo y notó el corazón en la garganta. ¿Qué estaba haciendo? Estaba apoyada sobre el puente con las manos colgando del borde y las rodillas no muy lejos de este. La parte superior de su cuerpo se inclinaba ya sobre el agua negra como la noche.

—Pero ¿qué te pasa? —gritó Mini tras tirar de ella hacia atrás—. Te llamaba y no me oías.

Aru se alejó del borde del puente y se sentó con los brazos en torno a las rodillas.

—No sé qué me ocurre —dijo, entrando en pánico—. Quiero beber agua del río.

—¡Puaj! —contestó Mini—. Yo también tengo sed, pero ya has visto el cartel y no pienso romper esa regla por nada del mundo. El agua estará contaminada. Podrías contraer una enfermedad infecciosa grave por su culpa, como la shigelosis, el norovirus o incluso criptosporidiosis. ¿Y sabes qué pasaría si…?

—Mini, ya me siento como si me fuera a morir, así que no me lo recuerdes —gruñó Aru—. Solo quiero un poquito de agua…

—¡No! —le prohibió Mini, dando una patada en el suelo—. Deja que te comente los síntomas, porque son horripilantes y quizás, después, ya no quieras beber el agua sucia de un río. Primero, cada vez que vas al baño…

Pero fuera lo que fuese que Mini quería contarle se vio interrumpido por una suave voz femenina. Solo por el sonido, el deseo intenso de Aru aumentó.

—Niña, ¿no tienes sed?

—Sí… Sí.

—Entonces, bebe hasta saciarte como el resto de tus compañeros.

El techo desapareció y vieron un cielo de color gris metálico. Debajo, el río Yamuna se agitó antes de dividirse por la mitad. Mini gritó mientras señalaba las profundidades. Allí, hechos un ovillo en el lecho del río, con los ojos cerrados y los labios de un peligroso tono azul, estaban Aiden, Brynne y Rudy.

DIECINUEVE

¿No es... un poco demasiado?

Las olas cubrieron a sus amigos antes de elevarse en forma de huracán invertido a casi quince metros por encima del puente. Aru y Mini no notaron ni una sola gota mientras se esforzaban con desesperación por ver a los demás. El agua era oscura, pero había pequeños objetos que rompían la superficie del remolino: las espinas de un pescado por aquí, una botella sin tapón por allá. En un momento dado, Aru vio la cola de un cocodrilo surgir de la espuma del agua. Y, mirara donde mirara, había demasiadas bolsas de plástico.

Por fin, Aiden, Brynne y Rudy reaparecieron dando pequeñas vueltas mientras sus cabezas entraban y salían del agua. Mini soltó un chillido horrible, pero el trío se mostró totalmente ajeno a él. De hecho, parecía... parecía que estuvieran muertos. El miedo le encogió el corazón a Aru. No podía ser verdad, ¿no?

La agitación se detuvo. El lecho del río bajo el puente se secó y Aru sintió entonces cómo unas gotas de agua le caían en el brazo. Miró hacia arriba y el pulso se le aceleró.

Cerniéndose sobre ellas, con el río envuelto como si fuera un sari elegante, estaba Yamuna, la diosa del río. Aru la reconoció por los artefactos arqueológicos del museo. Tenía el pelo largo y negro, recogido con dientes de peces y adornado con perlas. En torno al cuello y las muñecas, llevaba unas serpientes que se retorcían, más brillantes que cualquier joya. La piel le relucía con un tono oscuro como la noche. Era despampanante, pero había algo perturbador en aquella belleza. Era como mirar una cascada vasta y atronadora, una a la que no te quieres acercar. Brynne, Aiden y Rudy quedaron atrapados en el dobladillo del enorme vestido ondulante como peces en una red. Yamuna paseó la mirada de Aru a Mini antes de posarse en esta última.

—Por favor —le suplicó Mini—. ¡Déjalos marchar! ¡Podrían morir!

Aru abrió la boca para intervenir, pero… no podía hablar. Le habían quitado la voz. Fulminó a Yamuna con la mirada. «¡Es culpa tuya! ¿Por qué?». La diosa de las aguas le había robado la voz y ni siquiera lo había hecho de una manera estilosa, como Úrsula al meter la voz de Ariel en una preciosa caracola brillante. No. Un momento era suya y, al siguiente… ya no la tenía. La diosa de los ríos inclinó la cabeza.

—Quien hace las preguntas aquí soy yo.

Mini tragó saliva de forma audible antes de mirar a Aru, que se señaló desesperada la garganta. «Me ha quitado la voz», intentó explicarle a través de la conexión mental Pandava, pero incluso esta parecía bloqueada en presencia de la diosa.

—¿No querías beberte mis aguas, pequeña? —preguntó Yamuna.

La voz fría de la diosa le recorrió el cuerpo y la sed desesperante de Aru desapareció al fin. Suspiró aliviada y, temblorosa, se puso en pie. Solo porque no pudiera hablar no significaba que no fuera a apoyar a Mini.

—Eh, no, gracias —gimió Mini—. Hay muchas bacterias que... ¡espera! Quiero decir, seguro que no es culpa tuya y todo eso y siento haberte llamado sucia...

—La contaminación que se acumula en mi superficie no afecta a mi alma.

Aru asintió para sí misma. ¡Qué buena! La podría usar como excusa la próxima vez que no le apeteciese ducharse.

—Yo... —Mini apretó los puños—. Creo que sí debes de tener el alma un poco contaminada si dejas morir a mis amigos.

¡MUY ATREVIDA, MINI! ¡QUIZÁS DEMASIADO!

Aru intentó dirigirle este pensamiento a su hermana con todas sus fuerzas, pero el único resultado fue un dolor de cabeza.

—Tú has sido la única que no ha sentido la tentación de romper la regla —dijo Yamuna—. ¿Por qué?

Mini pestañeó, removiéndose en el sitio.

—El cartel dice que no lo hagamos. Y no quiero morir por una enfermedad infecciosa descontrolada.

La diosa de los ríos hizo una pausa mientras se lo planteaba antes de acercarse a ella un poco más y reducir ligeramente la agitación de la corriente del sari.

—Te haré tres preguntas, hija de la Muerte —dijo Yamuna—. Si la respuesta me satisface, quizás consigamos llegar a un acuerdo para resucitar a tus amigos.

—¿Y qué tal si le preguntas a Aru? —sugirió Mini—. Se le da mucho mejor responder que a mí.

La diosa negó con la cabeza.

—Te preguntaré a ti, niña. Si lo haces bien, ella vivirá, pero no puede hablar por ti.

A Aru aquello le gustaba cada vez menos. Por supuesto, había estado a punto de romper la regla de no beber agua del río, pero ¿por qué era culpa suya si un encantamiento había hecho que tuviera mucha sed? Sí, había un cartel. Pero ¿quién iba a seguir…?

«¡MINI!», replicó su cerebro.

«Vale, sí», aceptó Aru.

—Responderé a las preguntas —contestó Mini antes de levantar la barbilla.

—Muy bien, niña. Aquí va la primera… ¿Qué es lo más pesado que puedes llevar encima?

«¿Qué tipo de pregunta es esa?», pensó Aru. En primer lugar, era supersubjetivo. Por ejemplo, Aru diría un elefante, pero Brynne —que se podía convertir en uno— diría un rascacielos. En segundo lugar, ¿cómo iba a servir una respuesta a algo así para convencer a la diosa de que trajera de vuelta a sus amigos? Quizás estaba buscando a becarios para que sacaran del agua bolsas de plástico y botellas durante el verano…

Mini pareció reflexionar sobre la pregunta. Luego, miró a Aru y a la diosa antes de decir:

—La culpa.

Su respuesta removió a Aru por dentro. ¿Cuántas veces había sentido cómo se le encorvaban los hombros por el peso de saber que había dejado escapar al Durmiente? También explicaba su miedo a llevar la llave viviente. A Aru no le gustaba lo que le hacía pensar o, mejor dicho, lo que dejaba que pensara. La llave no puso esos pensamientos ni esas dudas en su cabeza. Solo había sacado a la superficie lo que ya estaba ahí.

—¿Cuál crees que es el mayor milagro del mundo, niña? —preguntó Yamuna.

Mini frunció el entrecejo mientras reflexionaba, pasando los dedos por la *danda* de la Muerte de su padre, que apretaba en un puño.

—Sé miles de modos en los que puede morir una persona, pero eso no significa que quiera vivir menos —dijo con calma—. Creo que hay otras personas que sienten lo mismo… Si no, ¿cómo superamos cada día? Creo que eso es un milagro enorme.

De nuevo, Aru se quedó sorprendida por la respuesta. Si hubiera tenido pompones, la habría animado. Mini se equivocaba al pensar que Aru era la única a la que se le daba bien contestar. Quizás encontrara respuestas con rapidez, sí, pero Mini hablaba desde el corazón.

—Me gustan tus palabras, hija de la Muerte. Solo tengo una última pregunta para ti…

Yamuna dio un paso atrás y una ola echó hacia delante los cuerpos sin vida de Brynne, Aiden y Rudy. Giraron con lentitud por el dobladillo del vestido mientras el agua oscura les acariciaba la nariz y el pelo se les pegaba a la cabeza.

—No todos podréis marcharos de mi territorio. Solo podrás elegir a uno. ¿A quién elegirás?

Aru se notó el corazón palpitar en la garganta. ¿Elegir a uno? Pero eso significaba… eso significaba que…

—¿Solo uno puede volver a la vida? —preguntó Mini, mirando a sus tres amigos.

La diosa asintió.

—¿Quién merece otra oportunidad de vivir? Eres la hija de Yama, seguro que podrás elegir de forma justa, ¿no? —Los tres amigos flotaban ajenos a la decisión que debía tomar Mini—. ¿Será el príncipe *naga*, cuyos talentos musicales y sonrisa fácil quizás te hayan cautivado más que los ojos y las orejas? —Al decir esto, un pequeño chorro de agua acercó a Rudy hasta la cara de Mini. Aru dio un paso atrás. La cabeza del príncipe serpiente colgaba hacia un lado mientras el agua le recorría el cuello. Mini ahogó un sollozo y le tembló el labio, pero no lloró. En lugar de eso, estiró el brazo y cogió a Aru de la mano con fuerza—. ¿O el chico que se ha convertido en otro hermano para ti, el que siempre escucha? —Una cinta del vestido de Yamuna atrajo a Aiden como si fuera una ola. Aru giró la cara. No era que no quisiera verlo así, sino que no podía. Algo en su interior se encogió ante el pensamiento—. ¿O tu hermana…?

Yamuna no necesitó decir nada más mientras el sari atraía a la tercera hermana Pandava. Brynne, que seguro que pensaría en luchar contra el río si creyera que la estaba insultando. Brynne, que protegería al resto sin importar el coste que le supusiera.

A Aru le picaban los ojos por las lágrimas. Si hubiera sabido antes acerca de los peligros de este río, habría encontrado otro modo de entrar en la Casa de los Meses. No podía imaginar perder a ninguno…

—Rudy —dijo Mini.

Aru se quedó de piedra.

«¿Cóóómo?».

Aru paseó la mirada entre Mini, Yamuna… ¡y Brynne! Su hermana Pandava, que estaba regresando poco a poco a los pliegues del vestido de la diosa…

—¿Por qué? —preguntó la diosa de los ríos.

«Sí», quería gritar Aru. «¿Por qué?». ¿Por qué él y no su hermana? ¿Qué pasaría con Aiden? Mini levantó la barbilla y habló con claridad.

—Me has pedido que piense como mi padre espiritual, Yama. Él miraría quién ha vivido ya… y, partiendo de eso, Aru, Brynne, Aiden y yo hemos tenido más vidas que el resto de las personas. Hemos disfrutado de muchas reencarnaciones… pero Rudy no. De este modo, él es quien más merece otra oportunidad para vivir.

Había una lógica fría y casi divina en sus palabras, algo que impactó en Aru como una flecha. Aun así, cuando miraba a su hermana, solo podía pensar: «¿Cómo has podido?».

Yamuna reflexionó sobre lo que había dicho Mini durante unos segundos antes de… echarse a reír. El vestido líquido tembló por la fuerza de las carcajadas y la diosa levantó las manos para aplaudir. Enseguida, el agua se desplomó y llenó de nuevo el lecho del río. Aru sintió un calor que se le extendía por la garganta, por lo que se llevó las manos al cuello, resollando.

—Pero ¿qué leches…?

¡Eh! ¡Podía hablar! Eso sería genial, si no fuera porque Mini acababa de permitir que Brynne y Aiden murieran. Aru se giró hacia Mini, pero vio que algo salía del extremo más alejado del puente.

Brynne, Aiden y Rudy estaban tumbados sobre el suelo enrejado. Seguían inconscientes, pero el color les había vuelto a las mejillas y a los labios y tenían los músculos faciales ligeramente torcidos, como si estuvieran atrapados en un sueño largo. El agua empezó a retirarse de sus cuerpos y la ropa se les aligeró como si se estuvieran secando por arte de magia.

Tras ellos estaba Yamuna, que ya no era la personificación del río, sino una mujer joven de piel oscura con una pinza perlada en el pelo y un largo vestido azul.

—Lo has hecho mejor de lo que esperaba, sobrina —dijo Yamuna.

Mini parecía asombrada.

—Espera… ¿sobrina?

La diosa sonrió.

—Supongo que no sabes que Yama, tu padre espiritual, tiene una hermana gemela: yo. Fue horrible crecer con él. No aguantaba ninguna broma y odiaba que le inundase la habitación. ¡Vaya!

—Entonces… ¿he pasado la prueba? —preguntó Mini.

—De sobra —contestó Yamuna con un movimiento de la mano—. Has tenido mucha sangre fría en un momento en el que otros no la hubieran tenido. Has seguido las reglas cuando muchos otros no pueden controlar sus impulsos. Y has tenido la empatía de ponerte en el lugar de otro y dejar a un lado tus sentimientos. Eso es algo poco frecuente, sobrina. Y, por eso, tendré piedad con tus amigos.

—¿Con todos? ¿En serio? —preguntó Mini, al mismo tiempo que se le encendían las mejillas—. Nunca soy yo la que… ya sabes, la que salva la situación.

El alivio inundó a Aru.

—Ya verás cuando les contemos lo que has hecho... —dijo—. Van a flipar. ¡Has estado estupenda!

Mini sonrió.

—¿Sí?

—Absolutamente.

Yamuna esbozó una sonrisa, pero su expresión se tornó arrepentida.

—Me temo que hay una última condición que debo poner —dijo—, aunque me duele tener que hacerlo, porque perteneces a la familia.

Aru se llevó las manos al cuello.

—No me quites la voz, ¡por favor!

Yamuna hizo un gesto hacia los tres amigos inconscientes.

—Antes de que se despierten, debes prometerme que siempre mantendrás en secreto este episodio. Nunca deben saber que fuiste tú quien los salvó. —Aru estaba a punto de preguntar el porqué cuando la diosa continuó—: En cuanto a ti, por ser hija del dios de las tormentas, debo quitarte este recuerdo.

«Espera… ¿qué?».

Aru se sintió fatal. Mini solía estar en la sombra. Siempre miraba, analizaba… pero casi nunca era la estrella. Aru quería recordarlo y homenajearla cuando se le olvidara a Mini.

Mini miró a sus amigos y a Aru con una sonrisa triste en la cara antes de volverse hacia su tía. Cuadró los hombros.

—Qué más da si saben o no que los he rescatado, ¿verdad? —preguntó Mini—. Quiero decir, se han salvado y eso es lo que importa.

Yamuna sonrió.

—Hablas con una sabiduría verdadera, pequeña Pandava.

—Al menos, yo siempre sabré lo que hice —dijo con calma.

La diosa de los ríos se giró hacia Aru. Una bruma fría la envolvió y la mente de Aru se quedó en blanco.

Aru, Mini, Rudy, Brynne y Aiden salieron por el extremo del puente y llegaron al sendero que llevaba a diciembre, el nivel inferior de la Casa de los Meses. La nieve crujiente crepitaba bajo sus pies. Los árboles plateados estaban adornados con velas encendidas que vertían un cálido brillo sobre todo lo demás.

Rudy se giró y miró al resto con las manos en las caderas.

—De nada —dijo con suficiencia—. Os he dicho que podría llevaros hasta el otro extremo.

—Sí, bueno, has necesitado mi ayuda —le recordó Aiden.

—Y la mía —añadió Brynne, cruzando los brazos.

Aru se estremeció. Tenía una sensación muy rara, como si acabara de despertar de un sueño que no recordaba. Los demás también parecían un poco aturdidos... menos Mini, que sonreía para sí misma. Aru tuvo una extraña visión, si se podía llamar así. Durante un segundo, fue como si viera a Mini no como era ahora, sino como sería: una jovencita con el pelo hasta la barbilla y la mirada serena. Alguien totalmente cómodo con dejar que la otra persona condujera el coche porque era ella la que había elegido el destino. Hizo que Aru se sintiera orgullosa de su amiga, aunque no sabía por qué.

—Pensé que estarías más nerviosa ahí dentro —dijo Aru.

Mini giró la *danda* entre los dedos antes de encogerse de hombros.

—No, estoy bien —repuso con una sonrisa.

VEINTE

Al menos no hay un dragón

Nadie te dice qué te espera cuando entras en un mes. ¿Habrá horribles llaveros de recuerdo? ¿Platos conmemorativos? Cuando estuvieron dentro, Aru tardó un rato en ajustar la vista a la luminosidad de diciembre. Largas sombras colgaban de las vigas del techo con carteles que anunciaban cosas como:

«EXTRAÍDOS DE LAS MEJORES CUEVAS Y ÁRBOLES.
SIN CONTAMINACIÓN LUMÍNICA HUMANA.
IDEALES COMO CAMISONES PARA DORMIR O COMO
CORTINAS PARA GUARIDAS MONSTRUOSAS».

Las paredes esculpidas emanaban frío y brillaban por la nieve recién caída. Aru miró con más atención. Era nieve de verdad. Un pequeño cartel sobre ella anunciaba: PROVENIENTE DE LOS PICOS DEL HIMALAYA. MATERIAL ORGÁNICO Y TRANSPIRABLE PARA MANTENER EL CUERPO FRESCO.

—¡Allí! —dijo Rudy, señalando una plataforma baja con hielo tallado en el centro de la sala—. Tenemos que coger el ascensor hasta enero. La Cripta de los Eclipses debería estar en el interior del veinte de enero.

El grupo miró el ascensor de cristal, que era lo bastante grande para que cupieran los cinco, mientras descendía hasta la plataforma. Las puertas se abrieron y, de él, salió una preciosa pareja *kinnara*. La piel del hombre tenía el color del té fuerte y la de la mujer le recordó a Aru a un penique nuevo y brillante. Unas alas delicadas le nacían de los hombros y se extendían hasta el suelo.

La mujer sonrió a Aiden.

—Me encanta tu estilo.

Aiden se puso rojo.

—Gracias.

Mientras la pareja se alejaba, Aru quería rebelarse. «¡HOLA! ¿Y nosotros?».

Rudy levantó las manos.

—¿En serio? Mi chaqueta es de la colección de otoño, ni siquiera ha salido a la venta aún. ¿Y te felicita a ti? ¿De dónde has sacado la sudadera?

Aiden se encogió de hombros con una ligera sonrisa.

—Del fondo de mi armario.

—Uf. Vámonos, anda. —contestó Rudy.

Se dirigieron hacia el ascensor.

—¿Te estás pavoneando, Querida? —le preguntó Mini a Aiden.

Él, de repente, ralentizó el paso. Brynne lo miró de arriba abajo y resopló.

—Sí, igualito que un pavo real.

—¡No!

—¡Sí! —dijo Aru con una carcajada.

—Que no.

—Que sí.

—Anda que… —dijo Aiden antes de rendirse y negar con la cabeza—. ¿Por qué sois así?

—Aburrimiento —contestó Mini.

—Agresividad —dijo Brynne.

—Astucia —respondió Aru.

Las tres sonrieron.

El ascensor contaba con doce botones de distintos colores, uno por cada mes. El de enero era de color dorado brillante y parecía nuevo.

—¿Preparados? —preguntó Rudy.

Asintieron.

—Puede ser un poco movido…

—Podemos soportarlo —respondió Aru, poniendo los ojos en blanco.

Rudy presionó el botón más alto. El ascensor volvió a la vida y subió con tanta fuerza que cayeron al suelo.

—¿Está poseído? —dijo Aru mientras se agarraba a la barandilla.

—No, solo está pasando por muchas plantas —gritó Rudy por encima del estrépito del ascensor, que subía zumbando cada vez más alto—. ¡La Casa de los Meses es enorme!

A Aru se le taponaron los oídos y se apresuró a acercarse al centro para entrelazar los brazos con Brynne y Mini. Aiden estaba la mar de bien apoyado en la barandilla y mirando las puertas transparentes. Rudy, acostumbrado al trayecto, se toqueteaba un botón de la chaqueta.

Después de pasar por diciembre y noviembre, Aru se adaptó a la velocidad y empezó a apreciar las vistas. Estaban entrando en octubre. A pesar de las puertas del ascensor, sintió el aire vigorizante del mes, el olor a ajos tostados y a sidra humeante con canela en rama y la luz del sol filtrándose entre las hojas rojas.

En un abrir y cerrar de ojos, pasaron a septiembre y, después, tras atravesar el verano, llegaron a abril, donde la cabina se detuvo. Las puertas se abrieron y una oleada de aromas botánicos entró de golpe.

—¡Uff! —dijo Mini antes de taparse la cara con el codo—. ¡Alergia!

Aru miró a través de las nubes de flores blancas que se movían por un techo de rosas azules y lirios color zafiro. La sala estaba repleta de enormes ramos en jarrones de cristal y había carteles luminosos donde se leían cosas como:

«Compra una violeta intensa y te regalamos una margarita con colmillos.
Durante un tiempo limitado, flores cadáver que florecen de noche: perfectas para que tu guarida huela a muerto».

Un enorme *asura* de piel clara con un glamuroso traje hecho con escamas se quedó de pie frente a ellos con gran cantidad de flores. Miró el ascensor lleno y suspiró.

—Esperaré al siguiente —dijo antes de murmurar para sí mismo—: ¿Por qué las flores son tan caras? Odio los aniversarios.

Las puertas se cerraron y siguieron subiendo, avanzando por el ventoso marzo y por febrero. Aru pidió salir un segundo a ver el mes de su cumpleaños, intrigada por saber qué tipo de mercancías vendían allí. Resultó ser una famosa perfumería. Aru inclinó la cabeza para mirar al mar de pasillos que encerraban perfumes que incluían «la esencia del amor escolar con notas del bálsamo labial de Burt's Bees y el espray corporal de AXE», «el aroma del desayuno con un fondo de sirope de arce» y «la fragancia de un libro nuevo recién abierto mezclado con tinta y chocolate caliente».

Brynne carraspeó con impaciencia y Aru volvió al ascensor, que despegó y, por fin, llegaron a enero. Las puertas se abrieron abruptamente y Aru y sus amigos salieron tambaleantes hacia la radiante luz del nuevo año. A diferencia de otros meses, enero daba vueltas. Entraron en el suelo giratorio, donde las salas con números, empezando por el uno de enero, los rodeaban a toda velocidad, cada uno con una escena distinta: una ruidosa fiesta navideña, un domingo sin hacer nada junto a la estufa o una pelea de bolas de nieve. Aru sintió que estaba en una de esas atracciones que daban vueltas y que siempre estaban cerradas porque alguien había vomitado.

—El eclipse se produjo el veintiuno de enero —dijo Mini paseando los ojos por la fila de días que llegaban hasta ellos.

Al llegar al diez de enero, la alegría de las escenas previas desapareció y fue reemplazado por una serie de salas grises vacías con el título de: ALMACÉN. Era como si esos días solo sirvieran para informar del paso del tiempo.

—¿Preparados?

Rudy saltó a una de las escenas. Una ola de energía mágica se elevó sobre las Pandava y Aiden antes de que saltaran detrás de él. Aru se abrazó a sí misma mientras cerraba los ojos y levantaba una mano como escudo... Cuando los abrió de nuevo, estaban en otro lugar, sobre una pasarela de mármol que se extendía unos seis metros antes de acabar en un enorme arco plateado con las palabras CRIPTA DE LOS ECLIPSES impresas en unas pulcras letras negras.

—¡Lo hemos conseguido! —dijo Rudy con una sonrisa—. No me deis las gracias todos a la vez.

Nadie dijo nada. Rudy se encogió de hombros y se giró para caminar hacia el arco.

—¿Por qué esconden las cosas en un eclipse? —preguntó Mini mientras lo seguían.

—Bueno, un eclipse se produce cuando un cuerpo celestial oculta a otro y la fuente de iluminación desaparece —respondió Aiden—. Así, sin luz, parece un buen momento para esconder algo.

—¿Un cuerpo celestial hace qué? —repitió Rudy mientras negaba con la cabeza—. Todo el mundo sabe que los eclipses los provocan Rahu o Ketu cuando se enfadan y se comen el sol o la luna.

—¿Rahu o Ketu? —preguntó Aru—. ¿Quiénes son?

—En teoría, son los guardianes de la cripta, pero las cuestiones de seguridad se las han dejado a los *yalis* —respondió Rudy—. No te preocupes, R y K nunca están aquí. Al menos, yo nunca los he visto.

—¿Esta es la entrada? —preguntó Brynne.

Habían llegado a dos pilares que parecían hechos de sombras húmedas. En los lugares a los que llegaba la luz tenue de enero, Aru alcanzaba a ver formas sobre la piedra oscura y mojada. Parpadeaban de una manera extraña, como si estuvieran vivas. Se estremeció y se le puso de punta el vello de la nuca. Apretó con fuerza la mochila, donde se encontraba la llave viviente en la funda de terciopelo. Lo único que tenían que hacer era entrar en la cámara A7, usar la llave para abrirla y hallar la pista sobre el paradero del árbol. «¡Fácil!», pensó Aru.

—No es que esté asustada ni nada, pero este sitio me da mal rollo —dijo Brynne.

Mini respiró hondo para tranquilizarse.

—Bueno, al menos no hay un dragón.

Aru, Mini y Brynne pasaron juntas entre los pilares. Aru cerró los ojos por la fina lluvia que le azotaba la cara. En cuanto los abrió, una sirena bramó: «DETECTO LA PRESENCIA DE DIOSES. DETECTO LA PRESENCIA DE DIOSES».

El *vajra* saltó en el aire, a punto de transformarse, pero Aru lo cogió a toda velocidad y lo devolvió a su muñeca.

—No podemos revelar quiénes somos —siseó.

Junto a ella, Brynne y Mini también se las veían y se las deseaban con sus armas. La alarma gritó más alto y unas luces radiantes parpadearon, lo que cegó a Aru. Solo lograba distinguir la forma de una inmensa puerta frente a ellos cuando los envolvieron unas enormes volutas de humo.

El humo se separó por fin y vieron una gigantesca cara de reptil. Tenía los ojos amarillos como los de un gato, con rendijas negras en las pupilas, y unos grandes orificios nasales humeantes. La cabeza escamosa de la criatura era del tamaño de una mesa de comedor, con cuernos delgados que sobresalían por encima de las cejas. Aru no quería ni imaginar cómo sería el resto.

La mirada del monstruo se posó sobre ellos, uno a uno, antes de graznar:

—¿Dioses?

VEINTIUNO

Bueno, no he dicho nada

Aru solo consiguió entender que un dragón auténtico los estaba mirando antes de que el ruido de algo pesado retumbara en la antecámara. Lo único peor que un dragón eran... dos dragones. Aru se preparó y se acercó a sus hermanas. De ninguna manera iban a poder acabar con dos dragones sin usar las armas Pandava. Quizás las ropas estuvieran encantadas gracias a Nikita, pero Aru dudaba que los pantalones, la chaqueta de Brynne y la falda y el jersey de Mini fueran a servir de mucho en esta situación.

A su lado, Aiden se tocaba las mangas, listo para sacar las cimitarras. Rudy intentaba esconderse tras su primo con poco éxito debido a la chaqueta de color blanco cegador.

Una nueva forma se presentó ante ellos... pero no era exactamente un dragón; mejor dicho, era una parte de este. Para ser más concretos, la cola, las cuatro patas con garras y un torso del que parecían brotar unas llamas. La otra criatura volvió la cabeza y Aru contuvo un grito ahogado. Solo era eso... ¡una cabeza, una cabeza que miraba al resto del cuerpo!

—Llegas tarde, Ketu —dijo la cabeza de dragón—. Me da mucha rabia que llegues tarde…

—A ti te dan rabia muchas cosas, Rahu —dijo Ketu con calma.

Aru abrió mucho los ojos.

«¿Eh… acaba de hablar el torso de dragón sin cabeza?», les preguntó a sus hermanas. Sus miradas asombradas le sirvieron como respuesta.

Ketu suspiró y las llamas de la parte superior del torso temblaron. Entonces, Aru se dio cuenta de que el fuego hacía las veces de cabeza.

—Ya hemos pasado por esto y no veo la utilidad de hablarlo de nuevo —dijo Ketu. Dejó caer la cola y presionó las garras de las patas delanteras como si estuviera rezando—. Debes liberarte de las cargas.

—¡Para ti es fácil decirlo! ¡Tú no las tienes!

—Eso ha sido así por la voluntad del universo…

—No me vengas con esas. El universo no te lanzó un *chakra* dando vueltas contra el cuello. ¡Fue un dios el que lo hizo, tronco imbécil! —soltó Rahu.

—El enfado es lo que causa ceguera ante la felicidad —dijo el torso con parsimonia—. De nuevo, libérate de cargas inútiles.

—¿Y qué me dices de la colección de velas aromáticas? A mi modo de ver es una carga inútil. ¿De qué te sirven si no tienes nariz?

Ketu enroscó la cola y puso los pies en el suelo con firmeza. Una llama le recorrió la espalda.

—¡Estaban rebajadas!

Aru contemplaba la escena, perpleja, cuando notó un golpe fuerte en el costado. Brynne le señaló algo con la barbilla. A unos quince metros bajo los pilares donde las dos mitades de dragón discutían estaba la puerta de la cripta: era negra y del hueco brotaban unas sombras oscuras y una ligera bruma. Solo tenían que llegar hasta ella. Quizá pudieran escabullirse hasta allí mientras la cabeza y el torso peleaban. Brynne dio un paso al frente y Rahu los miró.

—¡Vosotros! —dijo.

—Ah, sí… ellos —dijo Ketu mientras los saludaba con la cola—. ¿Qué tal?

Aiden empujó a Rudy delante de él. El chico *naga* tembló durante unos instantes antes de respirar hondo y fijar sobre las partes de dragón una mirada imperiosa. Levantó las manos y las escamas de su muñeca brillaron.

—Soy el príncipe Rudra de Naga-Loka y este es mi séquito —dijo con cierto temblor en la voz—. Estoy aquí para entrar en la cripta, que he visitado tantas veces con mis padres. Mi padre tiene una cámara aquí y…

Rahu olfateó el aire antes de acercarse.

—Queremos pasar —terminó Rudy a toda velocidad.

Aru tenía que reconocer el valor de Rudy. No creía que fuera capaz de mantener la sangre fría si una cabeza de dragón desmembrada entablara conversación con ella.

—Se ha detectado la presencia de dioses —dijo Rahu—. No permitimos la entrada de los dioses a la cripta. Deben enviar a un ayudante, pero ellos mismos no son bienvenidos.

—¿Acaso parecemos dioses? —preguntó Aiden—. Quiero decir, ¿en serio? Quizás el sistema de la alarma esté defectuoso.

—O quizás acabe de pasar un dios a hurtadillas —sugirió Brynne—. Entraremos a comprobar…

—¡Ja! —resopló Rahu—. Ni siquiera nosotros podemos cruzar la Puerta de las Sombras. —Dirigió la mirada hacia esta.

—Solo vigilamos la entrada —añadió Ketu—. Y es mejor así, en realidad. No me gusta la cripta, hay muchas corrientes de aire.

Una chispa de esperanza se encendió dentro de Aru. Si los dragones no podían entrar, las Pandava tendrían que encontrar una manera de traspasar la puerta sin que los guardianes se dieran cuenta… lo que significaba que tenían que distraerlos.

—Tenemos que ver vuestra documentación —gruñó Rahu.

—Por favor —añadió Ketu.

Aru miró el dobladillo de sus pantalones, donde se ocultaban los hilos adhesivos enrollados que servían de bordado. Se le ocurrió un plan, que compartió a toda velocidad con sus hermanas a través de la conexión mental. Dio un paso al frente.

—Nosotros también necesitamos que nos enseñéis un carnet de identidad. ¿Cómo sabemos que sois los auténticos Ketu y Rahu?

—¿Quieres comprobar nuestra identidad? —Rahu se sintió tan insultado que empezó a salirle humo de los agujeros de la nariz de nuevo.

Mientras Mini les susurraba el plan a Aiden y a Rudy, Brynne empezó a pasear.

Rudy dijo:

—Nunca habéis estado aquí cuando he venido con mi madre o con mi padre. Siempre pasábamos directamente por la puerta y confiábamos en que los *yalis* estuvieran ocupándose de la seguridad.

—Sí —dijo Brynne—. A ver, ¿por qué los grandes y aterradores Rahu y Ketu iban a proteger la entrada de su propia cripta?

—Sí que soy grande, sí —dijo Ketu, halagado—. Creo que lo añadiré a mi lista de afirmaciones matutinas, justo después de «Aunque soy una mitad, soy un todo».

Aru se inclinó y fingió que se ataba los cordones. Con los dedos, acarició los diseños encantados de sus perneras. Al tocarlos, los hilos se separaron de la tela, enroscados, y se alargaron hasta formar una pegajosa cuerda translúcida. Aru hizo un ovillo con ella y se la pasó a Aiden, que la cogió con una fuerte palmada. Rahu se giró para mirarlo.

—No podría estar más de acuerdo —dijo Aiden con las manos unidas frente a él como si acabara de terminar de aplaudir—. Un aplauso para los *yalis*.

Mini cambió rápidamente de tema.

—No os deben caer muy bien los dioses, ¿no? —le preguntó al cuerpo de dragón.

Rahu resopló.

—Los dioses son mentirosos, despreciables y rastreros.

Aru no pudo contenerse.

—¿Hobbits?

—¿Hobbits? —Rahu pestañeó—. ¿Eso es una palabrota del reino humano?

—Exacto —dijo Aru.

Aiden le lanzó una mirada que significaba: «¿Por qué eres así, Shah?».

Rahu gruñó:

—Entonces, son todos unos hobbits rastreros y los odiamos.

Aiden ya le había entregado el ovillo pegajoso a Mini.

—El odio no es la solución —dijo Ketu, apacible—. Oye, ¿qué estáis haciendo? Oigo pisadas.

Mini, que se estaba moviendo a hurtadillas detrás de la cabeza de dragón mientras trataba de deshacer la cuerda, se quedó paralizada. Debido a la luz del torso de Ketu, la cuerda se veía un poquito. Aru esperó que no tuviera buena vista… dado que no tenía ojos.

—Solo intento apreciar, eh…

—Todos los ángulos de la situación —terminó Aru en voz alta. Ketu se giró hacia ella—. ¿Hay algún otro dragón troceado como vosotros?

Rahu resopló.

—Es imposible ser como nosotros. Nos han creado los dioses.

—Por accidente, quizás —musitó Ketu—. Pero Rahu tiene razón. Somos únicos porque no han hecho a nadie como nosotros…

—¿Hacer? —lo interrumpió Brynne mientras Mini rodeaba un pilar con la mitad de la cuerda y la tensaba.

El fuego del lomo de Ketu rugió y se volvió más alto.

—Fue un día horrible —gimió—. Tras mucho caminar, tenía unos dolores terribles en las patas y el rabo…

Entre las llamas aparecieron unas imágenes de los *devas* y los *asuras* en el Océano de Leche. En la larga fila de *asuras* que tiraban de la cuerda de serpiente con todas sus fuerzas, Aru reconoció a Rahuketu, un dragón con una cabeza resbaladiza y cuerpo de serpiente sin alas.

—Tenía mucha sed —dijo Ketu con un suspiro.

—Estábamos en un océano de leche —dijo Rahu—. Podías haberme dejado que le diera unos lengüetazos.

—¿Y estropear mi cuerpo? ¿Mi templo? ¿Con leche en la que había entrado y sudado gente?

—Continúa, Ketu —farfulló Rahu.

El recuerdo hecho con las llamas de Ketu cambió y mostró a los *devas* y a los *asuras* divididos en dos filas. Cuando llegó el momento de repartir el néctar de la inmortalidad, Vishnu, el dios de la protección, adoptó un nuevo avatar y se transformó en la preciosa hechicera Mohini. Era tan encantadora que todo el mundo aceptó que vertiera el néctar. Mohini caminó primero hasta los *devas*, pero no paraba de girar la cabeza hacia los *asuras*… sonriéndoles para que ninguno se diera cuenta de que estaba gastando todo el néctar.

Ninguno salvo Rahuketu.

En la escena presentada en las llamas, Rahuketu se disfrazó de *deva* y cambió de fila, deslizándose entre Surya y Chandra, los dioses del sol y la luna. Mohini se detuvo frente a Rahuketu sin mirarlo mientras inclinaba hacia su boca el frasco dorado brillante lleno de lo que parecía luz solar líquida. Rahuketu cerró los ojos, abrió los labios y bebió. El brillo irradiaba de su interior, colándose a través de los poros de su piel, cuando…

¡Ziu, ziu, ziu, ziu, ziu!

Un disco plateado y afilado como una cuchilla giró hacia él y le rebanó la cabeza.

—¡Qué mala educación! —dijo Ketu.

Rahu cerró los ojos y negó con la cabeza ante el recuerdo. Eso les dio la oportunidad a Aiden y a Rudy de deslizarle a Aru los dos extremos de la cuerda mágica, que ató a toda velocidad.

Aru chasqueó la lengua, empática, y Rahu abrió los ojos de nuevo. Para entonces, los amigos habían formado un círculo en torno a la cabeza y el torso con la cuerda sujeta a sus espaldas. Ante la señal de Brynne, todos dieron un pequeño paso hacia delante, llevando poco a poco a los seres celestiales hacia la columna.

—Pero nos tragamos el néctar de la inmortalidad —dijo Ketu—, por lo que nos convertimos en entidades separadas con responsabilidades distintas como el ascenso o el descenso de los nodos lunares. Nos tomamos nuestras obligaciones muy en serio…

—Excepto cuando uno se vuelve loco e intenta devorar la luna —añadió Rahu.

—Para ser justos, sí que parece una galleta —dijo Ketu a la defensiva.

—¿Ves? No eres tan arrogante, después de todo.

Rahu y Ketu se enzarzaron en una nueva discusión, esta vez acerca de cuál era el eclipse más popular: ¿el solar, el lunar o el tercer libro de *Crepúsculo*? Estaban lo bastante cerca el uno del otro como para que Rahu empujara a Ketu con la nariz.

Había llegado el momento.

Aru hizo un gesto con la cabeza hacia sus amigos y soltaron la cuerda. Ella la sujetó y poco a poco se echó hacia atrás hasta que la tensó. Uno a uno, los otros pasaron por debajo y se alejaron. Cuando Aru levantó la cuerda por encima de su cabeza para poder sostenerla frente a sí, Rahu se giró para mirarla y entrecerró los ojos con recelo.

—¿Qué haces?

—¡Perdonad! —gritó.

Aru soltó la cuerda pegajosa. ¡Zas! Se contrajo como una goma elástica y ató a Rahu y a Ketu al pilar. El primero gruñó y el humo siseó desde los agujeros de su nariz, lo que nubló la estancia.

—No veo nada —chilló Ketu.

—¿Acaso ves alguna vez? —le soltó Rahu.

Aru giró y se perdió en la niebla hasta que notó la mano de Brynne en torno a la muñeca.

—¡Corre! —gritó Brynne.

Todos juntos corrieron hacia la Puerta de las Sombras.

—Volved, niños —bramó Rahu—, ¡y dejad que os coma!

VEINTIDÓS

Ahí tienes a un dios muy agradable y destructivo que da mal rollo

Los gritos de Rahu los persiguieron al atravesar la Puerta de las Sombras, pero, en cuanto entraron en la cripta, se hizo el silencio.

Aru se estremeció. Se había tumbado en el suelo y le costó unos instantes acostumbrarse a la oscuridad. Por encima de ella, el techo parecía estar envuelto en una tenue luz borrosa. Le recordó al último eclipse, que había visto a través de unas gafas de sol especiales que su madre había comprado: una mancha negra que irradiaba escasos rayos. El suelo de la cripta estaba frío y duro, pero tenía una textura extraña, como de escamas. Para ser más concretos, las escamas de Rahu y Ketu. «¡Qué asco!», pensó Aru. Era como si hubieran dicho: «¿Quién necesita una alfombra cuando tienes pieles muertas?».

—Eso de ahí deben de ser las cámaras —susurró Brynne.

Aru miró hacia donde señalaba su hermana. Al cabo de un rato, vislumbró las puertas a ambos lados de la sala. No eran normales, con pomos, candados o picaportes. Parecían ligeras sombras, distinguibles solo por la tenue silueta que creaba la luz en sus bordes. Como en un eclipse.

La leve iluminación permitía a Aru ver con cierto detalle las columnas de piedra que sujetaban el techo. Igual que los pilares del exterior, la piedra oscura parecía estremecerse, como si respirara.

—Vale —dijo Rudy en voz baja—. En cuanto anuncie mis intenciones, los *yalis* se despertarán… Dan muy mal rollo. —Tembló ligeramente.

—¿Peor que un dragón dividido en dos? —susurró Mini.

—Rahu y Ketu son raros, pero no dan mal rollo —dijo Rudy.

Mini lo observó.

—¿En qué mundo un dragón partido en dos no da mal rollo?

Rudy estaba a punto de contestar cuando Brynne lo interrumpió.

—Dinos qué va a pasar a continuación —dijo.

—Claro, sí, después de saludarnos, los *yalis* nos llevarán hasta la cámara y entonces Shah estará al mando.

—Usaré la llave —comentó Aru mientras se tocaba con suavidad la mochila, aunque en secreto odiaba tener que despertar a esa cosa con vida.

—Espera un segundo —anunció Rudy antes de hacer una pausa. Cerró los ojos con fuerza e hizo una mueca—. Quizás… se me haya olvidado algo.

—¿En serio, Rudy? —gruñó Brynne sin molestarse en susurrar—. ¿Por qué te has apuntado siquiera a la misión?

Pareció dolido, pero lo ocultó con una sonrisa triste.

—Vamos, sois Pandava. Seguro que podéis con cualquier...

—Suéltalo, Rudy —le ordenó Aiden, cruzándose de brazos.

—Vale, es una dificultad ínfima. Se me olvidó comentaros que los *yalis* pueden ver dentro de las cámaras.

—¡Entonces van a saber qué tramamos! —dijo Aru enfadada.

—No si lo camuflamos —sugirió Aiden mientras tocaba su cámara de fotos—. Con la ayuda de Mini, podemos crear una ilusión bastante convincente en el umbral.

—Sí, pero primero Aru tiene que abrir la puerta con la llave —dijo Rudy—. Si ven eso... —Empalideció—. De hecho, si se dan cuenta de que sois semidioses... —Gruñó y se apoyó en una columna.

—¿QUÉ? —preguntaron todos a la vez.

—No lo había pensado —gimió Rudy con la cabeza entre las manos—. Deberíamos darnos la vuelta y...

—Quizás no tengan que saber que estamos aquí —dijo Mini con tranquilidad—. Puedo hacerlo. Puedo...

Rudy resopló.

—No creo que ninguno de tus escudos vaya a servir...

—Y yo creo que no debes interrumpirme —farfulló Mini, levantándose—. No tienes ni idea de lo que soy capaz.

Aiden pareció sorprendido y Rudy se encogió de miedo. Brynne, tras reprimir una sonrisa, miró a Aru, quien, a pesar de que no era el momento, quería gritar: «ES LA

HIJA DE LA MUERTE, CONTEMPLADLA Y DESES-
PERAD». Mini señaló a Aru con la *danda* de la Muerte y
susurró:

—*Adrishya.*

Una fría luz violeta salió de la *danda* y se posó en la
piel, la ropa y la mochila de Aru, quien miró hacia abajo
mientras le desaparecían los pies, las piernas y las manos.
Bailó un poco, aunque fue un baile horrible. Por suerte, nadie lo vio porque era... ¡INVISIBLE!

—Es increíble —dijo antes de girar en el sitio—.
¿Cómo es que nunca te lo has hecho a ti misma?

—Me parece... tramposo —dijo Mini incómoda—.
¿Por qué iba a hacerlo?

—Siempre tendrías ventaja sobre los enemigos —dijo
Brynne.

—Podrías hacer unas instantáneas fantásticas —musitó
Aiden.

—O podrías mover cosas sin que nadie lo supiera
—sugirió Aru—. ¿Sabes ese ficus que mi madre tiene en
el vestíbulo del museo? Podrías decirle a alguien que está
encantado y perseguirlo con él.

Todo el mundo se quedó en silencio.

—¿Acosar con una planta? —preguntó Aiden—.
¿Eso es lo que harías con el poder de la invisibilidad?

—¡Pues claro! —contestó Aru—. Con los grandes
poderes aparecen grandes oportunidades de incordiar.

—Vale, vale. Bien, ese truco es genial, Mini —aceptó Rudy, y ella puso los ojos en blanco—. Ahora házselo
a Brynne y, después, a ti misma. Aiden puede servirme.

—Sí, serviré tu cabeza a los *yalis* —musitó Aiden con los dientes apretados.

En cuanto el encantamiento de invisibilidad cubrió a Brynne, esta dijo:

—Entonces, Aru utiliza la llave, Mini y Aiden crean una ilusión en la entrada de la cámara, cogemos lo que haya dentro y nos marchamos enseguida.

Todos asintieron. Luego, Aru recordó que no la podían ver y contestó:

—Sí.

—La cámara quizás tenga alguna trampa —dijo Rudy—. No lo sabremos… —titubeó con una expresión de dolor en el rostro— hasta que lo veamos.

Antes de que pudieran preguntarle al respecto, Rudy se giró rápidamente y anunció a la oscuridad:

—Yo, príncipe Rudra de Naga-Loka, estoy aquí para hacer una recogida.

Un puñado de luces brillantes parpadearon en la pared y luego desaparecieron. El *vajra* se movió nervioso en la muñeca de Aru, pero permaneció invisible. Aru cruzó los brazos para intentar abrazar al rayo y consolarlo, aunque un escalofrío le recorrió la espalda.

—¿Una recogida? —preguntó una voz en las tinieblas.

En las tres columnas más cercanas, parpadearon más luces antes de empezar a descender como si fueran… Aru se quedó paralizada. No eran luces, eran tres pares de ojos. Las largas formas se retorcieron sinuosas antes de deslizarse por el suelo cubierto de escamas. Los ojos pertenecían a los *yalis*, esculturas vivientes de los templos en forma de tres animales híbridos que reptaban hacia ellos. Bajo la tenue luz, Aru solo intuía sus cuerpos: una figura de cocodrilo con enormes crestas de dragón en la espalda. Parecían fusionarse con la roca, en ocasiones se hundían en el suelo antes de asomar la mitad del cuerpo para mirar a los visitantes.

—Qué raro es ver a un principito sin su familia —dijo una segunda voz, más áspera y aguda que la primera.

—¿Ha decidido tu padre confiar en tu criterio después de todo, pequeña serpiente? —preguntó la tercera voz, cruel y afilada como una espada—. ¿Ya ves mejor? ¿O es tu familia la que está ciega ante tu debilidad?

El primer *yali* movió la cabeza hacia delante y hacia atrás, como si olfateara el aire.

—Huelo objetos sagrados.

El segundo gruñó con avidez.

—Huele a libertad. ¿Es eso lo que vienes a hacer, dulce príncipe? ¿A liberarnos de nuestras cadenas de servidumbre? Sería tan amable por tu parte…

—No… —dijo el tercero—. No solo percibo objetos, sino seres.

Los ojos parpadeantes rodearon a Aru, que recordó haber visto uno de esos documentales de naturaleza en los que un cocodrilo permanecía tumbado en el agua como un tronco, apenas visible… antes de abalanzarse sobre su presa con las fauces abiertas.

—Ya basta —dijo Rudy con arrogancia—. Llevadnos a la cámara A7.

Los *yalis* se quedaron quietos.

—Nadie ha entrado en esa cripta en particular desde hace tiempo… ¿Qué quieres hacer en ella?

—Como si fuera cosa vuestra —dijo Rudy, altivo—. Llevadnos.

Los *yalis* guiaron el camino y, sin mediar palabra, Rudy los siguió con Aiden detrás. Aru se colocó tras ellos y supuso que Brynne y Mini harían lo mismo. «La invisibilidad es genial, pero también un poco rara», pensó, esperando no chocarse ni tropezar con ninguna de sus hermanas.

La cripta era más grande de lo que parecía al principio. Se extendía ante ellos como el pasillo interminable de un hipermercado. En el suelo, las imágenes saltaban y brincaban, como si estuvieran sobre una enorme pantalla… A Aru no le gustó la historia que contaba. En una escena, se mostraba un pilar agrietado y desgastado en un patio, bajo el cielo intermedio entre la noche y el día. ¿Amanecer? ¿Anochecer? El pilar se rompió por la mitad para revelar a una deidad que era león en la parte superior y hombre en la inferior. Aru sabía que era un dios por el halo divino que lo rodeaba, pero desprendía una luz horrible, como una pared de fuego. El dios soltó un rugido silencioso y los ojos rojos se le empequeñecieron mientras arañaba las ruinas.

—¿Admirando nuestra pequeña advertencia, dulce príncipe? —siseó el primer *yali*.

Rudy se tambaleó, pero pronto recuperó el equilibrio.

—¿Quién es?

La imagen del dios mitad león, mitad hombre le resultaba familiar, pero Aru no era capaz de ponerle nombre a la cara.

—Narasimha —susurró el segundo *yali* mientras giraba en una columna cercana.

Aru sintió su aliento en la nuca y luchó contra las ganas de gemir.

—Una de las manifestaciones más despiadadas de lord Vishnu… Los dioses nos permitieron embotellar la rabia divina de Narasimha y ahora duerme bajo la Cripta de los Eclipses, solo se despierta cuando debe devorar a pequeños ladrones…

Rudy tragó saliva de forma audible.

—Qué majo.

—Seguro que conoces el cuento, ¿no, pequeño príncipe? —preguntó el primer *yali*—. Había una vez un rey demonio que se volvió demasiado hambriento de poder. Les pidió a los dioses que ningún hombre ni bestia pudiera matarlo, durante el día o la noche, dentro o fuera, con ningún arma.

Aru miró de nuevo las imágenes y vio cómo iban encajando las piezas. Narasimha no estaba ni dentro ni fuera, sino en un patio que era ambos. Tampoco era de día ni de noche, sino el amanecer o el anochecer. Y no era ni hombre ni bestia… sino ambos. Tras ver esas garras afiladas, supuso cómo había matado al rey demonio.

—No había otra manera con esas condiciones —dijo Rudy con un estremecimiento.

En realidad, Aru se había dado cuenta de una brecha enorme, pero Brynne la ganó a la hora de rematarlo. «Podían haber enviado a una chica», dijo Brynne a través de la conexión mental. «Cumple con todas las condiciones».

«En concreto, a ti. Yo no iría ni de broma», dijo Aru.

Mini se echó a reír y los *yalis* se quedaron paralizados. Tres pares de ojos relucientes se giraron en su dirección. Durante un momento aterrador, Aru pensó que los *yalis* iban a detectarlas con su olfato. Pero, en lugar de eso, se fusionaron con el suelo antes de emerger a medio camino para guiarlos hasta la cámara A7.

Cuando llegaron, Rudy preguntó:

—¿Podemos tener unos instantes de privacidad?

—Siempre somos testigos —dijo el primer *yali*—. Esa es nuestra maldición: vigilar.

—Ver —añadió el segundo.

—Saber —anunció el tercero.

—Hasta que los instrumentos de los dioses nos liberen de nuestras cadenas —dijeron los tres a la vez.

—Siempre os habéis dado la vuelta cuando mis padres han abierto la puerta de la cámara —les recordó Rudy— y exijo el mismo trato. Podréis mirar después de que la abra.

Aru vio que una de las cabezas de los *yalis* se echaba hacia atrás mientras se estremecía, enfadado, antes de hundirse en el suelo como si fuera agua.

—Muy bien, principito.

—Pero recuerda…

—Siempre estamos vigilando.

Dicho eso, los *yalis* desaparecieron y dejaron a los cinco chicos a solas ante un brillante panel de metal. Aru sacó la funda de terciopelo de la mochila, con los nervios de punta. Nadie podía verla excepto ella. De repente recordó el aviso del señor V sobre la llave: «Pedirá algo a cambio de sus servicios». Lo último que Aru quería era tocar la llave. Estaba demasiado viva. Y no le había gustado la sensación de que rebuscara en su alma. Pero tenían que hacerlo. El destino del Más Allá pendía de un hilo. Si el Durmiente ganaba, todo estaría perdido. Aru pestañeó y vio a las gemelas abrazadas en una pesadilla, a Bu mirando su enorme sombra y a Ópalo riéndose de su fracaso.

Cogió la llave, la presionó contra el metal y tomó aire. Fue como si la caja fuerte de su interior, que había intentado mantener cerrada, se hubiera abierto de repente. Se encontraba inundada por un dolor profundo que le calaba los huesos, por una estremecedora sensación de pérdida. Vio cada vez que había escrito una tarjeta por el Día del Padre para acabar tirándola a la basura, cada vez que el rostro de su madre se contraía por la pena, cada pesadilla en la que se había llevado la mano al corazón mientras sabía, sin ningún rastro de duda, que le faltaba algo.

Retiró la llave y el panel tembló ante ellos. Una brecha apareció en el centro y las dos mitades se replegaron hacia la pared. Una luz brillante y dorada comenzó a salir de la abertura. Era demasiado resplandeciente como para ver el interior de la cámara con claridad, pero su magia parecía poderosa, como un huracán encerrado en un armario.

La llave en la mano de Aru se volvió cálida y ronroneó como un gato que ha comido hasta saciarse. Aru la metió a toda velocidad en la funda, que cerró y guardó en la mochila. Luego, suspiró aliviada.

—Shah… ¿estás bien? —preguntó Aiden.

Seguía siendo invisible, pero, de algún modo, Aiden la estaba mirando directamente. Aru cogió aire, intentando enterrar la sensación de vacío que había dejado la llave.

—Claro —consiguió susurrar.

—Rápido, ¡pasad dentro! —siseó Rudy—. Aiden, ¡la entrada!

Cuando Aiden supo, por las palmadas en el hombro, que las tres Pandava habían cruzado el umbral, levantó a Sombragrís y le sacó una foto a Rudy mientras entraba. Un momento después, Aiden tocó la pantalla y la imagen se desprendió de ella. Se metió en la cámara, se giró y lanzó el pequeño rectángulo contra la abertura, donde se expandió hasta convertirse en un cartel semitransparente que llenó el espacio. Mini proyectó un campo de fuerza con la *danda* para solidificar la ilusión. Ahora, si los *yalis* miraban al interior, solo verían a Rudy.

«Bien, vale», les dijo Aru a sus hermanas a través de la conexión mental Pandava. «Vamos a robar un árbol de los deseos».

VEINTITRÉS

El pájaro de la destrucción masiva. Quizás.

Brynne gruñó:

—Esto tiene que ser una broma —dijo con sequedad.

Aru se dio la vuelta esperando ver un árbol mágico o, sinceramente, solo magia. Pero la estancia estaba vacía. ¡No había nada! Ni siquiera una hoja. O una nota que dijera: «Al menos ibais por buen camino».

El hechizo de la invisibilidad había desaparecido; Brynne tenía una expresión enfadada y Aru estaba confusa. En cuanto a Mini, parecía... orgullosa.

—Buen trabajo, Mini —le dijo Brynne, impresionada.

Aru le enseñó los pulgares antes de mirar en torno a la sala.

—¿Estás segura de que no pasa nada si dejamos de ser invisibles?

—Sí, pero quizás no deberíamos hablar muy alto —susurró Mini mientras se llevaba un dedo a los labios.

—Ups. —Brynne levantó el bastón para crear un ciclón de viento que les permitiera hablar sin ser escuchados.

Aru estaba a punto de adentrarse más en la cámara cuando Rudy se echó hacia delante y la cogió del brazo.

—¡El suelo! —dijo.

En el suelo había baldosas amarillas y verdes entremezcladas. Las primeras brillaban con calidez, pero Aru percibió el verde neón como un aviso.

—Es el sistema de alarma de los *yalis* —dijo Rudy—. Mi padre siempre me dice que pise con mucha precaución. Los colores te informan de dónde se está a salvo.

—Supongo que habrá que evitar las verdes —sugirió Aru.

—¿Verdes? —preguntó Rudy con el ceño fruncido—. ¿Qué baldosas son verdes?

—¿Las que nos rodean? —dijo Aiden señalando hacia el suelo.

Una fugaz expresión de pánico recorrió la cara de Rudy antes de que se echara a reír y se pasara una mano por el pelo.

—Ah, claro. Sí, las verdes no.

Aru siguió la mirada de Rudy, que no parecía dirigida al lugar correcto.

—¿Cuál es la utilidad de una alarma si no hay nada que robar? —preguntó Brynne—. ¿Dónde está el árbol?

Un suave graznido se oyó por encima de sus cabezas y los cinco se quedaron en silencio. Aru levantó la vista. Al principio, no vio nada, pero, entonces, hubo un movimiento rápido. Descubrió a una pequeña criatura revoloteando por el techo, un pájaro no más grande que una mano que daba vueltas y vueltas en el mismo rincón.

—¿Por qué escondería la diosa de los bosques un pájaro aquí? —preguntó Aiden.

—Quizás es un pájaro de destrucción masiva —se aventuró a contestar Mini mientras se alejaba de él.

—O es una pista —propuso Aru—. Aranyani podría haber dejado un rastro de pistas sobre el escondite real del árbol… especialmente si pensó que alguien lograría entrar en la cámara.

—Solo hay una manera de descubrirlo —dijo Brynne girándose hacia Aru.

Después de que Brynne se asegurara de que, gracias al ciclón, nadie pudiera oírlos y de que Mini reforzara la ilusión de la puerta con la *danda*, le tocaba a Aru atrapar al pájaro.

—Yo me encargo —dijo esta.

Se tocó la muñeca y el *vajra* saltó hacia delante y se convirtió en un aerodeslizador. Aru se subió a él y ascendió. En el suelo veía las brillantes baldosas verdes, que aún servían de aviso. Si caía, los *yalis* entrarían en la cámara. No quería ni imaginar esos tres pares de fauces negras abriéndose…

Apremió al *vajra* para que subiera más, hacia el pájaro que volaba en círculos constantes. Cuanto más se acercaba, más fácil era oír el extraño y áspero piar del animal, que sonaba como si le hubieran arrancado la siringe. El ruido le recordaba a una máquina estropeada. Cuando vio la fina cuerda translúcida atada a la espalda del pájaro y unida a un motor circular en el techo, se dio cuenta de que sí que era una máquina.

El pájaro estaba hecho con madera clara y debía de tener una especie de mecanismo interior que le permitía piar y mover las alas. Con el pico sujetaba un pequeño zafiro, cuyo color Aru solo había visto en otro objeto: el colgante de su madre.

Sin pensar, se llevó la mano al collar mientras las palabras de la doctora K. P. Shah flotaban por su mente. «Hace años, un *yaksha* me lo dio. Me prometió que serviría para cuidarme y para hallar las cosas perdidas. Espero que te proteja del peligro que Suyodhana encontró en ese viaje».

—Mamá —musitó.

Era demasiada coincidencia como para que no significara algo. Mientras recorría las tres hendiduras del colgante con el dedo, Aru se dio cuenta de que la piedra del interior del pico del pájaro encajaría a la perfección en uno de esos agujeros. Recordó lo que el señor V había dicho acerca de que el Durmiente había perdido fragmentos de sí mismo por el camino. Sintió una presión en la garganta con una nostalgia repentina… antes de que se transformara en duda. ¿Y si lo que ese pájaro llevaba en el pico era uno de esos fragmentos?

—Date prisa, Aru —gritó Brynne desde abajo.

Se le aceleró el pulso. Estiró el brazo todo lo posible y alcanzó al pájaro con las yemas de los dedos. Tras varios intentos, consiguió cerrar la mano a su alrededor y tirar de la cuerda. El cuerpo de madera era cálido y las plumas talladas con detalle se agitaban como si estuviera vivo.

—Lo tengo… —empezó a decir antes de tambalearse.

En cuanto apretó el puño, unas imágenes acudieron a su mente. Vio a un joven suplicando: «¡Por favor! No lo entiendes… Voy a tener una hija. No puedo permitir que herede el mundo que estoy destinado a destruir. Dime lo que debo hacer. Por favor, dímelo…».

Se acababa ahí, pero Aru sabía que la visión significaba algo más, que seguramente la había desbloqueado la llave viviente. Era un vistazo de verdad, una verdad que había querido conocer con toda su alma. Su padre había pedido un deseo… por ella. Y, en el proceso, había perdido fragmentos de sí mismo. Luego, había regresado a casa… para acabar encerrado en una lámpara.

Aru aún no podía creer que su madre hubiera hecho una cosa así. Ninguno de sus padres era como creía.

Debido a la sorpresa, perdió el equilibrio y estuvo a punto de caerse del aerodeslizador. Con torpeza, trató de ponerse en pie, intentando con frenesí incorporarse, cuando se le cayó el pájaro mecánico.

—¡ARU!

—No dejéis que el pájaro toque el suelo —gritó.

El tiempo pareció ralentizarse y acelerarse a la vez. Brynne se inclinó hacia delante con cuidado de no pisar las baldosas verdes que atraerían a los *yalis*. Movió el bastón de viento hacia arriba para dirigir una corriente de aire contra el pájaro de madera y enviarlo hacia donde se encontraban los demás. Aiden y Mini estaban centrados en proteger el umbral, pero, sin el aire silenciador de Brynne, los *yalis* podrían oírlo todo.

—¡Rudy! —le ordenó Brynne—. ¡Cógelo!

El chico *naga* dudó al mirar al suelo y al pájaro de madera que venía hacia él. Justo cuando iba a agarrarlo, su pie cruzó la línea de luz y acabó sobre una baldosa verde.

Un ruido estrepitoso reverberó por la sala y pitó en los oídos de Aru. Sin pensar, convirtió el *vajra* en un rayo antes de dejarse caer.

Aterrizó junto a Brynne y Aiden justo cuando el suelo cedía bajo los cinco y los empujaba hacia la oscuridad.

VEINTICUATRO

Pobres almas en desgracia

Lo que mucha gente no sabe sobre caer en picado de cabeza hacia una muerte segura es que es muy difícil gritar a la vez. El aire te baja por la garganta y todo lo demás es literalmente lo peor, por lo que, cuando intentas chillar, pareces un gato con laringitis. Aru tuvo ese pensamiento extraño al caer, ahogando un alarido mientras trataba de ver por el rabillo del ojo. Solo alcanzaba a atisbar las cuatro sombras confusas de sus compañeros cayendo junto a ella. Cada vez que estiraba el brazo hacia el rayo, el viento los distanciaba.

—¡Enciéndete! —le ordenó.

El *vajra* respondió con un parpadeo luminoso. Por primera vez, Aru vio el suelo… cada vez más cerca.

—¡No, no, no, no, no, no, no, no! —gritó moviendo los brazos como un molino de viento.

Estaba a punto de asumir que se convertiría en paté de Aru cuando otra bocanada de aire la introdujo en un embudo de viento. Se quedó paralizada y pestañeó con lentitud. El suelo pavimentado estaba a diez centímetros de su nariz y el pelo le arrastraba por lo que parecía ser un patio enorme.

—Ya te tengo, Shah —gritó Brynne mientras bajaba en paracaídas gracias a la suave chaqueta que Nikita había encantado—. ¿Preparados, chicos?

Aru giró el cuello y vio que el viento de Brynne no solo había sido capaz de alcanzarla a ella, sino también a Aiden, Rudy y Mini, justo antes de que se abrieran la cabeza.

Intentó hacerse un ovillo.

—Dame un segundo y…

¡Pum! Cayó al suelo.

—¡AH! —chilló mientras se daba la vuelta y se llevaba las manos a la cara—. ¡Mi nariz!

Mini corrió hacia ella para examinarla. Aru gimió y el *vajra* se colocó en torno a su muñeca a modo de protección. Mini le tocó la nariz.

—¿Te duele?

—PERO ¿QUÉ NARICES…?

—Lo tomaré como un sí —dijo Mini con una voz calmada que indicaba: «Confía en mí, soy una doctora profesional»—. Hay buenas y malas noticias.

—Buenas noticias —gimió Aru.

—¡No está rota!

—Genial.

—Pero está amoratada… e hinchada…

—Vamos, básicamente, tengo la cara a punto de convertirse en un melón.

—Bueno…

Aru deseó que Mini supiera mentir. Brynne se acercó a ellas, puso a Aru de pie y le examinó la nariz.

—Me parece que está igual que siempre.

—Espectacular.

—Le pondremos hielo en cuanto salgamos de aquí —dijo Mini—. Eso te bajará la hinchazón.

—¡Ni siquiera sabemos cómo salir de aquí! —respondió Brynne—. Estamos atrapados en esto…, sea lo que sea esto. Muchas gracias, Rudy.

—No quería activar la alarma —protestó—. Yo…

Aiden movió el dedo pulgar e índice por los labios como si fueran una cremallera.

Aru levantó el *vajra*, pero el aire era tan espeso que ni siquiera el arma celestial proporcionaba luz suficiente para iluminar todo lo que había alrededor. Aiden sacó las cimitarras, Aru las electrificó y juntos alzaron las armas como antorchas. Luego, vieron la pared de roca lisa extenderse unos noventa metros por encima de ellos hacia un pedazo de cielo crepuscular plateado y púrpura que apenas era visible. El suelo bajo sus pies era de mármol gris. Habría sido bonito si no fuera por un detalle: los huesos.

Había cráneos rotos y esqueletos esparcidos por el patio en montones al azar. Entre ellos brillaban tesoros como monedas o gemas radiantes. Un puñado de espadas carbonizadas permanecían en el suelo, muchas de ellas exhibiendo una última huella polvorienta.

Aru se estremeció. ¿Qué les habría pasado? Dio una vuelta por el lugar, pero solo vio un enorme pilar en el centro del patio con una única fractura. ¿Por qué sentía como si ya hubiera visto aquello?

Brynne se giró para mirar a Rudy.

—Tenías una misión —lo regañó—. No pisar las dichosas baldosas verdes. Era tan fácil que cualquiera lo hubiera hecho bien.

Rudy se quedó quieto, con los ojos dilatados por el miedo y las manos en torno al pájaro mecánico, que, tras un tercer vistazo, parecía una pequeña águila.

Una oleada de rabia embargó a Aru. Todos esos problemas, todo ese esfuerzo antes de entrar en la cámara... ¿para qué? ¿Conseguir un juguete de madera con voz quebrada?

—Brynne —dijo Mini con firmeza—. Para.

Brynne se quedó callada con el enfado patente en el rostro. Aru se agitó. También ella había fallado, se dijo con una punzada de culpa. Se había sentido confusa por la visión del hombre que había sido su padre. No esperaba verlo. O peor, no se había dado cuenta de lo mucho que deseaba verlo.

—Rudy... ¿estás bien? —preguntó Aiden.

Al chico *naga* le temblaban las manos. Una mirada de comprensión cruzó la cara de Aiden. Dejó a un lado las cimitarras y dio un paso hacia su primo antes de colocarle una mano en el brazo.

—¿Qué ha pasado ahí dentro?

Durante unos largos instantes, Rudy fijó la vista en el suelo. Luego, levantó la barbilla.

—Me cuesta diferenciar ciertos colores —respondió con suavidad—. El amarillo y el verde me parecen rojos y no sé distinguir el azul del morado. —Respiró hondo e hizo una mueca de disgusto—. Ojalá no fuera así.

Los demás se quedaron callados durante un momento hasta que Mini abrió la boca:

—Es más común de lo que piensas —dijo con delicadeza—. De hecho, la deuteranopia, la forma más común de daltonismo, afecta al cinco por ciento de la población masculina humana.

Rudy se echó a reír, aunque fue un sonido hueco.

—La población humana, claro. Pero ¿y la *naga*? ¿Sabes lo que es ser un príncipe *naga* daltónico?

Aru pensó en todas las joyas y riquezas de los palacios *naga*… cosas que Rudy no podría distinguir.

—El color y la magia son lo mismo para mi familia —dijo Rudy escupiendo las palabras a toda velocidad—. Si tuviera que hacer una corona que repeliera las maldiciones, tendría que cortar las esmeraldas y los rubíes de cierta forma, colocarlos siguiendo un patrón… No puedo hacerlo. En lugar de eso, presto atención a los sonidos que encierra la piedra y hago magia de esa manera. Pero, si tuviera que guiarme por el color, habría unido topacios y turmalinas, y es muy probable que alguien se hubiera convertido en una medusa. O yo mismo. Al menos, eso es lo que piensan mis padres y por eso no me dejan hacer nada. No entienden el tipo de encantamientos en los que trabajo y siempre están preocupados por si la fastidio. Sé que es por mi propio bien y eso, pero puedo hacer magia. Es solo… diferente. Bueno, lo… lo siento. Lo siento de verdad.

Aru recordó cuando Rudy los había rescatado de la cámara *naga* con toda esa música. Su abuelo Takshaka lo había tachado de «deshonra». El insulto no era porque su nieto se hubiera interpuesto en su camino, como había pensado en aquel momento, sino por cómo era Rudy. Y Aru por fin entendió por qué el príncipe *naga* había querido unirse a ellos.

—Sé cómo te sientes —dijo Mini.

Rudy la miró y le dedicó una sonrisa triste.

—No tienes por qué decir eso, Mini. Sois Pandava y... —Hizo un gesto hacia Aiden—. Y tú, un añadido Pandava. Es distinto. Todos están orgullosos de vosotros.

—Ya, bueno, en realidad no. La gente no para de decirnos lo mucho que la hemos fastidiado.

—O que estamos destinados a fastidiarla antes incluso de empezar —añadió Aru.

—O que no podemos cambiar nada —dijo Aiden pasando el pulgar por la parte superior de su cámara.

El enfado desapareció de la cara de Brynne, momento en que asomó la frustración.

—Cierto.

Aru llevó la mano al colgante de su madre. No podía permitir que Rudy asumiera toda la responsabilidad.

—Escuchad —dijo—. No es culpa de Rudy. Vi algo y...

¡Criiic!

Los cinco se quedaron quietos.

—¿Qué ha sido eso? —preguntó Mini con voz aguda.

Las paredes de piedra ondearon como si estuvieran hechas de tela y alguien hubiera pasado los dedos por el otro lado.

—Pequeñas…

—Estúpidas…

—Ladronas Pandava…

A Aru se le puso de punta el vello de la nuca. Los *yalis* emergían y desaparecían mientras corrían por la superficie de la piedra. Por el rabillo del ojo, vio la cresta del lomo y el poderoso látigo de la cola de un cocodrilo.

—Ahora estáis en una de nuestras historias favoritas…

Aru quería de verdad que aquella fuera del tipo «felices para siempre», pero, a juzgar por el montón de esqueletos, no tenía muchas esperanzas.

—Disfrutamos de cada pequeño entretenimiento que se nos presenta…

Aru tragó saliva y echó mano del *vajra*.

—¿Entretenimiento? —repitió mientras se giraba con lentitud sobre sus talones—. ¿Habéis probado con los vídeos de internet? Hay muchas opciones ahora.

—Preferimos algo… más caótico.

—Siempre podéis probar con la televisión por cable.

—¡En formación! —gritó Brynne.

En esas, los *yalis* desaparecieron. El suelo bajo los pies de Aru se movió.

—¿De dónde viene el ataque? —preguntó Mini—. ¡No veo nada!

—Historias… —dijo Aiden—. ¿Por qué han mencionado las historias? ¿Es una pista o…? ¡Esperad!

Aru estiró el cuello y entrecerró los ojos. ¿De dónde había salido esa rejilla? Quiso llamar a su padre espiritual, Indra, para que la ayudara, pero el cielo más allá de las barras parecía paralizado, detenido en aquel crepúsculo morado. Miró detrás de ella. Conocía ese patio. Conocía ese cielo. Y, por desgracia, sabía lo que vendría después.

—Los reflejos del suelo de la cripta —susurró Aru mirando a los demás.

La historia de Narasimha y la ira embotellada que los *yalis* utilizaban contra los ladrones.

—¿Alguna vez os habéis preguntado cómo es la ira de un dios? —susurró un *yali*.

De refilón, Aru vio un par de ojos brillantes que se fundían con el mármol gris.

—Os la podemos enseñar —dijo otro *yali*.

Un rabo negro y escamoso salió de la pared y golpeó el pilar que antaño había retenido al temible dios con cabeza de león. La columna empezó a resquebrajarse.

VEINTICINCO

No está bien

En unos instantes, todos habían formado un estrecho semicírculo en torno al pilar (Rudy estaba prácticamente escondido detrás de él). Si lograran derrotar a los *yalis*, quizás no despertaran la ira de Narasimha. Y entonces podrían encontrar una manera de salir de allí.

—A la de tres —dijo Brynne—. Una... dos...

—¡Tres! —gritó Aru mientras un *yali* saltaba hacia ellos con las mandíbulas batientes y moviendo la espalda.

—¡Escudo protector! —dijo Mini. La *danda* se le estiró entre los dedos y lanzó un rayo de luz violeta hacia delante que obligó a la criatura a retroceder.

Aru ni siquiera esperó a que Aiden dijera su habitual «¡Enciéndelo, Shah!». Movió el *vajra* hacia la derecha y la electricidad crepitó alrededor de las cimitarras de Aiden con tanta velocidad que a punto estuvo de saltar hacia atrás. Aru oía susurrar y sisear a los tres *yalis*, que no estaban a la vista:

—No puede ser... ¡Libertad! Oh, dulce libertad... Está tan cerca que ya la saboreo...

—Eso es, eso es —dijo hambriento el segundo *yali*—. Instrumentos de lo divino.

—Sabía que olía a deidad.

El segundo *yali* arremetió contra ellos para intentar alcanzar el pilar. Con destreza, Mini levantó el escudo de fuerza, lo que le dio a Brynne el espacio suficiente para lanzarlo hacia atrás con su bastón. El viento rugió por el aire y la criatura chocó contra un montón de piedras con un golpe fuerte. Brynne gritó triunfal, pero, al cabo de un segundo, el primer *yali* saltó del suelo a unos metros de distancia. El segundo *yali* se levantó y se sacudió los escombros de las escamas antes de zigzaguear hacia ellos.

—Hora de camuflarse —anunció Mini.

Movió la *danda* en torno a sí para hacerse invisible. Unos instantes después, apareció de repente entre Brynne y Aru, de pie frente a Aiden, que tenía las cimitarras crepitantes levantadas a la altura de los ojos.

—¡Por aquííí! —se mofó Aiden del *yali*.

La segunda bestia avanzó hacia el pilar. Mini se mantuvo firme. El monstruo saltó con las enormes garras dirigidas hacia ella… que desapareció de inmediato.

En la otra parte del pilar, la Mini real había desactivado su ilusión proyectada. El *yali* cayó sobre su propio estómago. Aiden corrió hacia delante, blandiendo las cimitarras, antes de introducirlas en el grueso cráneo de la criatura. El acero no le hizo ni un rasguño. El *yali* siseó mientras se escabullía a unos metros de distancia.

Rudy corrió hacia la parte frontal del pilar con una gema en la mano que soltaba un chirrido horrible. El primer *yali* se encogió, pero permaneció firme. El tercero emergió del suelo de mármol.

—No podéis hacernos daño, pequeños semidioses —se burló—. Nuestra piel es impenetrable. Ahora despertaremos la ira del dios y estaréis acabados.

—Pero nuestra libertad… —dijo el primer *yali* antes de que el tercero le mandara callar.

Los cinco chicos se acercaron al pilar. Para entonces, otra grieta aún más grande había aparecido en él. Aru colocó el *vajra* frente a ella y el rayo se transformó de arpón a lazo brillante. Lo movió en torno a su cabeza, imaginándose por unos segundos que era Wonder Woman sin ese atuendo tan genial ni el pelazo ni… bueno, daba lo mismo. Lo lanzó contra el tercer *yali*, pero la criatura era demasiado rápida y se escondió en una pared lejos de su alcance.

Brynne dirigió toda su potente ráfaga contra el segundo *yali*, pero en cuanto lo empujó hacia atrás, el primero regresó.

—Vamos, seguro que ya os habéis aburrido de este jueguecito… —dijo el primer *yali*.

—Dejadnos hacer nuestro trabajo… —les pidió el segundo.

Aru se dio cuenta demasiado tarde de que no veían al tercero, ya que había desaparecido en la pared. A la derecha, el *yali* desaparecido salió zumbando del suelo, se arqueó contra el pilar e hizo chocar la enorme cola contra la piedra. Una fisura gigantesca recorrió la columna. Aru oyó los rasguños y arañazos de las garras contra la roca y un nuevo olor invadió el aire. Era el olor ferroso de la sangre.

—Está hambriento… —dijo el primer *yali*.

—Debe saciar su sed de sangre…

—Y los ladrones son un bocado muy dulce…

Los *yalis* se escabulleron en el mármol, esperando la llegada de Narasimha, supuso Aru.

Estaban atrapados.

Si se alejaban del pilar, los *yalis* acabarían con ellos uno a uno. Si se quedaban cerca de la columna, Narasimha los destrozaría con cinco mordiscos rápidos en cuanto apareciera. Cogió el *vajra* entre las manos mientras intentaba pensar en una solución.

—Vamos a morir, ¿verdad? —preguntó Rudy dejándose caer contra Aiden—. No puedo morir así. Hay cosas que no he visto, música que no he escuchado. Todavía no sé para qué sirve un microondas.

Aiden le dio un capón.

—Rudy, cá-lla-te.

El príncipe *naga* gimió.

—¿Y bien, Shah? —preguntó Aiden.

—La piel de los *yalis* es impenetrable —musitó Aru—. Si no podemos herirlos desde fuera… tendremos que hacerlo desde dentro.

—¿Cómo? ¿Les abrimos la mandíbula y les metemos una granada? —sugirió Brynne, malhumorada.

Mini miró a Aru y luego se fijó en su jersey y su falda, secretamente blindados.

—Creo que sé lo que me vas a pedir —anunció Mini con un suspiro—. Y no me hace gracia tener que aceptar, pero lo haré.

Aru llamó a los *yalis*:

—Vale, ¡matadnos! Esto es muy aburrido y, de todas formas, no me vendría mal una reencarnación.

Un abismo se abrió en el suelo a menos de tres metros de ella. El primer *yali* emergió de él y centró los ojos luminosos en Aru.

—¿Sí?

Aru asintió. Detrás del *yali*, el suelo tembló cuando los otros se elevaron mirándola fijamente.

—Entonces, permíteme que acceda a tu petición —dijo el primer *yali*.

Aru apretó con fuerza el *vajra*. Detrás de ella, Brynne estaba preparada. Aiden cortó el aire con las cimitarras, lo que sobresaltó al segundo *yali*, que se había acercado demasiado. Rudy levantó varias piedras y se las lanzó al tercero, que no paraba de reír. El primer *yali* avanzó hacia Aru moviendo las enormes mandíbulas.

—¡Ahora! —ordenó Aru.

Brynne dirigió un viento fuerte hacia algo que había frente a Aru. El hechizo de invisibilidad de Mini se desvaneció mientras se elevaba y se lanzaba contra las fauces del *yali*.

—¡ODIO ESTO! —gritó Mini. Transformó la *danda* en un palo.

El *yali*, confundido, cayó al suelo. Intentó cerrar la boca y quitarse a Mini de los dientes, pero esta no se movía. Gruñó y apretó con más fuerza, pero las ropas blindadas de

Mini la protegían. Levantó la *danda* de la Muerte y colocó el palo entre las fauces del *yali* para abrírselas aún más. Luego, salió de la boca.

—¡Hazlo, Aru! —gritó.

—Lo siento, *vajra* —dijo Aru, introduciendo el rayo en lo más profundo de la garganta del *yali*.

El monstruo se sacudió enfadado mientras se le iluminaba el interior. Los otros dos retrocedieron, alarmados. El segundo dijo:

—¿Cómo os atrevéis a intentar matarnos?

—Te lo puedo enseñar si quieres —respondió Aru con frialdad—. Lo único que tengo que hacer es explotar el rayo. —Los tres *yalis* gruñeron—. Pero no convertiré a vuestro amigo en sushi de monstruo… si acatáis mis reglas.

Detrás de ella, cada vez se desprendían más y más pedazos de rocas del pilar roto mientras unas garras afiladas lo destruían desde el interior. En unos minutos, Narasimha estaría libre. Y ellos, muertos.

—¡Sacadnos de aquí! —les ordenó a los *yalis*.

—Solo somos humildes prisioneros —dijo el tercer *yali*—. Condenados a permanecer entre estas paredes…

—¿No he oído a alguno de vosotros hablar de la libertad? —preguntó Aru.

El primer *yali* gruñó un par de veces, como diciendo: «¡A mí, a mí!».

—¡Sí! —se apresuró a contestar el segundo—. Eso es lo que se predijo, que unos seres divinos nos liberarían…

—Solo es un rumor —dijo el tercer *yali*—. No se puede acabar con la maldición.

Aru se preguntó si aquellos monstruos estaban intentando engañarla de alguna manera. Pero se quedaban sin tiempo, el pilar se rompía. Mini creó un campo de fuerza en torno a ellos y las rocas rebotaron contra el escudo violeta.

—Quizás no deberíamos inmiscuirnos en una maldición —dijo.

—¡No pienso morir aquí! —se quejó Brynne.

Rudy levantó la mano.

—¡Ya somos dos!

—Te toca, Shah —dijo Aiden.

Aru se giró hacia él. La suciedad le manchaba la cara y tenía la ropa rasgada. El agotamiento la consumía. No podrían ganar esta batalla ni salvar el Más Allá si acababan muertos. Aru miró de nuevo a los *yalis*.

—Os liberaremos de este lugar. A cambio, nos sacaréis de aquí sanos y salvos… u os reviento.

El primer *yali* gruñó tres veces, lo que Aru entendió como «Tenemos un trato, semidiosa enclenque» más que «Acércate para que pueda comerte». El segundo *yali* dio un paso al frente y dijo:

—Prometemos sacaros a tus amigos y a ti de este patio.

—Y siempre mantenemos las promesas —los informó el tercero con una inclinación de cabeza.

Aru levantó la mano y el *vajra* salió zumbando de la boca del primer *yali*, llevándose consigo la *danda*. Mini la cogió en el aire y, de inmediato, la roció con gel desinfectante. Tras limpiar del arma la saliva del monstruo, Aru anunció con el tono más autoritario que consiguió reunir:

—Yo os libero.

Por primera vez, un collar fantasmal apareció en torno al cuello de los *yalis*, conectados a unas cadenas que serpenteaban por su espalda y se ataban al torso. Aru usó el *vajra* para arremeter contra el collar y quitarle la cadena al monstruo que a punto había estado de freír. Los otros dos *yalis* esperaron expectantes ante Mini y Brynne. La mirada fulminante no había abandonado la cara de Brynne cuando dirigió el bastón hacia el collar del segundo *yali*. Con una ráfaga, las cadenas se hicieron añicos. El otro *yali* siseó en dirección a Mini. Con los labios apretados, esta movió la *danda* de la Muerte hacia la cadena en torno a la caja torácica de la bestia.

Una vez liberados, los tres *yalis* se elevaron ante ellos, tan altos como un oso erguido sobre las patas traseras. Los miraron con ojos brillantes y agradecidos y jadearon antes de mostrarles los dientes amarillos y picados. Detrás de las Pandava, el pilar se rompió del todo. Un rugido atronador sacudió el patio.

—Subíos a nuestras espaldas o moriréis —dijo el primer *yali*.

—Hombre, si lo dices así… —contestó Aru mientras corría a sujetarse a la cresta del lomo de la criatura como si fuera un asidero y pasaba una pierna por encima del enorme cuerpo.

Brynne y Rudy se subieron al segundo *yali*, al mismo tiempo que Mini y Aiden se montaban en el tercero. Unos pies gigantescos corrieron hacia ellos, haciendo temblar el suelo de mármol. Los *yalis* retrocedieron y Aru se aferró con fuerza a medida que la bestia brincaba y se retorcía por el aire hacia la rejilla que cubría el patio crepuscular. Se apretó contra las escamas cuando zigzaguearon entre los barrotes de hierro. Detrás de ellos, Narasimha gruñó y dirigió las enormes garras ensangrentadas hacia ellos…

Aru cerró los ojos cuando pasaron entre las nubes mientras subían cada vez más. La piel del *yali* daba demasiado calor; tenía la sensación de ir sentada en el capó de un coche en verano. De vez en cuando, el *yali* giraba la cabeza, con la mandíbula abierta y la lengua colgando, como si reflexionara sobre lo que había hecho para conseguir la libertad.

«¿A dónde les decimos que nos lleven?», preguntó Mini.

«¿A mi casa?», sugirió Brynne.

Aru asintió antes de decir con voz imperiosa:

—*Yali*, deseamos regresar a Nueva York. La dirección es… —A la vez, los tres *yalis* se lanzaron en picado hacia el suelo—. ¡Eh! ¡Un segundo! —dijo Aru—. ¿Qué estáis haciendo?

—Mantener…

—Nuestra…

—Promesa…

Los *yalis* volaban tan deprisa que Aru no tuvo tiempo de coger aire para hablar. Atravesaron las nubes de nuevo y el viento se volvió más frío, húmedo y cargado. Aru vislumbró una cordillera, una preciosa zona frondosa y ondulante decorada con una niebla plateada. Pero se acercaba a demasiada velocidad.

—¡AAAHHH! —gritó. Bueno, por el viento, se parecía más a: «Aaahhh (escupe un bicho… coge aire… se asfixia) aaahhh».

Estiró el brazo hacia el *vajra*, ya que quizás consiguiera convertirlo en un aerodeslizador y saltar a tiempo.

Pero ¿y los demás? Aru intentó lanzarles una mirada, pero las nubes le oscurecían la visión. Solo oía a Rudy vociferar:

—¡PERO SI SOY UN PRÍNCIPEEE!

A Aru le dio un vuelco el estómago mientras descendían juntos, a toda velocidad, hasta que finalmente se detuvieron de forma brusca en un espacio lleno de hierba en lo alto de una colina. Bajó con dificultad del *yali* y seguramente hubiera seguido bajando por la colina si no la hubiera detenido un enorme tronco. Los demás llegaron al suelo poco después. Brynne y Aiden se apearon de inmediato con las armas resplandecientes. A Mini le costó un poco más levantarse, con la cara de color verdoso. Rudy permaneció tumbado en el suelo sujetando aún el pájaro de madera que habían encontrado en la cámara. Los *yalis* se giraron y doblaron las patas cortas, preparados para saltar en el aire.

—Esperad un segundo —dijo Aru mientras el rayo aparecía a su lado—. No nos vais a dejar aquí, ¿verdad? ¡Dijisteis que nos llevaríais a un lugar seguro!

El tercer *yali* la miró.

—Os prometimos que os sacaríamos del patio —respondió la criatura con los labios fruncidos—. Y eso hemos hecho.

—¿Por qué íbamos a querer que supierais nuestro paradero? —preguntó el segundo *yali*—. Esto es mucho más seguro.

Y, después, a la vez, alzaron el vuelo y desaparecieron entre las nubes.

—Pues vaya —refunfuñó Aru. Abrió la boca, la cerró de nuevo y cruzó los brazos—. ¡Qué maleducados!

VEINTISÉIS

¿El ornitorrinco es un pájaro?

Aru miró a su alrededor, a las montañas suaves y ondulantes envueltas en color gris.

—Vale, ¿dónde narices estamos? —preguntó.

Brynne levantó el dedo en el aire.

—A 35,6532 grados norte y 83,5070 grados oeste.

Rudy la miró.

—¿Cómo?

—Estamos en Tennessee —le aclaró—. En concreto, en el Parque Nacional de las Grandes Montañas Humeantes.

Aiden se sentó sobre la rama caída de un árbol.

—Al menos la luz es perfecta. —Cogió la cámara y sacó algunas fotos.

—¿No hay osos en Tennessee? —preguntó Mini, acercándose la *danda*.

—Claro que no —dijo Aru, aunque pensó para sí misma: «Sí que los hay».

Aiden le sostuvo la mirada antes de levantar una ceja y Aru le hizo un gesto para que se callase.

—Vale, genial —respondió Mini—. Se me está acabando el inhalador y el aire de la montaña es muy fluido, podría sufrir una hipoxia grave y…

—¿Morir? —preguntaron Brynne, Aiden y Aru a la vez.

Mini se picó.

—¡No es ninguna broma! Podría perder la conciencia y eso es muy grave.

—Lo peor es que estamos perdiendo el tiempo —dijo Brynne—. Nos quedan tres días para encontrar el Kalpavriksha, lo de la cámara ha sido un fracaso y estamos atrapados en unas montañas sin material para montar un campamento…

Aiden alcanzó la mochila y sacó una moneda. Al lanzarla sobre el suelo, tres tiendas aparecieron al instante. Brynne frunció el ceño.

—Vale, pues sin comida…

Aiden extrajo cinco barritas de proteínas y las tiró frente a las tiendas. Rudy se lo quedó mirando.

—Tío, pero ¿qué llevas en la mochila?

—Provisiones —contestó Aiden—. Y un paquete de hielo para tu nariz, Aru.

Esta, agradecida, se colocó la bolsa fría contra la nariz y se estremeció.

—¿No tendrás por ahí una hoguera, por casualidad?

—Déjamelo a mí —respondió Brynne. Le susurró algo al bastón y unas llamas cálidas parpadearon en la punta—. Cortesía de tito Agni.

El año pasado, Agni, el dios del fuego, les había dado un regalo a cada uno por curarle un horrible dolor de estómago, menos a Aru. Ella recibió un «PIU(F)» y la promesa de que tendría armas preparadas para ella siempre que las necesitara.

—La misión de la cripta no ha servido de nada —dijo Brynne—. Lo único que hemos conseguido es esa especie de pájaro. ¿A dónde habrá ido el árbol de los deseos?

Rudy sacó el águila de madera y una melodía suave y quebrada llenó el aire. Aru vio la joya brillante que tenía en el pico. Cuanto más la observaba, más recordaba el dolor que se había instalado en su corazón al colocar la llave en la puerta de la cripta. La voz de su padre le acarició los oídos: «No lo entiendes… Voy a tener una hija…».

Aru se giró hacia Rudy y le tendió la mano.

—¿Puedo verlo?

El pájaro era del tamaño de una pelota de tenis y forcejeaba entre los dedos de Aru como si estuviera vivo. Fuera quien fuese quien lo había elaborado, hizo un buen trabajo. Las alas de madera clara parecían hechas de plumas de verdad y los ojos lacados brillaban. El pequeño pecho se elevó y bajó al piar la misma melodía áspera.

—Parece que esté roto —dijo Rudy.

Aru estaba de acuerdo en que esa melodía tenía algo extraño.

—¿Y si nos está intentando decir algo? Como un mensaje o un enigma. Tiene que haber alguna razón por la que el árbol falso de Nandana nos envió a la cripta.

Además, se preguntaba si la joya del pico sería un fragmento de su padre. ¿Cómo si no habría visto uno de sus recuerdos? Apretó el pájaro con fuerza, pero la visión no volvió. No sabía si se sentía aliviada o decepcionada.

—Por desgracia, nadie habla pájaro —bromeó Brynne.

—Odio los pájaros —dijo Rudy—. Huelen raro y tienen los ojos muy redondos. Y odian a las serpientes. De hecho…

Pero Mini lo interrumpió.

—Oye, Brynne, ¿crees que podrías entenderlo si te convirtieras en un pájaro?

—Nunca he entendido el lenguaje de los animales cuando me he transformado.

—Pero ¿lo has intentado? —insistió Aru.

—Bueno, no, no exactamente…

—Shah tiene razón —dijo Aiden—. Inténtalo, Brynne.

—Oohh, ¿puedes convertirte en algo extinto? —preguntó Aru—. Como en un dodo.

—O en un emú —pidió Mini.

—Los emús no están extintos.

—¿Un ornitorrinco? —sugirió Aru.

—¿Acaso el ornitorrinco es un pájaro?

—En realidad, es un mamífero semiacuático que pone huevos, similar a los equidnas —contestó Aiden, toqueteando la cámara—. Tienen espuelas venenosas en los tobillos.

Rudy arrugó la nariz.

—¿Qué clase de animales terribles existen en el mundo humano?

Las chicas lo ignoraron y miraron a Aiden.

—¿Qué? —preguntó este—. Me gustan los documentales de naturaleza. La cinematografía no tiene parangón.

—Esnob —dijo Aru.

—Trol —respondió Aiden sin molestarse en mirarla. Sin embargo, Aru percibió que una de las comisuras de la boca de Aiden se elevaba. Casi como una sonrisa.

Brynne suspiró. Tras chasquear los dedos, se transformó en un cisne con el ceño fruncido y las plumas de color azul cobalto. Rudy le tendió el pájaro y el cisne Brynne estiró el cuello hacia él. Al cabo de un segundo, cambió de forma.

—Sigo sin poder hablar pájaro —anunció.

Entonces, a Aru se le ocurrió una idea.

—¡Pero Bu sí! Una vez lo vi discutir con un halcón en Atlanta. Creo que fue durante la Super Bowl…

—Si está con las gemelas, quizás podamos enviarle un mensaje. Lo mandaríamos a través de un sueño —sugirió Mini.

Aru asintió antes de pasar el pulgar por el ala del pájaro. «¿Qué intentas decirnos?», se preguntó. Echó hacia un lado una de las plumas de madera y, debajo de ella, apareció un símbolo curvo y oscuro que le llamó la atención.

—Hay una marca extraña en el pájaro —observó—. Parece una letra G.

—¿G? —preguntó Rudy antes de incorporarse con el pánico en los ojos—. ¿Está por aquí?

—¿Quién?

—Eh, ¿el rey de las aves? ¿Enemigo acérrimo de las serpientes? —dijo girando la cabeza—. ¿Garuda?

—¿Crees que sabe dónde está el árbol de los deseos? —preguntó Aru.

—Quizás, pero no pienso quedarme a descubrirlo. Ese tío odia a toda mi familia.

—Y seguro que no hicisteis nada para merecerlo…
—contestó Brynne con sequedad—. Y, hablando de «merecer», cuando sepamos a dónde tenemos que ir, creo que es mejor que no nos acompañes.

La expresión de Rudy se ensombreció.

—Vale, lo siento. Pero os puedo ayudar…

Brynne dijo en un tono suave pero firme:

—Sé que no es culpa tuya, pero nos metiste en ese hoyo de los *yalis*.

En el pico del pájaro, la pequeña gema brilló y atrajo a Aru una vez más. Con una punzada, recordó que no había explicado su participación en la caída al hoyo. No podía dejar que Rudy asumiera toda la culpa.

—No fue él —dijo en voz baja.

El resto se giró para mirarla.

Aru tomó aire.

—Vi algo cuando intentaba coger el pájaro, una visión del Durmiente. Creo que venía de esa especie de gema que lleva en el pico. No lo sé. Me asusté y perdí el equilibrio.

Rudy le quitó el pájaro de las manos y le abrió el pico. Detuvo la melodía para graznar indignado cuando le extrajo la gema de la boca.

—No es una piedra normal —dijo—. Es un contenedor de pensamientos, emociones, recuerdos… Ya he visto algo así en la colección de mi padre. ¡Esto debía de ser de lo que hablaba el señor V! Él mismo lo dijo, ¿os acordáis? Lo de que el Durmiente perdió fragmentos de su alma o algo así cuando fue en busca del árbol. De hecho, creo que si… —Rudy presionó la gema con fuerza.

—¡No! —gritó Aru.

Pero era demasiado tarde.

Algo parecido a un holograma surgió de la joya y proyectó una secuencia inquietante de escenas frente a ellos. Vieron a un joven en un mercado con la cara girada hacia una niña que caminaba de la mano de sus padres, quienes reían y sonreían junto a ella. Alguien cogió al chico del brazo con impaciencia.

—¡Aquí estás! Vamos, es hora de volver a nuestro hogar.

El muchacho respondió en voz baja:

—El orfanato no es un hogar. En los hogares hay familias.

Quienquiera que estuviera a su lado se echó a reír.

—Pues es el único hogar que vas a tener.

La visión saltó hasta una escena en la que el muchacho estudiaba mucho, construía inventos y leía libros. En ninguna de las imágenes se le veía la cara. Luego, la proyección cambió y mostró al chico de adulto, tendría ya unos veinte años y estaba ante una asamblea de cinco miembros ancianos del Consejo del Más Allá. Llevaba el pelo oscuro pegado a la cara y, cuando se lo echó hacia atrás, Aru le vio los ojos: uno azul y otro marrón. Era él, el Durmiente, aunque muy joven. Vestía un polo oscuro con cuatro letras rojas bordadas en el pecho: SATMA. Aru reconoció el acrónimo. Significaba «Sistema de Acogida Temporal del Más Allá», el mismo al que habían enviado a Nikita y a Sheela.

—Ah, Suyodhana —dijo un hombre de piel oscura que se inclinaba hacia delante y chasqueaba las garras—. Quizás seas el miembro más joven y dotado que ha pedido permiso para obtener una educación superior en artes mágicas. La tradición dice que cada alumno que desee seguir con tales estudios debe enfrentarse al peso de una misión. La tuya era simple: mostrarnos la sustancia más fuerte del mundo. Aun así, has venido con las manos vacías.

Los ancianos se miraron entre sí con sonrisas de superioridad. Suyodhana también sonrió:

—He cumplido la misión, pero, antes de enseñarles los resultados, quizás podamos hacer un brindis. Es todo un honor que me hayan dado la oportunidad de mostrar mi valía.

Chasqueó los dedos y cinco cálices de oro flotaron ante los ancianos. La bebida debía de oler deliciosa, porque los cincos miembros del Consejo suspiraron.

—Por nuestros sueños —dijo Suyodhana antes de levantar su propio cáliz—. Que no se conviertan en pesadillas.

Los miembros bebieron y el más anciano, tras limpiarse la boca, dijo:

—¿Y tu misión?

Suyodhana señaló todos los cálices.

—Estaban llenos de un veneno poco común para el que no hay antídoto.

Al mismo tiempo, todos los miembros empalidecieron, se pusieron de pie y se llevaron las manos a la garganta. Uno de ellos cayó al suelo con un golpe fuerte y comenzó a arrastrarse mientras gritaba:

—¡No puedo respirar! ¡No puedo respirar!

Otro se desmayó. Mientras tanto, Suyodhana los miraba con expresión neutra.

—¿Qué significa esto? —preguntó un anciano—. ¿Cómo te atreves?

—¿Cómo me atrevo a qué? —dijo Suyodhana—. ¿Cómo me atrevo a mentir?

Todos se detuvieron. El que había estado gritando porque no podía respirar se incorporó de repente y lo señaló con un dedo tembloroso.

—Entonces, ¿nos has envenenado y, luego, nos has administrado mágicamente un antídoto?

—No.

—Pues explícanos por qué de repente puedo respirar —dijo el hombre.

Suyodhana se encogió de hombros.

—Porque nunca le he envenenado, pero usted ha creído que sí. Y esa, queridos miembros, es la sustancia más fuerte del mundo: la creencia.

La visión cambió una vez más. El Durmiente era mayor, con unas finas arrugas alrededor de los ojos. Cuando se apartó el pelo de la cara, Aru vio una alianza. En la otra mano, llevaba una llave que se retorcía, muy parecida a la que el señor V les había dado. Reconoció el suelo cubierto de escamas y el vestíbulo apenas iluminado. El Durmiente estaba en la Cripta de los Eclipses. Cerró los ojos e hizo girar el anillo en el dedo.

—Conozco la profecía sobre mí —dijo con voz ahogada—. Y deseo evitarla por todos los medios. ¡Por favor! No lo entiendes… Voy a tener una hija. No puedo permitir que herede el mundo que estoy destinado a destruir. Dime lo que debo hacer. Por favor, dímelo... Pagaré cualquier precio.

Unos tentáculos oscuros aparecieron y se le enrollaron en la mano, le envolvieron el brazo y se le metieron en el pecho. Gimió de dolor como si las sombras quisieran arrancarle algo.

—¿Recuerdos de la infancia? ¿Eso es todo? —dijo débilmente—. Puedo soportarlo.

Después, la puerta de la cripta se abrió ante él y la luz inundó el suelo.

La visión desapareció. Cuando se hubo desvanecido, Aru se dio cuenta de que las lágrimas le recorrían las mejillas. Cuando el señor V dijo que la llave había desprendido fragmentos del Durmiente, no pensó que tuviera que verlo con sus propios ojos.

—¿Eso significa que me puedo quedar? —preguntó Rudy con la pequeña joya azul en la mano. Pero, entonces, reparó en que Aru estaba llorando—. ¿Qué pasa, Shah? Quiero decir, es un poco triste y eso para el Durmiente, pero imagina ser su hija. Eso sería...

Aiden le dio un codazo en las costillas y al *naga* le cambió la cara al caer en la cuenta.

—Oh... —musitó.

—Dadme un segundo —dijo Aru, que empezó a bajar por la colina para estar sola.

No sabía qué pensar o cómo sentirse después de haber visto la visión.

«Haré lo que sea».

Vagamente recordó las pesadillas de las gemelas, la manera en la que su madre les había gritado que no la siguieran mientras las lágrimas le inundaban los ojos. «Haría lo que fuera para no tener que dejaros».

Aru sintió una oleada de rabia. Las gemelas habían podido experimentar ese amor, al menos durante un tiempo. Habían podido vivirlo en persona. Aru no. Si su padre no se hubiera convertido en el Durmiente, su vida habría sido distinta. Llena de sonrisas y carcajadas. Y amor. ¿Qué había ocurrido? ¿Por qué no había sido capaz de cambiar su destino? ¿Cómo podía su madre haberlo encerrado cuando lo único que había hecho era intentar arreglar las cosas? ¿Y si le sucedía lo mismo a ella? La profecía mencionaba que una hermana no era verdadera... ¿Sería ella, a pesar de que no tenía intenciones de traicionar a nadie? Lo único que quería era salvar el Más Allá, a sus amigos y familia... Pero ¿y si acababa siendo la mala? Le vinieron a la cabeza las palabras burlonas de Ópalo: «La hija de carne y hueso del Durmiente». Quizás el mal corriera por sus venas... De tal palo, tal astilla.

—¿Aru?

Se giró y vio a Brynne, Mini y Aiden caminar hacia ella.

—Habla con nosotros —dijo Mini.

—Estoy bien... —empezó a contestar, pero se le quebró la voz y permaneció allí, temblorosa.

Mini fue la primera que la rodeó con los brazos para apretarla con fuerza antes de dar un paso atrás y buscarle la cara.

—Lo entiendo, ¿sabes? —le aseguró Brynne con suavidad. Aru levantó la cabeza. Su hermana tenía los brazos cruzados y miraba al suelo—. Es muy difícil ver a la madre o al padre que deberías haber tenido. Gunky y Funky solían decirme lo buena que había sido Anila en el pasado. Y no sé por qué no pudo ser así conmigo. —Brynne apretó los labios mientras jugueteaba con el montón de pulseras hechas de trofeos fundidos—. Durante un tiempo, pensé que quizás yo no era lo bastante buena o que era culpa mía… pero ahora sé que no es eso.

Aru se notó un nudo en la garganta. Así era como se sentía ella, como si el mero hecho de nacer hubiera provocado de alguna manera que pasara todo aquello.

—Esto no tiene nada que ver contigo, Shah —dijo Aiden con firmeza—. Y quizás creas que has perdido a alguien genial, pero no sabes si habría sido un buen padre. La gente cambia, créeme.

Aru asintió. Quizá tuviera razón. Nunca lo sabría.

—Pero la profecía… —dijo—. Y Ópalo…

—Olvídate de Ópalo —le aconsejó Mini levantando las manos—. No lo sabe todo. Y solo porque lo que has visto ahí te haya preocupado no quiere decir que empatices con el enemigo y vayas a traicionarnos.

Aru se quedó atónita.

—¿Cómo sabes que…?

—Porque somos hermanas —contestó Mini dándole un apretoncito en el hombro.

Brynne entrelazó el brazo con el de Aru.

—Ahora, vamos, tenemos que encontrar un árbol y recuperar algo de sueño. En la mochila de Aiden he encontrado todo lo necesario para hacer sándwiches de galleta.

—Buen trabajo, Querida —dijo Aru.

Aiden puso los ojos en blanco, pero sonrió.

En el sueño de aquella noche, Aru se encontró de nuevo junto con Mini y Brynne en el territorio astral de las gemelas. A diferencia de la última vez, no era una pesadilla, aunque tampoco era feliz. Las gemelas estaban sobre un escenario raído dentro de un teatro abandonado. Unas telarañas brillantes colgaban de los candelabros hechos de caramelo duro. Era un sueño, por lo que las cosas eran raras: diez medusas flotaban por el aire, decoradas con lunares morados. Una mantarraya se movía por encima y tenía la parte inferior de las aletas cubierta de partituras.

Sheela corrió para saludarlas antes de rodear a Mini con los brazos, ya que se había convertido en su favorita. Brynne le dio unas extrañas palmaditas en la cabeza antes de susurrarle a Aru:

—¿Es esto lo que se hace con los niños?

—Es humana, no un perrito —contestó Mini.

Nikita se quedó parada a un lado, con un turbante de seda y un vestido de terciopelo en el que unas nubes se movían con lentitud por la tela. Aru se acercó a ella.

—¿Os gustaron los trajes? —preguntó Nikita con brusquedad.

Aru esbozó una sonrisa.

—Eran…

—¿Fabulosos? Lo sé —dijo Nikita moviendo una mano—. No me digas más. No necesito que me aburráis con los detalles de mi genialidad.

Aru sonrió con suficiencia. Antes habría pensado que Nikita era una maleducada pesada, pero ahora la entendía un poco mejor. A la niña debió de ponerla de los nervios el silencio de Aru, porque cruzó los brazos con una mueca.

—No creas que porque hayas visto nuestra pesadilla nos vamos a volver íntimas o algo así —dijo Nikita—. Sabemos cuidarnos solitas.

—Lo sé.

—Estamos acostumbradas a que la gente se marche.

La voz de Aru se suavizó.

—Lo sé.

—Vale —añadió la niña de diez años con el ceño fruncido.

Aru asintió antes de mirar hacia los candelabros del sueño.

—Créeme, me encantaría librarme de ti, pero eres bastante útil. Los trajes eran increíbles y es probable que nos hayan salvado la vida. Además, me gusta un poco esta novedad de tener hermanas bebés.

—¡No soy un bebé!

—Eso es lo que suelen decir los bebés.

Nikita resopló.

—No me caes bien, Shah.

—¡Ahora sí que pareces de mi familia!

Una sonrisa se le extendió por el rostro a Nikita, pero Sheela dio un grito de repente.

—¡No!

Aru y Nikita se giraron y se la encontraron sentada en el suelo, meciéndose hacia delante y hacia atrás. Tenía los ojos brillantes y las lágrimas le resbalaban por la cara. Mini la sujetó por los hombros para intentar ayudarla, pero Sheela no se movía.

—Está cometiendo un error horrible... —Sheela centró la mirada desenfocada sobre Aru—. Y lo odiarás por su amor.

Aru se despertó de golpe con el sonido de un follón en el exterior de la tienda, que, de repente, estaba vacía. Se puso una sudadera y salió al frío de la noche. Aiden, Rudy, Brynne y Mini estaban fuera mirando al cielo. Y no estaban solos. Miles de pájaros ocupaban los árboles a su alrededor. El águila de madera, tumbado de lado entre dos tiendas, cantaba su melodía extraña y enigmática.

—¿Te acuerdas de que el águila tenía grabada la letra G? —le preguntó Aiden.

—Sí...

—Pues sí que se refería a Garuda.

¿El rey de los pájaros? Aru frunció el ceño.

—¿Cómo lo sabes?

Aiden señaló hacia las estrellas y el *vajra* brilló presa del pánico.

—Porque ha decidido hacernos una visita.

VEINTISIETE

Quoth, el cuervo

Garuda, el rey de los pájaros, voló hasta ellos. Aru no había conocido a muchos reyes. Sin embargo, había visto anuncios de combates de lucha profesional y aquello se estaba empezando a parecer a uno. Viendo lo que sucedía alrededor, sus amigos y ella estaban en el centro del *ring*.

Los árboles colindantes se inclinaban y crujían bajo el peso de miles de pájaros que piaban y chillaban desde las ramas como un público sediento de lucha. Quizás tenía algo que ver con la cercanía de Garuda, pero Aru se percató de que entendía todo lo que decían... y no era exactamente agradable.

—¡Cómaselos, mi rey! —gritó un grajo desde una rama.

Un arrendajo azul con acento del sur vociferó:

—He traído salsa de tabasco para todos.

Un carbonero pequeño del tamaño del meñique de Aru pio con voz dulce y aguda:

—Muéstreles una ventana con cristales recién limpiados y haga que choquen con ella cien veces. —Luego, se echó a reír, histérico.

Aru comenzaba a arrepentirse de todas las veces que había llenado el comedero de pájaros. Algo voló desde los árboles hacia ellos. Brynne sujetó el bastón en alto, Mini creó un escudo, Aiden sacó las cimitarras y Rudy… bueno, al menos tenía el águila mecánica entre las manos. Aiden transformó el *vajra* en un arpón y estaba a punto de dejarlo libre cuando… ¡Bam! Un objeto cayó al suelo y unas volutas de humo empezaron a salir de él. Era…

—¿Una tostada? —preguntó Aru.

Aiden inspeccionó la rebanada de pan en llamas.

—Bueno, ahora lo es.

—¿Qué os parecería a vosotros si os lanzaran calorías vacías a la cabeza? —gritó un pato—. A algunos no nos gusta esa comida procesada.

—¡Y otros tenemos intolerancia al gluten! —graznó una oca.

—¿Por qué no nos dais cosas que no sepan a cartón, fideos desplumados? —les espetó un búho.

Desde los árboles, los pájaros empezaron a gritar:

«¡NO MÁS PAN! ¡NO MÁS PAN! ¡NO MÁS PAN!».

Aru se giró hacia sus amigos, pero estaban igual de perplejos que ella. Una ráfaga de aire pasó zumbando a su lado. Se tapó los ojos con el interior del codo y pestañeó cuando la suciedad y las ramas se elevaron como en una pequeña tormenta. Nunca había estado de pie junto a un helicóptero, pero se imaginó que sería algo muy parecido a aquello. En el centro de ese viento poderoso, una figura se posó frente a ellos. La fuerza de su aterrizaje hizo temblar el suelo.

Aru bajó el brazo cuando la ráfaga se desvaneció. Conocía a Garuda por las estatuas que su madre exhibía en el museo. A excepción de que no estaba hecho de arenisca, el rey auténtico se parecía mucho a esas esculturas. Tenía los ojos de un bonito tono ámbar, con forma humana, pero el rostro estaba cubierto de brillantes plumas verdes y un pico dorado afilado en lugar de nariz. Las alas de bronce medían casi dos metros, estaban plegadas detrás de los hombros y rozaban la hierba con las puntas. Del cuello para abajo, parecía un hombre fuerte con la piel morena, salvo las manos y los pies, que acababan en garras afiladas como las de las aves de rapiña. Garuda llevaba una gorra de béisbol de visera grande y de oro sólido sobre el pelo oscuro y ondulado y unas bermudas de seda con trofeos estampados. Sobre el hombro, tenía un cuervo negro y brillante que graznó con fuerza, haciendo que se detuviera el cántico de los pájaros.

—Lo conocéis como Khagesvara —gritó el cuervo—. ¡El rey de los pájaros!

Estos lo vitorearon. El grupo Pandava se acercó un poco más y Rudy se colocó la capucha sobre la cara.

—Lo conocéis como Suparna —chilló el cuervo—. Y tiene unas plumas *prechooosas*.

Ante esto, Garuda asintió, haciendo caso a la multitud por primera vez. Movió las alas, lo bastante amplias como para que Aru y sus amigos se echaran hacia atrás por instinto para evitar que les golpeara la cara. Las plumas brillaban con intensidad, como el destello del filo de un cuchillo.

—Lo conocéis como Nagantaka —dijo el cuervo—. ¡EL DEVORADOR! El único, el inigualable… ¡GAAARUDA!

El rey giró en un círculo lento con los brazos en alto y los músculos flexionados. Los pájaros vitorearon con tanta fuerza que cayó una llovizna de plumas que recubrió el suelo del bosque.

—¿Y qué tenemos aquí? —preguntó el cuervo con los ojos redondos clavados en Rudy.

—¿Me puedo ir? —murmuró el chico *naga* al grupo Pandava—. Esto no va a acabar bien para mí.

—¿Eso es una…? ¡No! —gritó el cuervo mientras saltaba a la cabeza de Garuda. Inclinó la suya a un lado—. ¡Es una serpiente!

Los pájaros graznaron y chillaron con desagrado.

—¡No soy una serpiente! —se quejó Rudy sacando pecho—. Soy…

Aiden le tapó la boca a su primo.

—No es el momento, tío.

—Oohh, reconozco a una serpiente cuando la veo —ululó el cuervo, deleitándose—. Odiamos a las serpientes. —Garuda asintió con el ceño fruncido—. Son cuerdas correosas con cara —continuó con un estremecimiento antes de dirigir la atención a las Pandava—. Y hay varias semidiosas. Ay, qué bonito. Chicos, démosles un débil aplauso. Felicidades, muchachos, tenéis armas brillantes. Me gusta lo brillante. Pero nada de eso le hará ni un rasguño al rey. Preguntadle a Indra, que lo intentó con ese mismo rayo.

Como respuesta, el *vajra* sintió un escalofrío eléctrico de desaprobación.

—No tenemos deseos de hacerle ni un rasguño a Garuda… —empezó a decir Mini.

—¿Quién ha puesto gafas sobre ese par de palillos vivientes? —graznó el cuervo.

Mini se sonrojó y se subió las gafas por el puente de la nariz. Al mismo tiempo, Aru y Brynne blandieron sus armas.

—Me sorprende que tengas tanto que decir —dijo Aru—. ¿No deberías estar graznando desde la chimenea de un anciano?

—Sí, vuelve en Halloween —replicó Brynne.

Los pájaros guardaron silencio y el cuervo se quedó paralizado. Con lentitud, se giró hacia ella.

—¿Qué has dicho?

—¡Ve a perseguir a un poeta! —soltó Aru.

—¿O ya no haces nada de eso? —preguntó Brynne.

—Creo que te refieres a que no lo hará… *nunca más* —dijo Aiden.

—¡SE ACABÓ! —gruñó el cuervo.

Se lanzó desde la cabeza de Garuda, pero el rey de los pájaros lo cogió con una mano. Lo fulminó con la mirada color ámbar antes de dejarlo sobre su hombro. El cuervo resopló mientras se atusaba las plumas. En silencio como siempre, Garuda cruzó los brazos con los ojos posados en el águila mecánica que tenía Rudy entre las manos. El cuervo suspiró y anunció:

—Se os acusa del hurto de un objeto valioso cedido por el rey Garuda a la diosa Aranyani. Tras una minuciosa investigación en la cripta, se descubrió que entre cuatro y cinco personas escaparon tras liberar a los *yalis* de sus ataduras. Su majestad, el rey Garuda, logró rastrear el objeto sagrado hasta el paradero de los ladrones. —El cuervo tosió antes de inclinarse hacia delante—. Es decir, vosotros.

—No entiendo… —empezó a decir Brynne, pero Aiden la detuvo.

—Además, el hecho de que dicha propiedad robada se hallara en manos de nada más y nada menos que un descendiente de la tía más malvada de Garuda, Kadru…

Desde las ramas, los pájaros sisearon. El ceño fruncido de Garuda se hizo más intenso. Aru se giró hacia Rudy.

—¿La tía de Garuda? —preguntó—. ¿Sois familia?

—A ver, sí, pero es literalmente el pariente que peor me cae —murmuró Rudy—. Me pellizca las mejillas todo el tiempo… La odio.

—… confirma la traición y el delito de todas las personas presentes —concluyó el cuervo—. Y, para terminar, no solo habéis robado una propiedad de Garuda, sino que la habéis roto. Le habéis robado la voz.

—No sabíamos que pertenecía a nadie —protestó Aru—. Y ya estaba roto.

—¡Buah! —soltó el cuervo—. Lo rompisteis porque sabíais que podía decir la verdad.

«¿Decir la verdad?». Entonces era una pista, pensó Aru. Rudy giró el pájaro entre las manos mientras caía en la cuenta. Aru se sintió agitada. Lo que podía ayudarlos estaba roto y no tenían ni idea de cómo arreglarlo.

—Por lo tanto, debéis ser…

El cuervo movió las alas hacia las ramas y cientos de pájaros corearon:

—¡EJECUTADOS!

Vitorearon y patearon e incluso el propio Garuda aplaudió y asintió. Aru retrocedió. El *vajra* comenzó a cambiar y a soltar chispas eléctricas.

—No es justo —dijo Mini. Dio un paso al frente con la *danda* en alto en forma de bastón. Detrás de ella, Rudy levantó las cejas—. No podéis ejecutarnos solo porque Rudy sea un *naga*...

—Príncipe —susurró Rudy. Miró a los demás con inocencia—. ¿Qué? Es verdad.

—Nunca le ha hecho nada —le dijo Mini a Garuda.

—Es cierto. —Rudy asintió.

—Apenas puede defenderse por sí solo —continuó Mini.

—Muy cierto —dijo Brynne.

Rudy abrió la boca para protestar. Aiden estiró el brazo para cerrársela.

—¿Cómo podría este chico amenazar al rey de los pájaros? —concluyó Mini—. No teníamos intenciones de robarle nada, no sabíamos que era suyo. Estábamos buscando otra cosa, encontramos esto y pensamos que nos llevaría en la dirección correcta.

Aru debía reconocer la valía de Mini: cada vez tenía más labia. Además, había generalizado tanto que no tenían razones para saber que estaban buscando el árbol de los deseos. Garuda los observó antes de mirar al cuervo.

—¿Quieres una explicación, pequeña semidiosa? —preguntó el ave—. Observa.

El cuervo graznó tres veces y los pájaros volaron desde los árboles hasta converger y crear un círculo en torno a los acusados. En el centro del remolino que formaron, unas imágenes aparecieron en el aire. Aru vio a un Garuda más joven cubierto de serpientes que se retorcían mientras caminaba por un enorme pasillo blanco en lo que parecía ser un palacio. Tenía una expresión de angustia en la cara, ya que las serpientes se enrollaban a su alrededor y le metían la lengua en el oído. Garuda miró detrás de él y la visión cambió: ahora había dos mujeres mayores de pie en la entrada de una puerta enorme. El parecido en los ojos y la barbilla hizo que Aru se percatara de que eran familia. Una de ellas, envuelta en un sari hecho de escamas brillantes, sonrió a Garuda con ironía.

—Vamos —dijo—. Sal a jugar con tus primos y no permitas que les ocurra nada.

—Por favor, hermana, deja descansar a mi hijo —dijo la otra mujer—. No es con él con el que estás enfadada.

Llevaba un traje simple de algodón hilado y el pelo hacia atrás. Tenía una cara triste y demacrada, mientras que la de su hermana era redonda y brillante.

—Fuiste tú la que perdió la apuesta, Vinata —dijo la mujer más elegante—. ¿Por qué es culpa mía que aceptaras ser mi criada? Te puedo pedir lo que desee. Quizás no pueda controlar a tu hijo, pero a ti te escuchará. Y justo ahora, mis dulces niños desean tomar aire fresco. No quiero que se destrocen el delicado vientre con el suelo, por lo que Garuda los llevará encima.

—Cuando Kashyapa regrese, no le hará ni pizca de gracia la manera en que me tratas, Kadru —dijo Vinata.

Aru reconoció el nombre de Kashyapa, que era un sabio poderoso.

—Cuando nuestro marido regrese. Imagino que estará meditando mil años más, lo que significa que podré disfrutar otros mil años de tu servidumbre —se mofó Kadru—. Déjanos, Garuda. Necesito que tu madre me trence el pelo y, si está distraída, quedará desaliñado.

Garuda miró a ambas mujeres con una rabia que le costaba reprimir. Su madre se limitó a asentir. La imagen frente a Aru se desvaneció cuando los pájaros rompieron el círculo y flotaron en el aire.

—Nuestro rey pasó años al servicio de su tía, la madre de todas las serpientes —declaró el cuervo—. Solo mediante el trabajo duro y la nobleza consiguió liberarse, a sí mismo y a Vinata. Y por eso, hasta el día de hoy, las serpientes y los pájaros no confían los unos en los otros.

Aru no tenía ni idea de que había una madre de las serpientes… Ahora se preguntaba si todo ese rollo sobre la «madre de los dragones» de *Juego de tronos* era real, pero no parecía un buen momento para plantearlo.

—El chico *naga* que tenéis ante vosotros es descendiente directo de Kadru y su asquerosa prole —dijo el cuervo—. A fin de cuentas, es el nieto del rey *naga*, Takshaka.

—Sí, bueno, créeme, él y yo no nos llevamos muy bien —dijo Rudy.

—¿Creerte? —graznó el cuervo—. Va a ser que no.

—Pero… —empezó a decir Rudy.

Con un fogonazo, un anillo de antorchas mágicas iluminó el cielo nocturno al instante. Aru pestañeó ante la luz repentina mientras los pájaros aleteaban ante ellos. Vislumbró miles de ojos negros brillantes y de picos afilados y tuvo la incómoda sensación de que parecían misiles. Garuda levantó el brazo y lo bajó. Todos atacaron a la vez.

VEINTIOCHO

¡Avestruz sorpresa!

—¡Alerta! —gritó Brynne.

Las chicas adoptaron el modo defensivo de inmediato. Aru sacó al *vajra* y el rayo se convirtió en una red que atrapó al instante una bandada de pájaros en el aire. Las aves chillaron mientras caían al suelo del bosque, retorciéndose bajo la malla.

—¡Acaba con ellos! —le ordenó Aru al *vajra*.

Con una sacudida de la red electrificada, los pájaros quedaron inconscientes. El *vajra* se acercó a Aru después de electrizar las cimitarras de Aiden. Brynne sujetó el bastón entre las manos mientras miraba a los pájaros con avidez.

—Asadas, fritas, en picadillo… Así me gustan a mí las aves —dijo.

Ante eso, algunos de los pájaros se apartaron, aproximándose tanto a Aru que esta notó el aleteo en su cara. Aiden saltó frente a Brynne moviendo las cimitarras para potenciar el huracán de viento. Sopló a través de los pájaros, que giraron mientras piaban, enfadados.

—*Adrishya* —dijo Mini.

La luz violeta cubrió a las Pandava, a Aiden y a Rudy y los hizo invisibles al instante. Se inclinaron, zigzaguearon y se apartaron para evitar el ataque, al mismo tiempo que los pájaros chillaban y piaban frustrados.

—¡Ahora! —dijo Brynne.

Aru, Brynne y Aiden atacaron a la bandada con todo su arsenal: tornados concentrados, espadas electrificadas y rayos. Cuando un gran porcentaje de pájaros hubieron caído, Mini cambió el velo de invisibilidad por un escudo violeta. Los pájaros que, de alguna manera, habían conseguido escabullirse por las grietas recibieron un golpe fuerte en la cabeza al chocar con el campo de fuerza. Las Pandava se reagruparon para tomar aliento a toda velocidad. Aru miró a Rudy y lo vio arrodillado en el suelo, rebuscando en su bandolera.

—Rudy, ¿qué estás haciendo? —preguntó Aiden—. Ve a esconderte.

—No —dijo. El águila de madera estaba delante de él, en la hierba. Sacó unas piedras relucientes en una rejilla brillante, algo que parecía el corazón de la luna, y un pedazo de cuarzo que se retorcía como si estuviera vivo—. Garuda piensa que está roto, pero puedo arreglarlo.

—¿Estás seguro de lo que haces?

—Claro que no —respondió Rudy, alegre.

—Entonces, ¿por qué…?

—Porque soy la única oportunidad que tenéis.

Aiden se agachó cuando un furioso albatros voló hacia él y estuvo a punto de sacarle un ojo con las enormes alas. Los escudos de fuerza de Mini se estaban haciendo más poderosos con la práctica, pero conseguían cubrirlos a los cinco a duras penas. Una bandada de gorriones se dejó caer en picado de forma continua contra el escudo violeta hasta que aparecieron unas pequeñas grietas en él, como el hielo que se resquebraja en un estanque. En un momento dado, una horda de periquitos voló hacia Brynne, que se vio obligada a saltar en el aire, donde se convirtió en un enorme pájaro azul con las piernas delgadas.

—¡AVESTRUZ SORPRESA! —graznó.

Los periquitos chillaron mientras el avestruz Brynne daba patadas en el aire y los lanzaba al suelo.

—¿Avestruz sorpresa? —gritó Aru—. Es la mejor cosa aleatoria que has... —Se escondió detrás del escudo de Mini al tiempo que una bandada de colibríes con picos afilados como agujas zigzagueaba hacia ella.

Mientras Aru estaba en el suelo intentando ubicarse, se dio cuenta de que la única figura que permanecía quieta y en silencio en medio del caos era Garuda. No se había movido ni inmutado y no dejaba de mirar a las Pandava. Estaba segura de que incluso siendo invisibles, el rey de los pájaros podía verlas. Que se negara a luchar le produjo un escalofrío. No peleaba porque no lo necesitaba. Garuda era invencible... y estaba esperando su turno hasta que tuviera que zanjar el asunto. Lo que significaba que Rudy debía arreglar el águila rota, ya. No creía que Garuda fuera la clase de persona a la que le gustaban las charlas triviales. Ni ningún tipo de charla, vaya. Miró al *naga*, que estaba asintiendo y... tarareando algo junto a las joyas.

—No es hora de reorganizar la lista de reproducción, Rudy —gritó Aru—. ¿No puedes hacerlo más rápido?

El bastón de viento acababa de alejar a otro grupo de pájaros, pero el cielo zumbaba con nuevos atacantes.

Rudy estaba sentado con las rodillas contra el pecho, con el águila mecánica colocada en el hombro para oír su melodía áspera. Cerró los ojos mientras trabajaba, reorganizando las joyas por el tacto hasta que formó lo que parecía ser una estrella asimétrica.

—Solo un poquito más de tiempo —dijo—. Seguid con lo que estáis haciendo.

Introdujo un zafiro en el centro y situó el águila en medio de las joyas. Una expresión de alegría salvaje se asomó a su rostro.

—Mira, escúchalo. ¿No lo oyes?

Aru inclinó la cabeza, esperando captar algo grandioso, pero lo único que conseguía oír era el fuerte batir de alas contra el campo de fuerza de Mini. Se incorporó como pudo. «Se acabó», pensó Aru. «Voy a morir por culpa de un periquito».

—Lo oigo… —dijo Mini con una expresión de sorpresa. Bajó la mano un instante y el escudo violeta parpadeó.

—Cuidado, Shah —gritó Aiden.

Aru cogió el *vajra* brillante justo a tiempo para repeler a una bandada de carboneros que gorjeaban. En ese preciso momento, lo oyó. Era un sonido que hacía que el mundo entero pareciera miel líquida, espesa y dorada que caía con lentitud. Miró a Brynne y a Aiden y los tres se unieron en una armonía perfecta. El polen de los árboles primaverales los cubría como una lluvia de estrellas. Ni siquiera los carboneros parecían ahora tan horribles.

El águila estaba cantando una melodía nueva, que hizo que Aru pensara en el cambio lento de algo grande y celestial, como la rotación de un planeta o el sonido que hacían las constelaciones al posarse en el cielo nocturno. De inmediato, los pájaros dejaron de atacar. El escudo de fuerza de Mini desapareció. Aiden y Brynne bajaron las armas y el *vajra* rodeó la muñeca de Aru como si fuera una pulsera. Una sombra se cernió sobre ellos y, al levantar la vista, Aru vio a Garuda flotar por encima de ellos. El cuervo brillante que tenía en el hombro graznó una vez antes de volar para unirse con el resto de los pájaros, que gritaban:

—¡Falsa alarma! ¡Falsa alarma! Si queremos pelea, veamos *Gran Hermano*.

Y con el fuerte sonido del batir de alas, todos los pájaros se desvanecieron en el aire. El único que se quedó fue Garuda. Aterrizó con los ojos fijos en el águila reparada sobre el suelo. Rudy se mecía y se dejaba llevar por su melodía cautivadora.

—¿Cómo lo has hecho? —preguntó Garuda. Tenía la voz áspera, como si hubiera gritado demasiado en la batalla. No sería el mejor cantante en un karaoke, pero seguramente todos le tendrían tanto miedo que tampoco se lo dirían.

—Tengo… tengo buen oído —dijo Rudy al fin.

Garuda inclinó la cabeza, como si estuviera mirando a Rudy, pero también sopesando su vida entera.

—No lo olvides, pequeño príncipe —le aconsejó Garuda—. ¿Lo puedo coger?

Rudy levantó el pájaro y se lo tendió con una expresión radiante de orgullo. Su familia pensaba que no podía hacer nada importante. No tenían razón. Al tocarlo Garuda, el ave trinó otra melodía. Aru solo podía describirlo como la luz de la luna fundida en una canción. No era de este mundo y sabía que se pasaría la vida recordándola. Luego, el pájaro se quedó en silencio. Mientras lo observaban, sus segmentos se reorganizaron hasta que el águila se transformó en un rectángulo plano y translúcido con una mancha plateada en el centro, como un rayo de luna presionado contra el cristal. Una caligrafía indescifrable apareció garabateada en él. Garuda se mostró reflexivo.

—Ya veo —dijo—. No rompisteis el pájaro.

«¡OBVIO!», quería gritar Aru.

A su lado, Brynne lo fulminó con la mirada y, aunque permaneció en silencio, Aru se la imaginó con total claridad diciendo: «¿Qué? Ahora te das cuenta, ¿eh?».

—De nada, tío —contestó Rudy, alegre.

Mini le dio un codazo brusco.

—Pero entrasteis en la cripta con un pretexto falso —les recordó Garuda—. ¿Por qué estabais allí?

—Eso es cosa nuestra —respondió Aru a toda velocidad.

—También mía. Después de todo, soy uno de los protectores de los tesoros que surgieron después de la agitación en el Océano de Leche. Y uno de esos tesoros es el árbol de los deseos. —El rey los miró de manera significativa.

«Pillados», pensó Aru.

—¿Por qué es cosa suya? —preguntó Brynne antes de añadir a toda velocidad—. Esto… no se ofenda, por supuesto, su alteza.

El rey de los pájaros dio un paso atrás. Extendió ambos brazos, levantó dos garras del izquierdo e hizo un círculo amplio en el aire con el derecho. Pasaron unos momentos en los que los cinco se quedaron allí de pie, preguntándose qué estaba ocurriendo. En el espacio en el que el rey había movido el brazo, apareció una imagen. Un joven Garuda volaba por los cielos con una pesada olla dorada. Zigzagueó por una jungla densa y se posó sobre una oscura arboleda llena de enormes serpientes negras que a Aru le recordaron a las cuerdas de escalada que usaban los profes de gimnasia para torturarla.

—He traído el néctar de la inmortalidad como pedisteis —decía Garuda en la visión mientras miraba a las serpientes con cautela—. Ahora debéis liberarnos a mi madre y a mí de vuestra servidumbre.

El suave siseo de las serpientes se asemejaba a una carcajada.

—Muy bien, pájaro gigantesco —se burlaron—. Eres libre, pero quizás no sigas así durante mucho tiempo. ¿Quién sabe el poder que obtendremos al probar el néctar de los dioses?

Garuda dudó ante eso y se acercó la olla de *amrita*.

—Como decís, es el néctar de los dioses. No podéis aproximaros a él mientras estéis sucios. Id a bañaros, os esperaré aquí.

Las serpientes murmuraron a modo de afirmación antes de deslizarse hacia el río. Cuando se hubieron ido, Garuda dejó caer la cabeza sobre el pecho.

—Eres libre, mamá —dijo en voz alta, levantando la olla en el aire—. Oh, señor de la protección, no tengo intenciones de compartir este néctar con mis hermanos y no deseo ingerirlo yo. ¿Qué debo hacer?

Una luz brillante y naranja llenó el aire y la visión desapareció. Garuda chasqueó las garras.

—Así acabé en el servicio de lord Vishnu —anunció—. Me recompensó por resistir a la tentación cuando el poder estaba a mi alcance antes de enterrar el néctar en un laberinto bajo el Océano de Leche.

—También es así como la mitad de mi familia acabó con la lengua bífida —musitó Rudy—. Parte del néctar se derramó por la hierba y se pusieron supercontentos, lo chuparon y se cortaron la lengua. —Sacó la suya para tocarse la punta—. Pero la mía no. —Aunque sonó más como: «*Pedo la mea na*».

—Por la manera en la que protegí la *amrita*, Aranyani, la diosa de los bosques, me confió la tarea de ayudar a esconder el Kalpavriksha —dijo Garuda. Levantó el panel de luz de luna—. Este objeto sagrado desvela su paradero, pero el árbol exige un sacrificio demasiado grande, por lo que solo se puede utilizar a voluntad de los dioses.

—Hay una profecía... —dijo Mini—. Creemos que es sobre nosotras y el árbol. Si no encontramos el Kalpavriksha auténtico en dos días, el ejército del Durmiente destruirá el Más Allá.

Garuda se tomó su tiempo en responder.

—Si pudierais usar el árbol, ¿qué pediríais? —preguntó con calma—. ¿Ganar la guerra? No sabéis cómo será la victoria. Siento tener que hacerlo, pero no puedo dejaros continuar.

Estiró las alas, apagó las antorchas y dejó que la oscuridad de la noche cayera sobre ellos. Aru estaba a punto de sacar el rayo cuando oyó un fuerte graznido. Vieron un ovillo gris y oyeron un chillido indignado que solo podía pertenecer a un pájaro. Bu se elevó hacia ellos mientras le gritaba a Garuda:

—¡A MIS PANDAVA NO, CABEZA DE CHORLITO!

VEINTINUEVE

Todos somos patatas

Bu aterrizó en su lugar favorito del mundo… la cabeza de Aru. Le dio un picotazo afectuoso y brincó alrededor. Aunque ella no podía verlo, supuso que se estaba asegurando de que Brynne y Mini también estuvieran bien.

La paloma guardiana le dedicó un extraño siseo a Garuda, que parecía más sorprendido que muerto de miedo, pero quizás eso es lo que se espera cuando una paloma te insulta de la nada.

—Subala —dijo con voz grave—. Has cambiado mucho.

—Se ha estado tomando un suplemento nuevo para las plumas —respondió Mini a la defensiva.

Bu sacó pecho.

—Estoy aquí para decirte que yo, miembro del Consejo de los Guardianes, he aprobado esta misión de las Pandava y no puedes castigarlas.

Las alas de Garuda descendieron y miró el cristal de luz de luna entre sus garras. Aru extendió las manos para cogerlo. Una vez lo tuvieran, encontrarían al fin el árbol de los deseos.

—¿Les has permitido asumir esta misión? —preguntó Garuda con tranquilidad. Aru frunció el ceño. ¿Por qué parecía que estaba insultando a Bu? El rey de los pájaros no despegó los ojos de la paloma—. Deberías haber sido más listo, ya sabes el precio. O quizás te ha cegado la esperanza de obtener una nueva forma para tu alma. Deberías haber protegido a tus discípulos.

La paloma pareció languidecer.

—¡Bu nos protege! —gritó Mini enfadada—. Siempre lo ha hecho.

—Me preocupo mucho por mis chicas —dijo Bu, reprimiendo apenas la ira en su voz.

Garuda lo miró con calma.

—Incluso los que más nos quieren y se preocupan por nosotros cometen errores. Mi madre se esclavizó a sí misma al aceptar de manera impulsiva una apuesta con mi tía. Quizás fue el orgullo. O quizás esperaba poner fin al acoso al que me sometía mi tía. Pero, al final, mi madre y yo acabamos sufriendo más. No me fío de ninguna solución inmediata, sea una apuesta… o un deseo. —Después de reflexionar unos segundos, Garuda dejó el panel de luz de luna en el suelo—. Como un miembro del Consejo ha dado luz verde a este viaje, no puedo interponerme, aunque desearía que me dejarais. —Señaló el cuadrado iluminado por la luna—. Solo los pájaros *chakora* pueden descifrar lo que está escrito aquí. Revela dónde se encuentra escondido el Kalpavriksha. Pero debéis saber que los pájaros son muy cotillas y lo único que les servirá como moneda de cambio es un secreto.

—¿Y cómo los encontraremos? —preguntó Aru.

—Seguid el camino hacia la luz de luna —dijo Garuda. Levantó la barbilla—. Confío en que sepáis lo que estáis haciendo.

Dicho eso, abrió las enormes alas y despegó.

Aru miró la figura de Garuda mientras se perdía entre las nubes. Pensaba que se sentiría victoriosa, pero se sentía vacía. Quizá el resto también se sintiera así, porque solo Brynne se agachó a coger el cristal de luz de luna.

—Bueno —dijo Bu con un deje incómodo.

Saltó a las palmas abiertas de Mini, inclinó la cabeza de un lado a otro mientras observaba el mensaje indescifrable y miró a Aru, Brynne, Mini, Aiden y Rudy.

—Pronto debo volver a los cielos —dijo—. Tengo que vigilar a las gemelas y…

—Espera un segundo, Bu —lo interrumpió Aiden—. ¿Cómo sabías que estábamos aquí?

—¿Y que necesitábamos ayuda? —añadió Brynne.

Las plumas de Bu se tensaron un momento, como si lo hubieran pillado con la guardia baja.

—Los Marut —respondió alegremente—. Me mantienen informado.

Aru frunció el ceño. Había contestado demasiado rápido. Además, los Marut no sabían lo de la misión, ¿verdad? Como era una mentirosa medio rehabilitada, a Aru se le daba bastante bien reconocer cuándo alguien no decía la verdad.

—Por favor, decidme que habéis traído ropa para cambiaros y que no estáis de misión en pijama —dijo Bu antes de mirar fijamente a Aru—. Otra vez.

—¿Otra vez? —repitieron Aiden y Rudy.

—JA —contestó Aru demasiado fuerte—. Vayámonos.

Solo entonces se dio cuenta de la elección de cada uno como ropa para dormir. Aiden llevaba unos pantalones de franela y la antigua sudadera de la facultad de Derecho de su padre. Rudy llevaba una brillante piel de serpiente con notas musicales. Brynne parecía un armadillo enfadado con el conjunto de armadura plateada y reflectante. Mini prácticamente estaba escondida dentro de una larga camiseta negra. ¿Y Aru? Bueno, incineraron el pijama de Spider-Man después de la primera misión, por lo que lo sustituyó por uno de Iron Man.

—Tenemos ropa para cambiarnos —dijo Brynne.

—Yo también —anunció Rudy con timidez—. Si… bueno, si puedo ir.

Se le enrojecieron las mejillas. Los demás se detuvieron y se miraron entre sí. Aiden fue el primero en ceder.

—Supongo que nos vendría bien un chico que nos ponga música.

Rudy sonrió, radiante.

—¡PERO TIENES QUE APRENDER A USAR UNA ESPADA! —dijo Brynne.

—Lo siento, pero ¿quién narices eres tú? —preguntó Bu.

—Soy el príncipe…

—Es mi primo, Rudy —explicó Aiden—. Es un añadido mío, un añadido Pandava.

—Un añadido de un añadido Pandava —dijo Bu con indiferencia.

—Bueno, si no nos podemos llamar a todos Pandava, entonces ¿cómo nos llamamos? —preguntó Aru—.

Necesitamos un nombre que indique que somos fuertes y capaces.

—¿Qué tal los «maseteros»? —sugirió Mini—. Es el músculo más fuerte del cuerpo en relación con su peso. La miraron y añadió—: ¿No sabéis qué son? Los músculos de la mandíbula. Pueden soportar cien kilos de fuerza sobre los molares.

Aiden se masajeó las sienes y pareció que Bu flaqueaba un poco. Aru cruzó los brazos frente al pecho.

—¿Y las Pandava Vengadoras?

—Estaba pensando en… patatas —dijo Brynne.

—¿Las patatas vengativas? —preguntó Rudy.

—No —dijo Aiden—. Los Vengadores Patatas.

—¡No! —lo corrigió Brynne—. Solo Patatas.

—Es el nombre de grupo más deprimente del mundo —dijo Aru—. ¿Y si tuviéramos que presentarnos? No podemos decir: «Mira, estos somos nosotros, los Patatas, es decir, los Pandava».

—Las patatas son fuertes, sanas, rígidas y versátiles —recordó Brynne—. Puedes hacer muchas cosas con ellas: rallarlas, hornearlas, cocerlas, asarlas, tostarlas, cortarlas en cuadrados, en rodajas, filetearlas, hervirlas…

—Por favor, para —pidió Aru.

—… hacerlas a la plancha, flambearlas…

—¡Ya está! ¡Sois oficialmente los Patatas! —graznó Bu—. Ahora tengo que irme. Las gemelas estaban de camino a la Casa de la Luna cuando me he marchado y…

El sonido crepitante de una radio emergió de un pequeño aparato en el tobillo de Bu. Una voz profunda inundó el aire nocturno: «¡Alerta de emergencia! Todos los guardianes deben volver a la base! Han secuestrado a la clarividente. ¡Regresad de inmediato!».

TREINTA

¡Pero calla! ¿Qué luz brota
de aquella ventana?

Mini dio un grito ahogado y se tapó la boca con las manos.

—Sheela debe de estar aterrada —dijo—. Tenemos que hacer algo ya...

En la muñeca de Aru, el *vajra* soltó chispas furiosas de electricidad.

—Apuesto lo que sea a que ha sido el Durmiente.

—De ninguna manera lo vamos a dejar pasar —afirmó Brynne mientras se subía las mangas.

Bu aleteó ante ellos.

—Sé que queréis ir a por ella, pero no podéis desviaros de la misión —dijo con firmeza—. Solo tenéis dos días para encontrar el árbol. Es obvio que ha sido el ejército del Durmiente el que ha capturado a Sheela para poder localizar el árbol usando su habilidad con las plantas...

—Oh, por todos los dioses —masculló Aru, a la vez que un vacío gélido se le formaba en el estómago—. ¡Se han llevado a la gemela equivocada! Querían atrapar a Nikita, pero se han llevado a Sheela.

Ante esto, Bu hizo una pausa. Algo parecido a la irritación se asomó a sus ojos, pero Aru no terminaba de entenderlo. ¿Por qué no estaba enfadado? ¿O preocupado? ¿O aleteando y perdiendo las plumas?

—¿Dónde la han visto por última vez? —preguntó Aiden.

Rudy alzó la bandolera.

—Creo que tengo una gema por aquí que ayudará a localizar…

—No —repitió Bu—. Si llegan al árbol de los deseos antes que vosotros, todo estará perdido, incluida Sheela. Lo mejor que podéis hacer para ayudarla es encontrar el Kalpavriksha antes que ellos.

Aru apretó la mandíbula. Odiaba la frialdad con la que lo había dicho, pero Bu tenía razón. Quizás en cuanto dieran con el árbol, podrían desear que Sheela regresara a su lado. Y Nikita. Aru no se podía ni imaginar cómo se tenía que estar sintiendo ahora sin sus padres ni las Pandava ni su hermana gemela.

—Voy a coordinar a los Marut ahora mismo. Empezaremos a buscarla —anunció Bu antes de alzar el vuelo—. Tened cuidado. No quiero perder más plumas.

Después de eso, salió volando. Aru lo observó marcharse mientras la incomodidad se le instalaba en algún punto del subconsciente, aunque no sabía por qué con exactitud.

—Tenemos que hablar con las gemelas —dijo Mini.

—Tienes razón —afirmó Aru.

Pero la única manera era a través de los sueños.

—No creo que pueda quedarme dormida después de esto.

—Puedo ayudaros con eso —anunció Rudy antes de sacar algo que se parecía a una piedra lunar envuelta en cuerdas. Lanzó un suave tintineo.

—Quizás Sheela nos diga dónde está —sugirió Brynne, esperanzada.

—Quizás… —dijo Aru, pero no pensaba que fuera tan fácil.

Las tres Pandava se dirigieron a su tienda mientras Rudy tocaba una canción parecida a la nieve cayendo con suavidad sobre el suelo justo antes de irse a la cama.

—Tenéis quince minutos —las informó Aiden—. Luego, os despertaremos.

Aru, Mini y Brynne se metieron en los sacos de dormir y se agarraron de la mano.

—Lo arreglaremos —musitó Aru, somnolienta, antes de dormirse profundamente.

Cuando abrió los ojos, estaba en el estudio del sueño en el que Nikita les había confeccionado los trajes para la Cripta de los Eclipses, aunque ahora las paredes y el escritorio estaban vacíos. Nikita estaba de pie ante ellas con un simple vestido blanco.

—¿Dónde está Sheela? —preguntó Brynne antes de girar en círculos.

—Ha desaparecido —respondió Nikita con la mirada apagada.

—¿Qué ha ocurrido? —insistió Brynne—. ¿Sabes algo de ella?

Nikita no las miraba. Aru se dio cuenta de que ya no llevaba la tiara de flores y que tenía heridas en la frente, como si se la hubieran arrancado.

—Los Marut nos llevaban a la Casa de la Luna en un carruaje de nube —dijo Nikita mientras se frotaba los brazos.

Aru sintió una nueva punzada de miedo. Las deidades de las tormentas, la guardia defensora de los cielos al completo, habían estado protegiendo a las gemelas y, aun así, no había sido suficiente.

—Sheela estaba mirando por la ventana y, de repente, vi que la puerta estaba abierta y ese… ese… demonio la había capturado. Dijo que ella los llevaría a la victoria. —Nikita se estremeció al recordarlo—. Los Marut fueron tras él, pero desapareció. Ni siquiera saben cómo entró en los cielos.

—¿Estaba herida? —preguntó Mini, empalideciendo.

Nikita gritó:

—¡NO LO SÉ! —Unas vides oliváceas, oscuras como una sombra y con espinas tan afiladas como espadas, emergieron del suelo del sueño—. No sé dónde está mi hermana. Le hicieron algo en el símbolo de rastreo… No sé si podrá contactar conmigo en sueños. —Nikita sollozó—. ¡Tenéis que ir tras ellos! Prometedme que lo haréis.

—Observó a las tres mientras hablaba, pero posó los ojos en Aru. Esta dudó, ya que aún recordaba las palabras de Bu.

—Lo mejor que podemos hacer es encontrar el árbol y, después, a Sheela…

—¡Mentirosas! —siseó Nikita—. Sheela no os importa nada.

—Eso no es cierto —dijo Brynne—. Pues claro que nos importa.

—Creía que seríais distintas. Pensaba que seríais como…

Se quedó callada, pero Aru sabía la palabra que iba a decir. «Hermanas». Aunque era solo un sueño, sintió que le faltaba el aire.

—Estamos haciendo todo lo que podemos —dijo Aru—. Ya hemos conseguido la siguiente pista para encontrar el árbol de los deseos, solo tenemos que contactar con los pájaros *chakora*. Si el Durmiente está buscando el árbol también, llevará a Sheela consigo mientras lo busca. Lo sé. Confía en mí…

—¡NO! —gritó Nikita—. Se acabó. —Se dio media vuelta.

—¡Espera! —chilló Brynne—. ¡Podemos ayudarte!

—De-jad-me-en-paz.

Nikita chasqueó los dedos y Aru se despertó sobresaltada en el saco de dormir, jadeando y apretándose el pecho. La culpa la doblaba de dolor. Pero tenía que creer que estaban haciendo lo correcto. Podían arreglarlo. Nikita lo vería y las perdonaría.

«¿Y tú te lo perdonarás?», preguntó una voz maligna en el pensamiento de Aru.

Mini la miró.

—Seguro que no lo decía en serio —dijo con calma—. La ciega la pena.

Aru asintió, aunque se seguía sintiendo un poco entumecida por todo. Brynne se puso en pie de un salto antes de apremiar a Aru y a Mini.

—Ninguna pista más —dijo casi rugiendo—. Tenemos que llegar hasta ese árbol. Es la única manera de encontrar a Sheela.

Por muy valiente que Mini se hubiera mostrado desde la Casa de los Meses, aún era bastante asustadiza. Los Patatas llevaban casi una hora caminando por el bosque cuando Mini gritó:

—¡ARAÑA!

Resultaron ser un montón de ramitas en el suelo.

—¿Sabíais que hay unas cuarenta mil especies de arañas venenosas en el mundo? —preguntó Aiden.

Mini gimió.

Aru oyó un áspero «¡Ay!» de Aiden. Brynne debía de haberle dado un codazo en las costillas.

—Le gustan los datos, pensé que ayudaría —musitó.

Al menos no se habían topado con ningún oso. Aru suponía que era porque Brynne daba mucho miedo y Mini era demasiado pesada.

Mientras los cinco caminaban, se percató de que las estrellas empezaban a desaparecer. Sin embargo, aún no habían encontrado el bosque *chakora*. En una de sus lecciones, Bu les había dicho que, en la antigüedad, los bosques *chakora* eran lugares en los que a veces, de forma accidental, los humanos se topaban de noche con el Más Allá. Allí veían un montón de cosas extrañas, pero, en cuanto el sol salía, se los echaba. «A los irlandeses les gustaba tanto la experiencia del Más Allá que se acostumbraron a perderse por el bosque en busca de historias», les había contado Bu.

En la distancia, por fin lo vio: un rayo de luz lunar se abría paso entre los árboles y se extendía por un estanque de plata fundida en el suelo. A Aru se le puso de punta el vello del brazo e identificó algo familiar en el ambiente.

Magia.

—Tiene que ser ahí —dijo Brynne emocionada.

Aru tocó el *vajra* en su muñeca y el rayo zumbó hasta su mano. Ahora estaban entrando en una arboleda de abedules. Bajo el brillo, la corteza parecía escarcha. El cielo seguía estando oscuro y no había señales de vida salvaje por ninguna parte. Aru levantó el *vajra* y oyó un suspiro agudo.

—¿Qué ha sido eso? —preguntó, dándose la vuelta.

Brynne, Aiden y Rudy señalaron a Mini, que les devolvía la mirada a través de las gafas.

—¡No he sido yo! —dijo.

Una de las ramas detrás de ellos crujió y los cinco dieron un salto y se giraron hacia el ruido. Era un pájaro *chakora*. Aru nunca había visto uno tan de cerca. Era precioso: tenía el tamaño y la forma de una paloma blanca con las plumas ligeramente brillantes, como si alguien las hubiera delineado una a una con un trazo reluciente. Levantó la cresta, cada pluma tan grande como la mano de Aru y tan blanca como la nieve.

—¡Pero calla! ¿Qué luz brota de aquella ventana? —anunció.

Esas eran… unas palabras extrañas para un pájaro. Aru recordaba la frase de la lección de Shakespeare en clase de Literatura.

—Usted —dijo el ave con un suspiro y los ojos negros fijos en Aru—. Usted es la cosa más prodigiosa que mis ojos han contemplado. ¡Resplandor reencarnado! ¿Cuál es su nombre, bella ave? Pues debo anunciar que usted y solo usted posee mi corazón.

TREINTA Y UNO

No eres tú, soy yo.
Bueno, vale, bien, también eres tú.

A ru estaba muerta de la vergüenza. Brynne estalló en carcajadas. Aiden y Mini miraron al pájaro *chakora* con pena. Rudy simplemente se encogió de hombros.

—¿Sabéis? Tengo una tía que se casó con un pájaro. Fue un gran drama familiar, en realidad. En la boda…

—Pero nos acabamos de conocer —soltó Aru.

Es probable que esa fuera la última de sus preocupaciones ante el hecho de que un pájaro le profesara amor eterno.

—Lo sé —dijo el pájaro mientras negaba con la cabeza—. Pero usted, oh, tan reluciente, me completa.

—Está claro que le falta algo —susurró Brynne, tocándose la sien.

—Nunca he visto ninguna luz tan electrizante como usted —declaró el *chakora*.

—Esto... ¿gracias? —dijo Aru antes de dar un paso atrás.

—¡El mundo es oscuro a su lado!

—Yo…

—¡Me ha electrizado!

—¿De nada?

El pájaro voló hasta Aru, y ella, por instinto, levantó los brazos para protegerse. Se posó sobre uno de ellos y a la chica se le ocurrieron mil interrogantes que no sabía sobre los pájaros. Por ejemplo, ¿los pájaros intentaban besar a las personas? ¿Eso era posible? Esperaba que no.

El ave tocó el rayo con la frente. Los ojos de los pájaros solían ser negros y redondos, pero los de aquel lo eran incluso más si cabe.

—Es un regalo de los cielos —susurró el ave con pasión.

El *vajra* le lanzó una descarga eléctrica y un brillo azul neón le recorrió el plumaje.

—¡Ah! —declaró—. ¡Es peleón!

Vale, el pájaro no estaba enamorado de ella, sino del rayo. Aru se sentía tanto aliviada como, para ser sincera, un poco insultada.

El *vajra* se transformó de un rayo imponente a una pulsera mientras intentaba esconderse en la manga de Aru para alejarse del afecto del pájaro luna.

—He sido demasiado directo —dijo el *chakora* con tristeza.

—Un poco —le aseguró Aru—. Oye, ahora que tenemos tu atención…

El pájaro miró al fin a Aru. Luego, saltó por su brazo, la observó y declaró:

—¡Puaj!

—Muchas gracias —contestó ella.

—¡Un mortal!

Aru abrió las manos.

—¡Sorpresa!

—¿Qué estás haciendo aquí, ser aterrador?

—No creo que los adjetivos sean necesarios…

—Quizás sea una bendición que el precioso rayo se haya apagado; así podré soportar ver tu cara.

Mini frunció el ceño, se inclinó hacia Aru y susurró:

—Creo que te está llamando fea…

—Sí, ya, me he dado cuenta —gruñó Aru. Hizo un gesto hacia Rudy, que levantó el rectángulo de luz lunar—. Necesitamos que descifres esto.

El pájaro brincó por su brazo e inclinó la cabeza.

—¡Ah! El Consejo será capaz de leerlo. A mí no se me permite aún aprender la lengua vernácula de luz de luna, aunque acabo de aprender inglés de forma autodidacta.

—¿Cómo lo has hecho? —preguntó Mini.

El pájaro se giró hacia ella y dio otro respingo al mirar a Mini y a los demás.

—¿Más mortales aterradores?

—Creo que os está llamando espantosos —murmuró Aru con un deje arrogante.

—Aprendí inglés cuando di con una prodigiosa colección de documentos en los territorios del campamento. Creo que se llamaban «Shakespeare para *dummies*». ¿Quién es Shakespeare? ¿Se pronuncia «Sé qué es piar»? Nunca lo descubriré… —El pájaro soltó un triste suspiro—. El mundo está lleno de enigmas.

—¿Puedes ayudarnos o no? —preguntó Aiden.

El ave se estremeció y le brillaron las plumas plateadas.

—Está prohibido llevar a mortales ante el Consejo.

Brynne blandió el bastón.

—¿Estás seguro, pájaro? Porque nunca he hecho asado de *chakora*, pero estoy preparada para probarlo.

El brillo débil del *vajra* llamó la atención de Aru y se le ocurrió una idea. Murmuró una disculpa en voz baja al rayo, que, como si pudiera leerle la mente, le envió una descarga eléctrica en tono acusador antes de, a regañadientes, lanzarle una cálida chispa de electricidad por la piel.

—Bien, supongo que tendremos que marcharnos —dijo Aru mientras movía la mano a conciencia.

El pájaro se centró en su muñeca y graznó alarmado.

—¡No! No me robéis la luz.

—Entonces, llévanos a nosotros, mortales censurables, ante el Consejo —dijo Aru.

El pájaro vaciló antes de volar hasta la rama del árbol más cercano.

—Lo haré —anunció de mala gana—. Pero solo por mi amado.

—¡Bien! —dijo Brynne dando un paso al frente.

—Júralo —dijo Aru.

Quizás le encantara el Más Allá, pero eso no significaba que confiara en él. El pájaro los fulminó con la mirada antes de suspirar.

—Os juro por un corazón que os guiaré al foco de luz lunar más brillante de todos —declaró—. Os llevaré ante nada más y nada menos que la entrada de la Casa de la Luna, donde todos los de mi especie se posan y se reúnen para la asamblea. Vigilamos el ascensor que pertenece a Chandra, dios de la luna, y a las veintisiete constelaciones *nakshatra* que son sus esposas y reinas.

«¿Veintisiete esposas?», pensó Aru. Y eso que creía que tener cincos maridos como le había ocurrido a la pobre Draupadi ya era bastante malo. En su cabeza oyó el mensaje de Mini, suave y frío como el terciopelo: «¿La Casa de la Luna? ¿No era allí a donde se dirigían las gemelas? Quizás Nikita siga ahí…».

—Eh, perdona…, pájaro de la luna… ¿Por qué lo has jurado por un corazón, en lugar de por tu corazón?

—Bueno, hay muchos corazones por el mundo, así que usaré uno de ellos. Además… —El pájaro miró hacia la pulsera de Aru y suspiró de manera dramática—. Desde que posé los ojos en usted, he decidido que mi corazón le pertenece, oh, criatura luminosa, radiante y centelleante.

El *vajra* se estremeció, lo que dio como resultado una descarga eléctrica de alto voltaje contra la piel de Aru.

—¡Tranquilo, *vajra*! —dijo.

—¡*Vajra*! —gritó el pájaro—. ¡Qué nombre tan bonito! Yo me llamo Sohail. —Inclinó la blanca cabeza.

—Bueno, Sohail —dijo Aru mientras señalaba al frente y se aseguraba de que el *vajra* estuviera visible en su muñeca—, pues guíanos.

TREINTA Y DOS

Un parlamento de aves locas

Sohail los llevó hasta un anfiteatro sobre la pendiente de un valle bajo. El punto de reunión parecía haber sido construido a partir de las ruinas de un antiguo templo. Cada pájaro *chakora* se erguía altivo desde su propia roca y cada piedra parecía anclada a un rayo lunar oblicuo. Aru nunca había visto que la luna pudiera emitir algo tan tangible, pero los pájaros *chakora* se posaban sobre ellos como si fueran ramas pesadas. En el centro había un grueso pilar hecho de luz lunar que formaba una línea continua hacia el cielo y desaparecía entre las nubes. Había un botón rojo en la roca, junto a él, y Aru se preguntó si sería el ascensor que Sohail había mencionado.

Este se posó sobre un rayo de luna no muy lejos de las tres ramas brillantes más grandes, donde había un trío de pájaros *chakora*. Parecían mayores que Sohail, con las plumas de las mejillas caídas y con la cola harapienta y mustia. Sohail habló con ellos en la lengua de los pájaros y los *chakoras* ancianos se giraron para mirar a los Patatas con arrogancia.

—¿Por qué has traído a estas criaturas hasta nosotros, Sohail? —preguntó el pájaro sentado en el rayo lunar más alto—. Sabes que los mortales no son bienvenidos en esta parte del mundo. ¿Qué quieren?

Sohail inclinó la cabeza y miró el *vajra* con pesar.

—He venido bajo el mandato de mi amado, que requería que tradujéramos un fragmento de luz lunar conservado. De este modo, yo respondo en nombre de los mortales y espero que les garanticen una audiencia.

—¿Locamente enamorado de nuevo? —soltó otro pájaro—. ¿Qué es esta vez? ¿Una linterna?

—¿Una lámpara olvidada en un campamento? —lo provocó otro.

—¿Los faros de un coche?

El resto de los pájaros se echaron a reír mientras Sohail bajaba la cabeza, avergonzado.

—Un coche es algo tremebundo. Y es cierto, me han tentado luces falsas en el pasado. Pero lo que siento ahora... es como darme cuenta de que me he pasado la vida entera entre las sombras.

Brynne puso los ojos en blanco y murmuró:

—¿Qué le va a pasar al pájaro este cuando vea una varita fluorescente?

Aru soltó una risita y miró a Mini, Rudy y Aiden. Pero estos no se estaban riendo. Mini tenía los ojos brillantes, Aiden tenía una expresión neutra en la cara, pero había melancolía en su mirada, y a Rudy le temblaba el labio... y luego empezó a aplaudir despacio con genuino aprecio.

—Sí, vale, perfecto —gruñó el pájaro más alto—. Entonces, quieres que les traduzcamos algo a estos mortales censurables. ¿Dónde está tu precioso amor? ¿Lo tienen cautivo esos niños odiosos?

—¡Oye! —gritó Brynne.

—¡No! —dijo Aru con vehemencia. Levantó el brazo, donde el *vajra* relampagueó—. Es un arma aterradora.

Los pájaros le echaron un vistazo al *vajra* convertido en pulsera y estallaron en ululatos y graznidos estridentes.

—¡Oh, Sohail sí que se ha pillado esta vez! —dijo uno después de ahogarse de la risa—. ¿Qué hará cuando se le acabe la batería?

Sohail no podía sonrojarse, pero Aru se percató de que las delicadas plumas en torno a las mejillas se le ahuecaban de vergüenza.

—Quizás yo vea algo que es invisible para vosotros —dijo con calma.

Una chispa de energía recorrió el *vajra*. Sin ni siquiera una orden de Aru, el rayo saltó hasta adquirir su tamaño real e impactante de, al menos, dos metros. Ni siquiera Aru lo había visto nunca así de grande. Por lo general, el rayo prefería ser sutil y compacto. Ahora el *vajra* recordaba a todos los cielos crepitantes transformados en una única forma zigzagueante. Las risas desaparecieron enseguida. El silencio solo se vio interrumpido por el clic repentino de la cámara de Aiden. Sohail miró con orgullo al resto de pájaros.

—Así brilla mi amado.

El *vajra* crepitó una vez más antes de volver a convertirse en una pulsera en la muñeca de Aru con aire elegante, como una reina que se ha dignado a sentarse a una mesa con plebeyos.

—¡Ejem! —dijo el pájaro más alto—. Bueno, yo, eh… Como podéis ver… Bueno…

El segundo pájaro más alto cogió el relevo:

—No trabajamos gratis. Nos da igual que seáis hombres, monstruos o dioses. Pedimos una compensación justa en forma de secretos.

—¿Para qué necesitáis los secretos? —preguntó Aiden.

—Atraen la luz de luna —contestó Sohail—. Y podemos disfrutar de ella.

—No tenemos secretos —dijo Aiden deprisa. Demasiado deprisa.

Aru hizo una mueca. Fue como echarles cebo a unos tiburones. El segundo *chakora* más alto voló hasta ellos.

—Ningún secreto, ¿eh? —preguntó, mirándolos con avidez—. Bueno, ¿por qué no lo comprobamos?

Al menos cien pájaros *chakora* se elevaron en el cielo.

—Oh, ¿es necesario? —inquirió Sohail con delicadeza—. ¿No es mejor persuadirlos para que nos cuenten los secretos mediante el respeto y la confianza mutuos?

La bandada lo ignoró. Movieron las alas y un polvo brillante cayó encima de Aru y sus amigos.

—¿Qué es esto? —preguntó Brynne.

Mini se tocó la nariz.

—¿Y si soy alérgica?

Rudy intentaba deshacerse de él con fiereza.

—¿Es…? ¿Es caspa de pájaros lunares? —dijo Aru—. Porque eso… —Se sacudió—. Es… —Se sacudió—. Inaceptable.

Aiden se miró las mangas cada vez más horrorizado.

—Obliga a contar secretos —dijo con la voz tensada por el miedo—. Mantened la boca cerrada…

—Quizás deberíais empezar con la moneda que tengáis disponible —dijo el *chakora* jefe mientras lo miraba directamente a él.

Aiden se llevó las manos a los labios antes de tambalearse hacia delante como si alguien lo hubiera atado con una cuerda y tirado de él…

—Siempre me presento voluntario como fotógrafo oficial en los bailes del colegio porque no quiero que nadie se entere de que se me da bien bailar —dijo a toda velocidad con los ojos dilatados—. Y, durante seis meses, practiqué el truco de las fichas de póker que Le Chiffre hace en *Casino Royale*. Pero no sé jugar al póker, por lo que no sé cuándo voy a usar ese truco.

A medio metro de distancia se formó un pequeño montón de polvo plateado en el suelo, el peso equivalente a los secretos de Aiden. Se dejó caer en la tierra, con las manos en el estómago y la vergüenza dibujada en el rostro. Rudy fue el siguiente. Se echó hacia atrás, pero la magia de los pájaros también funcionó con él.

—¡NUNCA HE BESADO A UNA CHICA! PRACTIQUÉ CON UNA GEMA, PERO ME AHOGUÉ.

Aru se llevó los dedos a los oídos.

—¿Tienes que gritar?

Se desplomó sobre las piedras mientras se sonrojaba intensamente.

Brynne tenía los ojos muy abiertos.

—Ah, esperad, no, no, no, no…

—Pedimos un secreto para hacer nuestro trabajo —dijo el pájaro—. Y todos deben pagar.

Brynne se puso azul mientras trataba de contenerse, pero ella también perdió la batalla. Aru pensó que iba a gritar, pero el secreto salió en forma de susurro:

—Le robé algo a Anila para que tuviera que venir a visitarme si quería recuperarlo.

Aru sintió empatía por su hermana, Aiden le cogió la mano y se la apretó con fuerza.

Mini se puso roja y soltó:

—Cuando pensaba que no había nadie mirando, practicaba con el estetoscopio de mi padre y mi osito de peluche. Mi hermano lo vio y se echó a reír, por lo que lo metí en una burbuja de fuerza y lo grabé mientras corría como un hámster.

Se sorbió los mocos de manera audible mientras las lágrimas le brillaban en los ojos y todos los demás estallaban en carcajadas. Ni siquiera Brynne reprimió una sonrisa.

—¿Por qué es un secreto? —preguntó—. ¡Deberías habérnoslo contado hace años!

—Fue muy cruel —dijo con pena—. La culpa sigue haciendo que me duela la tripa.

—¿Es como un hámster corriendo dentro de tu barriga? —preguntó Aru, a quien Mini fulminó con la mirada.

Los pájaros posaron sus ojos redondos en Aru y la invadió el pánico. Tras usar la llave viviente que le había abierto el alma al completo, había demasiado por exponer. Los otros tenían historias graciosas o un dolor comprensible. Secretos normales. Pero ella no. ¿Qué pensarían si acabara contando su secreto más profundo y oscuro: que no sabía si estaba luchando en el lado correcto?

No es que el Durmiente fuera el «correcto»... pero los *devas* tampoco lo eran.

Como dijera algo semejante, sus amigos no volverían a confiar en ella. ¿Y si contaba historias vergonzosas como que a veces practicaba conversaciones ficticias con Aiden? Aru prefería que se la tragara la tierra.

El colgante de su madre le palpitaba en el cuello y Aru recordó los tres agujeros que este tenía, cada uno con el tamaño perfecto para introducir la cuenta que contenía un fragmento del Durmiente.

Un secreto. Eso era lo único que querían los pájaros. Un secreto. No necesariamente suyo.

—Te toca... —le oyó decir al pájaro jefe.

Aru miró a Rudy.

—Dame la joya que sacaste del pico del águila.

—¿Qué? —preguntó.

—¡Ya! —gritó Aru.

Seguramente lo dijo con mucha firmeza, porque el chico serpiente rebuscó en la bandolera a toda velocidad hasta sacar la pequeña piedra azul. Tras tendérsela a Aru, esta la sujetó delante de los *chakora* ancianos. En cuanto la joya golpeó el suelo, el secreto del Durmiente estalló en medio de la arboleda.

Mientras las visiones aparecían, Aru giró la cara e intentó ahogar el sonido de su voz. Era demasiado doloroso ver cómo era en el pasado. Sentía una oleada de ira cada vez que pensaba en sus recuerdos. Quizás se hubiera convertido en un buen padre, pero le habían robado ese futuro... Todo por una profecía estúpida. ¿A quién debía culpar por cómo habían salido las cosas? ¿A él por fracasar a la hora de prevenirlo? ¿A su madre? ¿A sí misma por nacer?

Vio cómo crecía el montón de plata brillante hasta que se acabó la historia del Durmiente. Pensó que ya debía haber pagado bastante. La gema azul volvió hasta ella y Aru la introdujo en uno de los agujeros del colgante.

—Tramposa —dijo Aiden.

—Ya me conoces —respondió Aru.

Pero la voz le sonaba extraña en sus oídos.

—La traducción está pagada con creces —anunció Mini.

—¿Con creces? ¿Eso se come? —dijo uno de los pájaros ancianos con una risilla.

—Y sí —dijo con lentitud otro pájaro—. Vuestro secreto ha sido suficiente.

—Entonces, dinos cuál es la pista —lo apremió Aru.

Pero parecía que los pájaros todavía no habían terminado. Había un brillo ambicioso en los ojos negros y redondos del *chakora* más alto. Abrió las plumas y saltó desde el rayo de luna.

—Me resulta muy curioso —dijo mientras daba vueltas en torno a Aru— que tú seas el secreto que otro mortal ha utilizado en el pasado.

—¿De qué estás hablando?

—Creo que lo sabes bien, Arundhati.

TREINTA Y TRES

¿Qué encierra un nombre?

Aru miró al pájaro. ¿Cómo sabía su nombre completo? El *chakora* jefe debió de adivinar sus pensamientos, porque saltó sobre una roca que había frente a ella y empezó a coger algo del suelo con el pico. Por primera vez, Aru se percató de que allí había un nido, lleno de objetos brillantes.

—Arundhati, Arundhati —coreó—. Ah, sí, aquí está.

Cogió una piedra brillante con el pico, la sacó del nido y una visión apareció ante ella.

Aru contuvo el aliento mientras el Durmiente cobraba vida de nuevo y caminaba por el bosque *chakora*. Parecía tener la misma edad que cuando había visitado la cripta, pero había algo diferente en él. Llevaba los hombros encorvados, como si soportara un peso enorme, y tenía una mirada afligida.

—Si deseas pasar por nuestro territorio y continuar la búsqueda, deberás proporcionarnos un secreto —anunciaron los pájaros en la visión.

—Ya he dado suficiente —dijo el Durmiente con voz áspera.

Aru notó un escalofrío por los brazos. En la cripta había sacrificado los recuerdos su infancia, y se notaba. Llevaba la ropa raída y la alianza le bailaba en el dedo, como si hubiera perdido peso.

—Pero no nos has dado nada a nosotros —dijeron los pájaros.

El Durmiente inhaló hondo, como si estuviera recuperando las fuerzas.

—Un secreto… —Se puso la mano en el corazón y confesó—: Mi mujer me dijo que podía elegir el nombre de nuestra hija y he encontrado uno que espero que se adecúe a ella. La llamaré Arundhati, como la estrella de la mañana, para que mi hija siempre sea una luz en la oscuridad.

La visión desapareció.

—Este secreto te pertenece más a ti que a nosotros, Arundhati.

El *chakora* jefe empujó la piedra hacia un rayo de luz lunar; esta se elevó del suelo y flotó frente a ella. Antes de que pudiera agarrarla, la piedra brillante se introdujo por sí sola en el segundo agujero del collar. Dos recuerdos perdidos del Durmiente ahora pendían de su cuello.

Aru permaneció allí, paralizada. Se preguntaba cuántas veces el Durmiente había dicho su nombre antes de que su madre lo atrapara en la *diya*. ¿Solo aquella? ¿Dos veces? ¿Diez? ¿Habría pensado en el nombre mientras estuvo encerrado en esa lámpara durante todos esos años y habría llegado a odiarlo? ¿Y a ella? ¿O habría dado tanto de sí mismo que, al final, había dejado de importarle del todo? Aru no estaba segura de qué pensamiento era más triste.

En todos estos años, a Aru nunca se le había ocurrido preguntarle a su madre por el origen de su nombre. Deseaba haberlo hecho, aunque solo fuera para no haber sentido una sorpresa tan horrible al enterarse de la conexión con el Durmiente. Le había puesto un nombre por amor con la esperanza de que estuviera llena de luz. Y, aun así, cuando había hablado con ella por primera vez, no había ni amor ni luz en su voz, solo algo frío y extraño mientras se mofaba diciendo: «Ay, Aru, Aru, Aru... ¿Qué has hecho?».

Cerró los ojos.

¿Qué había hecho? Podía haberle devuelto la pregunta. ¿Qué había hecho él? ¿Qué habían hecho los dos? Y ¿qué significaba que le hubiera puesto un nombre? ¿Y si se parecía más a él de lo que pensaba?

—Solo es un nombre, Shah —le aseguró Aiden.

Aru se incorporó y al abrir los ojos se lo encontró al lado.

—Me llamo Aiden porque mis padres no se decidían y lo eligieron en Internet.

—Yo lo heredé de mi abuela —dijo Mini.

—Escogieron el mío porque daba buena suerte —anunció Rudy, arrogante.

Brynne resopló.

—Bueno, mi nombre literalmente significa «colina», y mi madre lo eligió porque acabé siendo una chica y no podía ponerme Brian.

Eso hizo que Aru la mirara con atención.

—¿Brian? ¿Te hubieras llamado Brian?

—Sí —respondió con una sonrisa—. ¡Cuidadito, mundo!

Aru se echó a reír, sintiéndose mejor.

—Solo es un nombre —contestó casi para sí misma.

Pero, en el fondo de su corazón, sabía que era más que eso. Era una promesa que le habían arrebatado, un tesoro que no se había dado cuenta de que había perdido. Antes de que se convirtiera en el Durmiente, Suyodhana era alguien que quería ser padre. Quizás fue él el primero que le puso el mote de Aru, como el aullido de un lobo: «¡Aruuuuu!». Quizás empezó como una broma entre ellos, en lugar de algo que se había inventado para reírse de sí misma antes de que el resto del mundo lo hiciera.

Notó el terrible dolor de la pérdida en el pecho, pero intentó ocultarlo. No quería sentir esa mezcla confusa de enfado, pena y malestar, mucho menos demostrarla. Haría que la gente pensara aún más que estaba destinada a fallarles, a convertirse en la hermana «no verdadera».

Aiden miró a los pájaros *chakora*.

—Hemos hecho lo que nos correspondía y desvelado nuestros secretos. Ahora os toca a vosotros. Leednos ese fragmento de luz de luna para que sepamos a dónde ir.

—¿Seguro que no os queréis quedar un poco más? —preguntó con tristeza Sohail.

Aru no se había dado cuenta hasta entonces de que había brincado para acercarse al *vajra*… y de que al rayo no parecía importarle. Los pájaros ancianos asintieron y se separaron de sus ramas de luna para volar en círculos encima de Rudy, que sostenía el fino panel. Los rayos de luna se movieron con ellos, trazando hilillos plateados que confluyeron en el misterioso mensaje, escaneándolo como un láser.

La voz de una mujer resonó por el bosque mientras las palabras iban apareciendo:

«Todo lo floreciente sabrá dónde está el árbol oculto,
Pero solo el oído correcto escuchará entre el tumulto.
Todo lo floreciente lo sabrá,
pero no siempre querrá hablar.
En las raíces más jóvenes os aconsejo buscar.»

Luego, la voz se apagó y Aru vio que sus amigos tenían la misma expresión confusa.

Sohail pio desde su rama:

—Me gustan los árboles. Y se me da genial tratar con todo lo que florece.

—El oído correcto… —repitió Rudy mientras miraba el mensaje, ahora en blanco—. Quizás esté hablando de mí.

—Creo que se refiere a Nikita. Lo siento —dijo Mini.

Sohail sacó pecho.

—Muéstrame a ese Nikita y lo derrotaré en honor a mi verdadero amor.

El grupo ignoró al pájaro.

—Una razón más para llegar hasta ella —anunció Brynne mientras miraba hacia el ascensor del palacio de la Casa de la Luna—. Ojalá supiéramos cómo funciona el ascensor. —Al llegar a esta última parte, utilizó una voz teatral y miró de forma significativa a Sohail.

El aludido voló de inmediato hasta el pilar de luz lunar y aterrizó junto a su botón de control.

—¡Yo sí lo sé!

En el horizonte, vieron un leve destello rojo. El amanecer se aproximaba y el pilar comenzaría a disolverse como el azúcar en el té. Los otros pájaros *chakora* graznaron y chillaron a medida que los rayos de luna empezaban a desaparecer.

—Vamos, Sohail —gritaron—. Vayamos a otro bosque iluminado por la luna.

Pero Sohail solo tenía ojos para el *vajra*. Inclinó la cabeza.

—Sé que se tiene que ir. Me encantaría ir con usted —soltó de forma lastimera—. Pero, aun así, puedo ayudarle, mi amado. Usted y sus compañeros pueden partir y yo me aseguraré de que lleguen a salvo. Pero apresúrense antes de que la noche desaparezca.

Corrieron hacia el ascensor. Tras un suave graznido de Sohail, el pilar de luz lunar se expandió, las dos puertas plateadas se abrieron y apareció un vestíbulo iluminado con sillas lujosas, mesas de cromo y cristal y unos retratos brillantes que forraban las paredes. Aunque el alba empezaba a iluminar el mundo exterior, las ventanas altas y estrechas del ascensor parecían mostrar una noche eterna.

—No teman —les explicó Sohail a los Patatas cuando entraron—. Es un viaje largo pero agradable.

Aru fue la última en subir. El *vajra* saltó de su muñeca para transformarse en un pájaro con alas eléctricas. Las movió dos veces y una ligera cascada de chispas cayó sobre

Sohail. El *chakora* dio una vuelta, disfrutando de su luz, antes de que el *vajra* volviera a convertirse en una pulsera en la muñeca de Aru. Una ligera sensación cálida le recorrió la piel, como si el rayo hubiera dejado escapar un suspiro.

—¡Hasta siempre, mi amor! —dijo Sohail quejumbroso. Justo antes de que se cerraran las puertas del ascensor por completo, el pájaro gritó—: Podríamos intentar mantener una relación a distancia.

TREINTA Y CUATRO

¿Qué es un Lidl?

Brynne se dirigió de inmediato hacia la mesa de aperitivos del ascensor.

—¡ME PIDO LOS SÁNDWICHES! —gritó.

—Cuidado, Brynne —le aconsejó Mini mientras caminaba tras ella—. Devoras la comida como si la estuvieras conquistando y, en serio, con lo rápido que comes te vas a atragantar. ¡O a perforar el estómago! Luego, tendrías peritonitis, sepsis… y acabarías estirando la pata.

Aru rio para sus adentros y se dedicó a examinar el resto del lugar. A unos tres metros del suelo de mármol blanco colgaban varios retratos dorados que solo podían pertenecer a Chandra, el dios de la luna.

—Es evidente que se quiere mucho —dijo Rudy tras colocarse junto a ella.

Chandra era increíblemente atractivo… y, al parecer, lo sabía. El dios tenía una piel pálida y brillante, con unas cejas arqueadas a la perfección sobre unos ojos oscuros y radiantes y una nariz pequeña encima de una sonrisa de superioridad permanente. Unas mechas plateadas surcaban su pelo azabache. En el primer retrato, llevaba un esmoquin cubierto de polvo de estrella y levantaba un vaso de algo burbujeante en un balcón bajo el cielo nocturno. En otro cuadro, estaba rodeado de mujeres preciosas que Aru identificó como las veintisiete *nakshatras* o constelaciones. Se había casado con todas.

—El Día de San Valentín tiene que ser una pesadilla —dijo.

—No, he oído que tiene una favorita: Rohini. Es quien se lleva la mayor parte de la atención —contestó Rudy.

Aiden, que había estado mirando por una ventana, los observó con expresión ensombrecida.

—Entonces, ¿qué? ¿A las otras esposas les regala una caja de bombones del Lidl y una tarjeta que ni se molesta en firmar?

—¡Qué específico! —contestó Rudy.

—Ya he visto algo así antes —dijo Aiden de forma tensa.

Por la manera familiar en la que había juntado las cejas y por la línea fina de su boca, Aru sabía que estaba hablando de su padre.

—¿Qué es un Lidl? —preguntó Rudy.

—Un supermercado —dijo Aiden.

—Ah —respondió Rudy con un asentimiento antes de añadir—: ¿Y qué es un supermercado?

—Donde las personas van a comprar comida.

—O a comer muestras gratuitas y dar botes de alegría —dijo Aru.

Aiden negó con la cabeza.

—Entonces, las personas compran comida… —repitió Rudy con lentitud mientras intentaba entender el extraño concepto—. ¿No tenéis sirvientes que os la traigan? ¿O los sirvientes vienen con la comida que compráis?

Aiden se pellizcó el puente de la nariz.

—Cuando volvamos, haremos trabajo de campo.

—¿Trabajar en un campo? —dijo Rudy, asqueado—. No, gracias.

—¿Y las otras esposas de Chandra? —preguntó Aru—. ¿Qué se llevan?

Ahora que las había visto, no podía dejar de mirar sus caras en los retratos. Todas eran preciosas, sí, pero una de ellas tenía las facciones más definidas y su traje desprendía más glamur que el de las demás.

—Venganza —contestó Rudy.

Brynne caminó desde la mesa del bufé con los carrillos llenos.

—¿Quién ha dicho «venganza»?

—Yo —respondió Rudy, a la vez que señalaba hacia el cuadro de las mujeres—. Esas constelaciones son las hijas del rey Daksha, quien se enfadó mucho cuando se enteró de cómo las trataba Chandra. Lo maldijo e hizo que empezara a marchitarse en el acto. El típico padre sobreprotector, vaya.

Brynne se quedó callada tras eso y Aru deseó, como otras veces, hacer callar a Rudy. Brynne no podía ponerle ningún pero a la manera en que Daksha había querido salvar a sus hijas porque su madre, Anila, no haría algo así. Mini señaló la fotografía de un Chandra musculoso con una camiseta sin mangas y un planeta en la mano.

—A mí no me parece muy marchito.

—Ya, bueno, es que Chandra le suplicó a Shiva que lo salvara. Shiva lo arregló de manera que Chandra muere poco a poco cada mes, pero después, vuelve a ser el mismo —explicó Rudy—. Las fases de la luna o algo así. —Miró los retratos de las constelaciones y se encogió de hombros—. Una pena para las demás esposas.

Brynne tensó la mandíbula.

—Sí, una pena. Tiene que ser la bomba ir por casa y pensar por qué alguien que debería quererte no lo hace.

«Ay, Brynne». Aru quería consolarla, pero no estaba segura de qué decir.

Aiden se apartó de la pared.

—¿Brynne? —preguntó con suavidad.

Esta se alejó con pasos decididos antes de decir por encima del hombro:

—Sohail ha dicho que es un viaje largo. Intentemos dormir para ver si podemos contactar con las gemelas.

Aiden suspiró y la siguió, pero se detuvieron en un rincón y empezaron a hablar en voz baja. Rudy pareció confuso durante unos instantes, pero, servicial, rebuscó en la bandolera. Tras unos segundos, sacó una piedra lunar envuelta en una cuerda plateada, decorada con campanas en forma de rosas. Era el mismo aparato que había usado para ayudarlas a dormir en la tienda.

—¿De dónde la has sacado? —preguntó Aru.

—De ningún sitio —contestó Rudy—. La hice yo mismo después de que mis hermanos me obligaran a ver esa película humana llamada *La maldición*. No pude dormir durante una semana.

Aru se estremeció. Odió esa película, lo que significaba que ¡ERA BUENÍSIMA! Estaba esa mujer muerta que soltaba graznidos y cuyo pelo le ocultaba el rostro. Una razón por la que Aru se dejaba el pelo largo era para poder salir de la ducha, caminar de forma extraña y desarticulada y asustar a los intrusos.

Los cinco se dejaron caer en los sillones afelpados. Rudy hizo un gesto complejo con la piedra lunar y la música se desprendió de ella antes de que una oleada de calma recorriera el cuerpo de Aru. Se colocó la almohada detrás del cuello, se quitó los zapatos y apoyó los pies en uno de los sofás blancos. A su alrededor, las estrellas relucían suavemente. Pensó en su nombre, Arundhati. «La llamaré Arundhati, como la estrella de la mañana, para que mi hija siempre sea una luz en la oscuridad», había dicho el Durmiente.

La verdad era que todo habría sido más fácil si nunca hubiera descubierto que se preocupaba por ella en el pasado. Que intentara con tantas fuerzas cambiar su futuro le hacía sentir un vacío gélido en el vientre.

En todos los recuerdos atrapados hasta entonces, había una respuesta que no había aparecido.

—Si el Durmiente llegó tan lejos en la búsqueda del árbol, ¿por qué se detuvo? —preguntó en voz alta—. ¿Qué le impidió encontrarlo y pedir un deseo para cambiar las cosas?

Aru miró a su alrededor, pero Brynne y Mini ya estaban dormidas. Cerró los ojos e intentó concentrarse en la música de Rudy, aunque no funcionó. Aiden estaba sentado en el sofá a medio metro de ella. La luz lunar tenía la capacidad de hacer que todo fuera precioso, aunque las personas como él no la necesitaban. A veces Aru sospechaba que cuanto más se acercaba Aiden a los cielos, más brillaba su sangre celestial, como si proclamara que era allí a donde él pertenecía. Sostenía la cámara entre las manos y cambiaba los ajustes.

Rudy se había sentado a su lado, en el extremo más alejado, a pesar de que Aiden le había señalado las muchas sillas vacías.

—No, aquí estoy bien —había declarado Rudy antes de acercarse.

Ahora estaba roncando, con la gema encantada que los ayudaba a dormir sobre el regazo y la mejilla en el hombro de Aiden. Este tuvo cuidado de no despertarlo mientras ajustaba a Sombragrís.

—¿Tengo algo en la cara, Shah? —preguntó al mirarla.

Aru ignoró la repentina calidez en sus mejillas.

—No —dijo antes de apartar la mirada—. Solo estaba pensando que deberías dormir también.

Se encogió de hombros.

—Soy un añadido Pandava, ¿recuerdas? No puedo seguiros hasta las reuniones astrales con las gemelas. Me puedo quedar despierto y sacar buenas fotografías. No he podido hacer muchas en el bosque *chakora*.

Ante la mención de la arboleda, el *vajra* brilló un poco. Quizás se acordara de Sohail.

—Yo no echo de menos ese sitio —dijo Aru, malhumorada—. Si me hubiera quedado un poco más, Sohail se habría desmayado al tener que verme la cara.

La música empezó a llegar de forma esporádica, entre cabezadas. Le pesaban los párpados y cedió ante la tranquilidad del sueño. Mientras Aru se rendía al sueño, juraría que oyó a Aiden decir:

—Quizás no te ha mirado bajo la luz correcta, Shah.

Pero debía de estar soñando.

Brynne, Mini y Aru se encontraban en un parque de atracciones onírico y horrendo. Estaba vacío y sucio y las montañas rusas rechinaban y se mecían con el viento. El cemento claro bajo sus pies estaba lleno de latas de refresco y envoltorios de comida rápida. Lo único que se movía era la noria, brillante y luminosa entre aquel paraje desolado. Se parecía a la noria en la que habían rescatado a las gemelas.

—¿Creéis que están aquí? —preguntó Mini.

—¡Por supuesto! —contestó Brynne.

—No sé —dijo Aru mientras miraba a su alrededor, dudosa—. Este lugar no parece seguro. No creo que Nikita quiera hablar con nosotras todavía.

Era difícil olvidar la forma tan vil en que Nikita las había echado de su último sueño. Mientras caminaban hacia la noria, Aru se fijó en unos detalles extraños. Se dio cuenta de que una de las cabinas tenía la forma de una mantarraya y, bajo las aletas, había miles de partituras, aunque estaban manchadas y destrozadas. Unas burbujas de jabón se balanceaban quietas y en silencio sobre sus cabezas como una serie de luces apagadas, con bailarinas que daban vueltas en el interior. Y, aunque el suelo de cemento parecía pálido y polvoriento, alcanzó a ver el diseño de lunares que lo decoraba. No había ni rastro de las plantas o los jardines caóticos que solían gustarle a Nikita.

—Este sueño no es de Nikita, sino de Sheela —comentó Aru.

La lógica del sueño no siempre tiene sentido. Un momento se estaba acercando a la noria y, al siguiente, se encontraban las tres de pie frente a la puerta abierta de un compartimento. A Aru le dio un vuelco el corazón cuando vio a Sheela sentada en el interior, con las rodillas pegadas al pecho y meciéndose despacio hacia delante y hacia atrás. Aru, Mini y Brynne corrieron hacia ella, pero Sheela levantó una mano.

—Os quiero, pero tenéis que alejaros de mí ahora mismo —dijo en un susurro.

Se giró hacia ellas con lentitud. Los ojos de color azul gélido no habían perdido el brillo plateado profético. Con un escalofrío, Aru recordó las últimas palabras que Sheela le había dicho: «Está cometiendo un error horrible… Y lo odiarás por su amor». Aru solo se hacía una pequeña idea de lo que podía significar.

—Ay, Sheela —dijo Mini con las manos en el corazón—. ¿Estás bien? Estamos tan preocupadas… ¿Estás herida? ¿Te dan de comer?

El sueño comenzó a desaparecer, el suelo se volvió más fino y se disolvió. Se oyó un fuerte chasquido, como un trueno, que azotó el cielo e hizo temblar el compartimento. Sheela gimió.

—Querían coger a Nikki, pero me atraparon a mí. Os necesita —dijo—. La encontraréis detrás de la estrella favorita de la luna.

El sueño tembló de nuevo y Aru extendió la mano, como si quisiera sacar a Sheela de la pesadilla.

—¿A dónde te han llevado? —preguntó Brynne—. ¡Dínoslo! ¡Dínoslo y te encontraremos!

Sheela parecía estar a punto de responder cuando una expresión singular le cubrió la cara. Luego, su voz adoptó un tono extraño…

—Lo sabe —dijo—. Sabe lo que buscáis y él también lo quiere.

Con el último estallido de un relámpago y un trueno, el sueño las echó de allí.

TREINTA Y CINCO

Donde el ciervo y el sirope juegan

Un golpe fuerte despertó a Aru. Se incorporó mientras le daba vueltas a la última imagen de Sheela, sola y aterrada. Dejó caer la cabeza entre las manos; ojalá supieran su ubicación. Seguía oyendo las palabras de Sheela: «Lo sabe».

—Estamos aquí —dijo Aiden.

Aru miró a su alrededor y se dio cuenta de que el ascensor se había detenido. Todas se levantaron y recogieron las cosas. Brynne se llevó un último sándwich para el camino. Las puertas se abrieron: Aru no sabía hacia dónde mirar e intentaba que no se le desencajara la mandíbula. El suelo era en realidad el cielo nocturno, que se desplegaba ante ellos como una carretera. Un cartel rotatorio con letras iluminadas por las estrellas anunciaba: BIENVENIDOS A LA AVENIDA NAVAGRAHA, EL CAMINO HASTA LAS ESTRELLAS. Todas las mansiones planetarias famosas estaban allí, en una enorme calle elíptica que parecía haber sido elaborada con cientos de cielos nocturnos cosidos entre sí. Una parecía tallada en una gigantesca esmeralda, otra estaba completamente decorada con amatistas, pero todas eran igual de extravagantes. Después de la última casa planetaria, había una puerta brillante envuelta en una niebla titilante que se diluía en una noche sin fin.

—Se llama la Puerta… del Nuevo Día —dijo Brynne mientras consultaba un pequeño mapa fijo a una plataforma cercana.

La avenida Navagraha era preciosa… y estaba extrañamente vacía.

—¿Dónde está todo el mundo? —preguntó Aru.

—Los seres celestiales se creen perfectos en su propio tiempo, lejos de las personas normales —gruñó Rudy—. Es como si pensaran que son mucho mejores que nosotros solo por tener un planeta. ¿Y qué? Yo mismo podría hacer un planeta con todas las joyas que tenemos, pero no me veréis escapando al espacio.

Aiden le dio un golpecito en la espalda.

—Ya pasó, príncipe rico. Siento que haya más gente adinerada en el mundo.

Rudy se sorbió los mocos.

—Es muy difícil.

Más adelante, una carretera diferente llevaba a la Casa de la Luna. La mansión brillaba como una moneda, enfocada por miles de rayos de luna.

—Vamos —dijo Brynne, poniéndose en cabeza.

La siguieron. En cuanto pusieron un pie en el jardín frente a la Casa de la Luna, este cambió y se expandió para revelar lo que parecían ser cientos de hectáreas bordeadas de árboles frutales plateados y estanques que reflejaban las lunas crecientes. Los pavos reales de colores gélidos cruzaron la nívea hierba lunar y un zigzagueante sendero de piedras pálidas y blancas marcó el camino hacia las imponentes puertas principales.

Cuando los Patatas llegaron hasta ellas, se abrieron solas y Brynne penetró en el interior con varias zancadas, a pesar del chillido de pánico de Mini.

—¿Qué? ¡No, para! ¿No deberíamos llamar o algo así?

—Si quisieran que hiciéramos eso, habrían mantenido la puerta cerrada —contestó Brynne.

En el vestíbulo, Aru dio una vuelta con el *vajra* en alto. De momento, la decoración de la Casa de la Luna se parecía bastante al interior del ascensor de cristal. Había muchos retratos de Chandra y quizás dos de Rohini, su esposa favorita. Una enorme escalera brillante subía en espiral desde el suelo y desaparecía en el cielo nocturno, que se veía a través de un techo abovedado translúcido. Varios sofás de marfil con la base de plata salieron corriendo cuando los Patatas entraron en el vestíbulo. Un par de sillones con cuernos de antílope relucientes como la plata soltaron un extraño bufido y caminaron por uno de los complejos pasillos recubiertos de espejos. Aru miró hacia el suelo, que también estaba hecho de espejos.

—Es evidente que le gusta admirarse —dijo Rudy.

—No lo culpo —respondió Mini. Los otros se giraron para mirarla y ella se sonrojó—. ¿Qué? —preguntó en voz baja—. No es un adefesio precisamente.

Del pasillo de la izquierda surgió el repentino sonido de pezuñas al galope. Los Patatas se tensaron, apretándose entre sí con las armas levantadas. Un antílope iluminado por la luna con el pelaje plateado, enormes ojos negros y cuernos esbeltos entró en la habitación. Aru lo reconoció de uno de los cuadros del ascensor. Tenía que ser la *vahana* de Chandra. La montura era igual de bonita que el amo.

Ella nunca había visto un antílope real, ni siquiera en el zoo de Atlanta. Durante mucho tiempo, creyó que un antílope era un sirope con cuernos, el primo feo del almíbar, lo que hacía que la canción *Home on the range* fuera muy confusa porque, cada vez que escuchaba *where the deer and the antelope play*, es decir, «donde el ciervo y el antílope juegan», pensaba que un bote de sirope enorme había adquirido conciencia y escapado del pasillo de los postres del supermercado.

—Os ha estado esperando —dijo el antílope de forma arrogante. Olfateó el aire y las armas antes de levantar la nariz—. Esas cosas no sirven aquí. Por favor, seguidme y no toquéis nada. Todas estas son piezas valiosas y mi señor tiene especial cuidado con sus tesoros.

Aru, al haber crecido en un museo, frunció el ceño y cruzó los brazos. Odiaba que la trataran como si no supiera estar rodeada de objetos de un valor incalculable. ¡Estaba muy versada en el protocolo! Mantén las manos en los bolsillos, espera hasta que nadie te vea y toca algo a escondidas con las dos manos antes de huir.

—Sirope estúpido —murmuró mientras seguía al resto de sus amigos por el pasillo.

El antílope los guio hasta una cámara enorme, llena de luz. El suelo también estaba compuesto de espejos y las paredes brillaban con gigantescos pedazos de piedras lunares y jade lechoso, con filigranas de plata. En el centro de la habitación, en un trono elaborado con cuarzo, se sentaba el propio Chandra con la barbilla apoyada sobre una mano y dándole vueltas perezosamente a una cuerda de color marfil en la otra. Parecía que había estado esperando su llegada bastante tiempo.

Alrededor del trono estaban las veintisiete diosas de las constelaciones. Todas llevaban un camisón largo de plata brillante. El pelo negro azabache, salpicado de estrellas, les llegaba hasta la cintura. Detrás de cada diosa, había una enorme puerta estrecha.

Aru negó con la cabeza y entrecerró los ojos. Por un momento parecía que… En su mente, oyó que Brynne decía: «¿Soy yo o todas las mujeres de Chandra son iguales?».

Este se puso en pie y abrió los brazos como si fuera a saludar a unos viejos amigos.

—¡Pandava! —dijo con alegría—. Esperaba esta visita. De mi parte y de la de mis queridas esposas, os doy la bienvenida a la Casa de la Luna.

Miró a las veintisiete diosas, que aplaudieron cada una a su manera. Sus rasgos faciales eran idénticos, pero un par de ellas parecían enfadadas; la mayoría, aburridas, y un puñado, un poco nerviosas.

—Supongo que no habéis venido hasta aquí para que os firme un autógrafo —dijo mientras se acercaba a ellos con grandes zancadas. Luego, hizo una pausa y levantó una ceja—. ¿O sí?

La *vahana* trotó a su lado.

—Sería una desdicha que no le pidieran tal regalo, mi señor.

—Lo siento —respondió Aru en voz alta—. No tengo ni bolígrafo ni papel.

—¡Vaya! Una pena —dijo Chandra.

—¿Cómo sabía que íbamos a venir? —preguntó Mini.

Chandra soltó una carcajada.

—Por favor, niña, a mí no se me escapa nada. Aunque no a todo el mundo le gusta eso, la verdad. Recuerdo haber sufrido un incidente particular cuando vi a Ganesh en una fiesta en Lanka, una ciudad que organiza los mejores eventos, por si os interesa. En cualquier caso, de camino a casa, su estúpida *vahana* rata se asustó por una serpiente y Ganesh se cayó. —Se rio de la anécdota que estaba contando y puso los brazos en jarra—. ¡Ah! —Suspiró al recomponerse—. La cuestión es que no pude evitar reírme. Al parecer, me oyó, lo que tiene sentido porque, quiero decir, literalmente tiene la cabeza de un elefante. ¿Qué más puedes hacer con unas orejas tan grandes, no?

—Conozco esa historia —respondió Aiden con tranquilidad—. ¿No le lanzó Ganesh su colmillo?

Chandra frunció el ceño y se acarició la mejilla.

—Eso no viene a cuento —contestó molesto—. La cosa es que sabía que ibais a venir. Como he dicho, lo veo todo. Por supuesto, tengo una vista de lince.

Hizo un gesto hacia las paredes, que cambiaron para revelar imágenes del mundo de noche. En una de ellas, Aru reconoció al grupo en el bosque *chakora*. Sintió un escalofrío recorrerle la columna. Si quisiera, Chandra podría delatarlos ante el resto del Consejo y no tendrían oportunidad de encontrar el árbol de los deseos.

—Sé lo que los *devas* se traen entre manos y lo que no —dijo Chandra con una sonrisa de superioridad tras dar una palmada—. Pensaron que las Pandava más pequeñas estarían a salvo aquí, lejos de los cielos, y acepté alojarlas. Una pena que una de ellas se perdiera por el camino.

«No parece muy arrepentido», pensó Aru.

—Sé que queréis recuperar a la otra —continuó Chandra—. Y no tengo necesidad de quedármela…

—Genial —respondió Aru mientras miraba a su alrededor—. Entonces, ¿dónde está…?

—Aun así —contestó Chandra—, no hay razones para que no podamos hacer un intercambio interesante. Mis esposas y yo necesitamos algo de entretenimiento de vez en cuando. —Brynne dio un paso al frente, sin duda dispuesta a protestar, pero Aiden la contuvo—. Si ganáis el desafío, os permitiré a todos, incluida vuestra hermana pequeña, salir de la Casa de la Luna. Además, no revelaré vuestro paradero a los *devas*. Incluso le quitaré el aparato de rastreo del cuello a la chica.

—¿Y si fallamos?

—Me entregaréis vuestras armas.

Aru se aferró instintivamente al *vajra*.

—¡No puedes quedártelas! —dijo—. No son tuyas. Pertenecen a…

—¿Indra? —preguntó Chandra poniendo los ojos en blanco—. Como si se fuera a dar cuenta de que algo ha desaparecido de entre su extensa colección. Créeme, niña, te dio lo que no quería. —El *vajra* se retorció indignado y lanzó chispas de electricidad por el brazo de Aru—. Y el bastón tiene un rasguño —dijo Chandra, señalando con el dedo el arma de Brynne. Luego, se acercó a Mini y se echó a reír—. ¿Un palo? ¡Qué mona!

La mirada de Chandra se paseó hasta Rudy y se centró en la bandolera naranja. El dios de la luna chasqueó los dedos y el bolso salió volando hasta sus manos. A medida que lo tocaba, el entusiasmo fue desapareciendo de su cara.

—¿Joyas rotas? —preguntó. Cogió una, la movió y una melodía triste y grave llenó el aire—. ¿Y las encantas con sonidos inútiles? Uf. —Le lanzó la mochila a Rudy, quien la cogió con fuerza. Sin embargo, cuando se acercó a Aiden, su interés volvió a aumentar—. Vaya, vaya, vaya —dijo con suavidad—. El cachorro humano de la propia Malini. ¿Qué tal está tu madre? Soltera, por lo que he oído. ¿Sale con alguien? —Aiden lo fulminó con la mirada y las cimitarras emergieron de debajo de sus mangas. Chandra soltó una carcajada seca—. No puedes protegerla, chico. Mírate. ¿Qué podrías hacerme?

Brynne lo interrumpió.

—Has dicho que podíamos recuperar a Nikita. ¿Cómo?

Chandra sonrió antes de hacer un gesto hacia sus veintisiete esposas.

—Estas son mis reinas, aunque quizás os suenen más por el nombre de *nakshatras*, las gloriosas constelaciones que deciden el destino de los humanos con cada movimiento —dijo con orgullo—. Y ahora…

—¿Cómo se llaman? —preguntó Aiden en voz alta con expresión de fiereza.

Chandra pestañeó.

—¿Que cómo se llaman? Bueno, está eh… mmm… Rohini, por supuesto. Luego… Hasta, Sravana, Revati, Pushya… Ashwini… Bueno, en cualquier caso, son diosas y son mis esposas. Y punto. Y han… —Hizo una pausa antes de fruncir ligeramente el ceño—. Han aceptado llevar el rostro de mi querida Rohini para este pequeño juego. Detrás de una de estas puertas se esconde el tesoro que buscáis, pero ¿cuál será? —dijo con un gesto. El dios de la luna rio para sí mismo antes de levantar un dedo—. Tenéis una oportunidad. Aprovechadla y conseguiréis lo que queréis para poder continuar vuestro camino. Fracasad y vuestras armas se unirán al resto de mis queridos tesoros.

TREINTA Y SEIS

¡Elige una esposa! ¡La que sea!

Aru hizo una pausa mientras barajaba mentalmente las opciones que tenían. Sopesó el *vajra* entre las manos y se preguntó si habría alguna manera de evitar las condiciones que Chandra había impuesto. ¿Podría el rayo explotar todas las puertas para que se abrieran a la vez? A su lado, Aiden miró a las *nakshatras*.

—No me puedo creer que haya hecho que todas se parezcan a Rohini —dijo con desprecio.

Rudy les guiñó un ojo a las diosas.

—Esa me acaba de sonreír.

Aru siguió la dirección de su mirada hasta una diosa con los labios curvados que enseñaba los dientes, con una sonrisa lobuna.

—Eh… claro.

—¿Qué puerta elegimos? —preguntó Mini.

—Si abrimos muchas a la vez, no importará —dijo Brynne mientras se arremangaba.

—Oye, Brynne, ¿qué estás…?

—¡A LA CARGA! —gritó.

Con un fogonazo de luz azul, Brynne se convirtió en un carnero con enormes cuernos curvos y se precipitó hacia una de las puertas. Aru, Aiden, Mini y Rudy se miraron entre sí durante unos instantes y también corrieron hacia delante. Aru sabía en lo más profundo de su ser que no era lo correcto, pero no quería quedarse allí mientras el resto hacía algo. Lanzó el *vajra* contra una puerta, pero el dios de la luna fue más rápido. Sacudió la muñeca y una cuerda de plata golpeó el rayo como una serpiente antes de tirarlo al suelo. Aru se detuvo de golpe y cogió el arma entre los brazos. Estaba flácida y sufrió un débil escalofrío.

—¿*Vajra*? —graznó Aru.

El rayo soltó un zumbido tenue y Aru lo apretó contra el pecho.

—¡TRAAAAAICIÓN! —vociferó el carnero Brynne cuando el látigo se envolvió en torno a ella y la hizo retroceder. Volvió a su forma habitual para salir del lazo y comenzó a mecer el bastón antes de que la cuerda se lo arrebatara de las manos y lo hiciera rodar por el suelo.

Cuando Mini intentó lanzar un hechizo con la *danda*, el látigo de Chandra entró en acción de nuevo. Se produjo un triste destello violeta cuando el arma se convirtió en un espejo entre los dedos de Mini. Rudy tenía en las manos una de las cimitarras de Aiden, pero no parecía saber cómo usarla. Bajó el brazo y el arma rayó el suelo. Aiden se escabulló justo cuando el dios de la luna arrojó el látigo. Giró para arrojar la cimitarra, pero la cuerda le alcanzó el pie y cayó de espaldas. El trono de Chandra se separó del podio y flotó sobre ellos.

—¿Qué? ¿Jugando sucio? —gritó antes de reso-
plar—. No parece muy inteligente. —Chandra chasqueó
los dedos y el suelo empezó a temblar y estremecerse,
el espejo se rompió y los fragmentos se separaron como
enormes bloques de hielo. Una gigantesca fisura se abrió
bajo los pies de Aru y esta dio un brinco extraño hacia la
derecha. Movió los brazos en círculos para recuperar el
equilibrio y vislumbró lo que había bajo las grietas del
cristal… ¡Nada! Solo el cielo nocturno y la promesa de
un suelo duro a miles de metros de distancia. El estómago le dio un vuelco incómodo—. Puesto que insistís
en no jugar de forma justa, subiré la apuesta —vociferó
Chandra.

Sus veintisiete esposas se encontraban ahora en una
zona de suelo intacto que era tan pequeña que se les salían
las puntas de los pies por el borde y los largos camisones
sueltos colgaban sobre el abismo oscuro. Ya no parecían
aburridas o enfadadas, sino asustadas. Un par de ellas intentaron retroceder un poco contra la pared, pero no tenían
espacio para moverse.

Aru miró a su alrededor mientras el pánico le compri-
mía el pecho. A su lado, Aiden y Rudy estaban apiñados de
manera precaria sobre un témpano de espejo apenas mayor
que un sillón. A la derecha, Mini estaba sentada, aferrada a
los bordes de un fragmento del tamaño de una almohada,
y Brynne hacía equilibrios sobre una pierna en un trozo
poco mayor que una bandeja. Por suerte, había sido capaz
de sujetar el bastón antes de que cayera.

—¡Es imposible! —dijo Mini.

—Oye, no os olvidéis de nosotros —vociferó Rudy, frenético, desde el otro extremo de la habitación.

Brynne movió el bastón por encima de su cabeza y un miniciclón apareció en la punta antes de bajar hasta el suelo. De forma experta, guio el viento por la sala para acercar los pedazos de suelo hasta que se juntaron como un enorme rompecabezas. Los chicos saltaron de un fragmento a otro hasta encontrarse en el de mayor tamaño.

—¡Qué ingenioso! —anunció Chandra con una palmada—. Tendré que acordarme de ese truco cuando el bastón de viento sea mío.

—No podemos idear nada mientras nos esté escuchando —se quejó Aru.

Mini asintió, luego le devolvió a la *danda* su forma original y la elevó. Un fogonazo de luz violeta formó una burbuja en torno a ellos. Chandra frunció el ceño y pareció gritar algo… Pero no podían oírlo.

—Nuestras armas no funcionan contra él —dijo Aiden—. Con la lucha no vamos a recuperar a Nikita.

—Entonces, ¿qué sugieres? —soltó Brynne.

Aru apretó los dedos alrededor del rayo y sintió su fuerza recorrerle el cuerpo. El *vajra* seguía débil, pero poco a poco iba recuperando poder. En su subconsciente, oyó la voz de Bu, las palabras con las que les taladraba el cerebro en cada pelea de entrenamiento:

—Somos mucho más que los objetos con los que luchamos —dijo Aru con firmeza.

Los cuatro se quedaron en silencio y ella sintió que, por primera vez, había acertado al cien por cien con las palabras.

—Quiero creérmelo —contestó Mini—. Pero, si llegamos al otro lado sin luchar, ¿cómo sabremos cuál es la puerta que debemos abrir?

—¿Recuerdas lo que dijo Sheela? —le preguntó Aru—. Podéis encontrarla detrás de la estrella favorita de la luna. Eso significa que Rohini está vigilando la puerta de Nikita.

—¡Pero todas se parecen a ella! —dijo Rudy.

—Aun así, Chandra solo quiere a una de ellas —le recordó Aiden.

Aru se dio cuenta de que ahí estaba la respuesta.

—No tenemos que adivinar quién es Rohini, solo tenemos que hacer que Chandra nos lo diga por accidente —observó Aru—. Luego, sabremos qué puerta abrir.

—¿Cómo lo vamos a hacer? —preguntó Aiden.

Al principio, nadie respondió, pero, después, Brynne carraspeó.

—Chandra me recuerda a Anila. —Miró al dios de la luna.

La expresión de Aiden se ensombreció.

—Ya veo por qué.

—¿Se supone que tengo que saber quién es esa? —preguntó Rudy.

—No —contestaron Aiden y Brynne a la vez.

—Las personas así demuestran quién les interesa solo cuando está en peligro —dijo Brynne.

Se tocó una zona del brazo cubierta en su totalidad por el montón de pulseras que llevaba. Aru vio una cicatriz brillante que le había dejado un desagradable accidente de cocina. Cuando una olla con agua hirviendo se había caído del fuego, Anila estaba al lado de Brynne, pero en lugar de apartar a su hija… había preferido salvar el monedero. Aquella herida de Brynne no era la primera cicatriz que le había provocado su madre, Anila, pero sin duda era la más visible.

—Entonces, ¿eso significa que debemos atacar a las diosas? —preguntó Rudy, conmocionado—. ¡Es horrible! Además, ¿y si se enfadan? ¡Podrían lanzarme una maldición! —Hizo una pausa—. Quiero decir, lanzarnos una maldición.

—Sería horrible si atacáramos de verdad a las diosas. —Mini sonrió y movió la *danda*—. Pero tenemos la ilusión de nuestra parte. Buena idea, Brynne.

Esta sonrió. Bu tenía razón, eran más que las armas con las que luchaban. A veces la debilidad parecía una espada con el filo hacia dentro, pero eso solo significaba que estaba lo bastante afilada como para transformarse en un arma. Solo se debía estar dispuesto a enfrentarse a ella y cambiar la manera de sujetarla. Eso ofrecía una magia más poderosa que cualquier arma celestial.

—Entonces, ¿qué hacemos? —preguntó Rudy.

—Lo que mejor se te da —dijo Mini mientras señalaba a la bandolera naranja—. Distraerlos.

Una sonrisa prudente le recorrió el rostro a Rudy.

—Muy bien, manos a la obra.

—A nosotros nos toca la defensa —dijo Aiden mirando a Aru, quien asintió y transformó el *vajra* en un arpón relampagueante.

—Bajo el escudo en tres… —anunció Mini mientras Rudy cogía la bandolera y la expresión se le tensaba por la concentración—. Dos… —Brynne tomó aire y cerró los ojos. Aru estiró la mano para coger la suya y esta le devolvió el apretón con tanta fuerza que, por unos instantes, dejó de sentir los dedos—. Uno.

El campo de fuerza desapareció y la voz de Chandra entró por el hueco:

—¿Ya os habéis rendido? —preguntó, hundiéndose en el pálido trono—. ¡Qué aburridos!

Una ráfaga repentina de viento separó el pelo de Aru de sus hombros. A su lado, se produjo una explosión de luz violeta. Veintisiete flechas plateadas con despiadadas puntas flotaron en el aire sobre las manos de Mini. Rudy aplastó una joya con el talón y el silencio absorbió todo el ruido de la habitación. Un segundo después, se oyó un sonido rítmico, como el ulular de la lluvia sobre un tejado. Incluso Aru sintió la magia de la música alterarle los sentidos. En el trono, Chandra estiró el brazo hacia el látigo, pero los ojos se le desenfocaron y se quedó quieto.

—Ahora, Brynne —gritó Rudy.

Su hermana levantó el bastón por encima de la cabeza. Con una ráfaga de viento, las veintisiete flechas de Mini se elevaron y se precipitaron hacia las constelaciones.

—¡Corred! —gritó Brynne.

Los cinco Patatas corrieron por la habitación, saltando de un fragmento de suelo a otro mientras el abismo sin fondo se abría a sus pies. Las flechas se dirigieron hacia las esposas. Aru miró hacia arriba y vio cómo se les dilataban los ojos mientras pasaban la mirada de las armas a su aturdido marido. Quisieron entrar en las puertas asignadas, pero tenían los pies pegados al suelo. La rabia les inundó la expresión y un coro de voces distintas gritó: «¡Chandra!» o «¡Esto ha ido demasiado lejos!».

El dios de la luna por fin les prestó atención. Se giró en el asiento para examinar a sus esposas mientras las flechas zumbaban cada vez más cerca. Seis metros, cuatro metros… tres.

Chandra unió el suelo y se lanzó hacia la puerta cinco antes de abrazar a la mujer en un intento por protegerla. «Rohini», pensó Aru.

Mini chasqueó los dedos y las flechas desaparecieron. Chandra miró hacia arriba, asombrado. Aru y Aiden lo apuntaron con las armas. En las manos de Aru, el *vajra* se había vuelto más sólido, más poderoso.

—¡Ábrela! —le ordenó antes de dirigir el arpón contra la puerta y soltarlo.

El *vajra* se estrelló contra la quinta puerta, que se abrió con un chirrido. La niebla inundó la habitación. A Aru el corazón le iba a mil por hora. ¿Habrían cometido un error? ¿Lo habrían hecho todo mal? Pero, cuando la niebla se dispersó… ahí estaba Nikita, dormida en el suelo.

Inclinada hacia delante, con las manos apoyadas en las rodillas y jadeante, Brynne sonrió a Chandra.

—Ganamos nosotros —dijo.

TREINTA Y SIETE

Los dioses nunca se echan la siesta. Uf.

—¡Habéis ganado haciendo trampas! —dijo Chandra—. ¡No acepto la derrota!

—Entonces, ¡deténganos! —gritó Brynne.

Aru miró a su espalda y vio a Chandra dar un paso hacia ellos y titubear. Era como si su propio palacio supiera que el grupo Pandava había ganado de forma justa y no lo dejara acercarse más. Intentó usar el látigo, pero este se negó a elevarse del suelo de espejos.

Aru se inclinó junto a Nikita. Llevaba un vestido hecho de flores azules, todas ellas cerradas como si estuvieran echándose una siesta.

—¿Nikita? —preguntó antes de tocarle el hombro.

Pero no se movía. Mini le comprobó la temperatura, le sostuvo la muñeca y miró el reloj para controlarle el pulso.

—No lo entiendo —respondió—. Parece que está bien.

—Saquémosla de aquí —dijo Brynne, sosteniéndola en brazos.

Nikita dejó caer la cabeza y Aiden se apresuró a colocársela en el hueco del codo de Brynne.

—Cuidado con la cabeza —la reprendió.

Rudy estaba vigilando en el umbral. Un par de esposas de Chandra se asomaron por la puerta antes de retirarse para dejar salir al grupo Pandava. El resto de las constelaciones habían rodeado a Chandra. Ahora, sus rostros de veintipocos años eran totalmente distintos entre sí. Algunas tenían el ceño fruncido. Una de ellas se alejó con las manos en alto antes de declarar:

—¡Se acabó! Necesito un baño de burbujas.

Otras miraron a las Pandava, inclinaron la cabeza a modo de aprobación (¿o quizás como disculpa?) y se desvanecieron en el acto. Varias se quedaron para regañar a su marido.

—No nos contaste que estaríamos ancladas al suelo —soltó una.

—Somos constelaciones, querido —resopló otra—. ¿Crees que puedes detener a una diosa estrella solo por estar casado con ella?

—No olvides que tu poder crece y decrece gracias a nosotras —le recordó una tercera.

Chandra languideció ligeramente y pareció encogerse de verdad ante las miradas de enfado de sus esposas.

—Vale, vale, cariños —dijo—. Solo era por precaución. No pensaba que fueran a…

—¡Menuda novedad! —contestó otra esposa con un bostezo.

—¿Y hacerlas idénticas a mí? —preguntó Rohini—. ¡Qué ordinariez!

—Si alguna vez te preocuparas de mirarnos a las demás, quizás habrías sido más creativo —añadió otra diosa estrella con lágrimas en los ojos.

—Pero, queridísima… —dijo Chandra mientras estiraba el brazo hacia Rohini, pero ella se zafó de él y se giró para mirar a Aru y a los demás.

—Mis hermanas y yo os garantizamos que tenéis nuestra bendición para salir de la Casa de la Luna —dijo mientras levantaba la mano.

El corazón verde del cuello de Nikita se volvió más tenue. Rohini había cumplido la promesa de Chandra de desactivar el artilugio de rastreo.

—Solo quería una de sus armas —gruñó Chandra—. ¡Haced que me den uno de sus juguetes!

—Se ha acabado tu hora de poder, querido —dijo otra diosa estrella.

De repente, Chandra se mostró distinto. Parecía más joven y pequeño, como un adolescente. Los brazos musculosos eran ahora delgados y esqueléticos. Tenía incluso algunos granos en la barbilla y en la frente, y la voz se le quebró al quejarse. Una de las esposas rio y le dio un toquecito en la cabeza.

—Vamos, maridito —dijo—. La luna ya no está completa en el cielo y sabes que tu fuerza se desvanece con ella. Es hora de irse a la cama.

Chandra hizo un puchero.

—¡Que no quiero irme a la cama! Soy un dios.

—Sí, sí —respondió otra esposa antes de cogerlo de la mano—. ¿Quieres leche con galletas? ¿O solo leche?

—Leche y galletas.

—Si te portas bien, dejaré que te sientes conmigo mientras reviso los informes lunares —dijo otra diosa estrella.

—Pero quería quedarme con todas sus armas —gimió, a la vez que agitaba una mano hacia Aru, Mini y Brynne.

La *vahana* antílope de Chandra caminó a su lado. De vez en cuando, le daba un empujoncito con el hocico. El dios de la luna ni siquiera se giró para despedirse de las Pandava, pero les daba igual.

—Os pido disculpas por Chandra —dijo Rohini cuando él y las otras reinas constelaciones se hubieron marchado—. Nuestro marido no suele ser la persona que acabáis de conocer. Cualquiera diría que la maldición de nuestro padre es lo mejor que le pudo pasar. Lo convirtió en alguien amable. Puede ser considerado y reservado, inspirador y alegre. Pero, durante cuatro días al mes, debemos soportarlo en su peor momento. La casa entera se pone patas arriba, toda la decoración cambia y puede ser bastante molesto. Pero nos las apañamos.

—¿Tienen que soportar eso cuatro días al mes? —preguntó Rudy con un estremecimiento.

—Las mujeres están acostumbradas a sufrir molestias cada mes —respondió Rohini, enarcando una ceja.

Hizo un gesto amplio y la sala de la que habían sacado a Nikita se convirtió en un pasillo que llevaba de vuelta al espléndido barrio que unía todas las mansiones planetarias.

—Rápido —dijo—. Solo falta un día para la festividad del Holi y este es el camino que debéis seguir. —Señaló la avenida.

Aru entrecerró los ojos.

—¿Sabe algo que nosotros no sepamos? —preguntó, aunque al instante se arrepintió de la manera en la que había formulado la frase.

—Inevitablemente —respondió la diosa—, pero eso solo lo podemos conocer mis hermanas y yo, vosotros debéis descubrirlo. Ahora, para salir de este lugar, tenéis que pasar por la Casa de Saturno. Tened cuidado con la funesta mirada del dios Shani o nunca llegaréis a la Puerta del Nuevo Día.

Mini levantó una mano con timidez.

—Eh, perdone… pero ¿qué le pasa a Nikita? ¿Por qué no se despierta?

Rohini frunció el ceño.

—Mi marido le habrá dado alguna bebida para dormirla porque estaba muy nerviosa por lo de su hermana. Con un par de ruidos fuertes debería ser suficiente, aunque no me arriesgaría a hacerlo en este lugar. Esperad a llegar al mundo mortal.

«¿El mundo mortal?», pensó Aru. ¿Debían volver allí para salvar el Más Allá? Aún no habían encontrado el árbol y Nikita era su única esperanza…

Aru se detuvo en las escaleras frontales del palacio antes de seguir a sus amigos. Había leído en muchas historias las consecuencias terribles de mirar atrás cuando uno debería continuar. La esposa de alguien podría convertirse en un montón de sal o en un fantasma y volver al Más Allá o…

¿Por qué siempre eran las esposas? ¡Qué injusto! Menos mal que ella no tenía esposa. Miró a Aiden, iluminado por la luz lunar. Él se giró hacia ella con una sonrisa en los labios y Aru apartó la mirada a toda velocidad. No, definitivamente no era una esposa. Los ojos de Rohini y los suyos se encontraron.

—¿Sí, hija de Indra?

—Me preguntaba si… Bueno… nos ha hablado de todas esas cosas sobre el camino que debíamos tomar y eso y esperaba que me dijera si… eh…

La diosa estrella pareció adivinar la pregunta que Aru no se atrevía a formular.

—Te estabas preguntando si, quizás, ibais por el camino correcto, ¿no? —sugirió Rohini. Aru asintió—. «Correcto» es una palabra que inventaron los humanos, pequeña —dijo la diosa estrella—. Todos somos pespuntes en una tela demasiado vasta para comprenderla. Pero, a lo mejor, eso es bueno, porque significa que siempre estamos donde se nos necesita.

Rohini estiró la mano hacia el oscuro Barrio de las Estrellas y, durante unos instantes, el mundo desapareció. Aru solo vio el inmenso cosmos brillante y, en su interior, cada objeto, lugar y sentimiento elaborado con las miles de decisiones de millones de personas. Solo con mirarlo le dolió la cabeza. Para ser sincera, apenas entendía una milésima de lo que Rohini le estaba mostrando.

—Ocurra lo que ocurra con nosotros, podemos elegir —dijo Rohini—. Decidimos cómo mirar la vida. Decidimos con qué podemos vivir y con qué no. Solo tú puedes elegir. —Rohini chasqueó los dedos y las imágenes desaparecieron al instante—. Ahora vete, Arundhati, llamada así por la estrella de la mañana —dijo con calidez—. Tu padre se ha enterado de la búsqueda de las Pandava… y tenéis mucho que hacer aún.

TREINTA Y OCHO

Alguien tiene una mirada ardiente.
Literalmente.

Igual que el resto de los palacios planetarios, la Casa de Saturno era lujosa y espléndida. Estaba elaborada con ónix macizo decorado con vetas de plata, pero deteriorada, como en uno de esos mercadillos donde puedes encontrar una bañera rota junto a una colección de vasos adornados con oscuros personajes de *Star Wars*. Desde donde estaba, Aru alcanzó a ver un televisor destrozado, una mesa de billar rota con los palos partidos, una pizarra medio quemada y un juego en llamas de CREA TU PROPIO TERRARIO, todo tirado en la base de un arco enorme del que salían volutas de humo que se arrastraban por el viento.

En el extremo más alejado del jardín se cernía la reluciente Puerta del Nuevo Día. A medida que se acercaban, Aru vio que era tan grande y sencilla como la puerta de la cafetería del colegio, salvo por que parecía hecha de mercurio. Temblaba y vibraba, como si estuviera en un estado constante de cambio.

—Bueno… nada de esto me huele bien —dijo antes de darle un golpecito con el pie a una de las cosas rotas del suelo.

—¿Era a esto a lo que se refería Rohini con «funesta mirada»? —preguntó Mini—. ¿A que Shani mira las cosas y las rompe?

Rudy asintió.

—Eso me han dicho.

—Entonces, tenemos que movernos con el mayor sigilo posible —anunció Brynne.

Aiden aupó a Nikita sobre su espalda.

—Cuidado, Brynne.

Antes habían sacado parte de los materiales de *camping* de la bolsa de Aiden y la habían convertido en una mochila humana para que llevara a Nikita. Probablemente fuera bueno que esta estuviera inconsciente. Aru se imaginaba a la gemela adicta a la moda poniendo mala cara al ver todo aquello. Con un fogonazo de luz, Brynne se transformó en una serpiente azul que se deslizó en silencio y fácilmente por el patio abarrotado. Rudy rebuscó sin hacer ruido dentro de la bandolera para sacar una joya violeta y susurrarle algo. Enseguida, un sonido grave se extendió por el patio… el sonido de las cosas indiferentes, como el de alguien escribiendo con el teclado en una oficina, el golpe ocasional de un libro al caer de la estantería de una biblioteca o el de las cigarras en verano.

Nada fuera de lo común, nada remarcable.

Aiden sacó las cimitarras con lentitud mientras miraba a su alrededor, a la vez que Aru seguía los pasos de Brynne. Incluso con la música encantada de Rudy, Aru sentía un cosquilleo leve en la espalda. Pasaron dos minutos… tres… y la Puerta del Nuevo Día se acercaba cada vez más, haciéndose más grande con cada paso.

—Hasta ahora, todo bien —susurró Mini, al mismo tiempo que pasaba con cuidado por encima de un xilófono destrozado.

—¿Un xilófono? —preguntó Aru, mirando al suelo—. Seguro que también tiene un triángulo eléctrico...

Brynne, la serpiente, giró la cabeza con brusquedad y siseó. Aru sintió un zumbido tenue en el cráneo, como si Brynne le estuviera intentando mandar un mensaje, pero algo de la Casa de Saturno lo impidiera.

—No... no logro enviar mensajes mentales —dijo.

Concentró su energía para tratar de impulsar las palabras hacia Brynne y Mini, pero era como si hubieran construido un muro en torno a ellas.

—¿Qué ocurre? —quiso saber Mini, acariciándose la sien.

Brynne siseó de nuevo.

—En lenguaje serpiente, eso significa «¡Callaos!» —dijo Rudy con amabilidad.

Aru puso los ojos en blanco.

—¡No estamos haciendo ruido!

Aiden le dedicó una mirada punzante y ella se centró de nuevo en pasar de puntillas sobre un agujero con agujas de ganchillo rotas, un juego de velas, tres tocadiscos y una serie de libros para colorear. Esperaba que el problema de la conexión mental se resolviera en cuanto llegaran al mundo humano.

—¡Vaya vertedero! —dijo Aru mientras esbozaba una mueca al sacudirse un poco de pintura seca de las deportivas—. ¿No sabe lo que es el reciclaje o qué? —Solo entonces, un escarabajo plateado le trepó por el pie—. ¡Bicho! —anunció medio susurrando, medio gritando.

—¿Qué esperabas entre tanta porquería? —preguntó Mini, aunque también se estremeció cuando el escarabajo plateado se acercó a ella.

Para entonces, la puerta estaba a una carrera de distancia. Brynne se deslizaba más rápido. Aru sintió una histeria imprudente hirviéndole en el pecho. Se acababa, una vez que llegaran al mundo mortal, todo se arreglaría. Nikita se despertaría y los ayudaría. Aru miró de reojo a la gemela. Dormida, la chica seguía con el ceño fruncido, pero la corona de flores parecía recuperada.

Un fuerte «¡Mec, mec!» rompió el silencio del territorio de Saturno.

—Hay alguien ahí —dijo Aiden.

Brynne se escondió bajo una revista. Mini lanzó un escudo de invisibilidad sobre el resto mientras la canción de Rudy se detenía de forma abrupta. Contuvieron el aliento a la vez que miraban en torno al patio lleno de basura e intentaban entender de dónde provenía el ataque… pero todo permanecía en silencio. Quizás solo era el sonido de uno de los instrumentos rotos. Quizás una batería que se estaba agotando. Mini bajó el escudo. Brynne se transformó en sí misma de nuevo. El corazón de Aru latió de alivio. Rudy suspiró.

—Bueno, ha estado cerca…

«¡Ding, dong! ¡Ding, dong! ¡Ding, dong!». A la izquierda de la Puerta del Nuevo Día, en la cancela negra azabache que marcaba el final de la mansión de Saturno, un *yaksha* de piel pálida con un bombín había llamado al timbre tres veces. Dejó caer una caja de comida a domicilio y, sin molestarse en esperar, se metió en el pequeño carruaje de plata antes de salir de allí tan rápido como pudo.

La tierra empezó a temblar bajo sus pies. Brynne se acercó a ellos a toda velocidad para correr hacia la Puerta del Nuevo Día, pero el suelo se movía demasiado y no conseguían mantenerse en pie. Del interior del palacio surgió una voz agradable.

—¡Vaya! ¡Asombrado me hallo! Había oído que erais veloces, pero dos segundos es rápido incluso para la División Celestial de Uber Eats.

Shani, lord de Saturno, se echó a reír mientras emergía del vestíbulo. Aru nunca se había planteado cómo sería conocer a un planeta… y, en su imaginación, siempre había pensado que Saturno poseería un anillo gigante, como un *hula hoop* paralizado. Shani no tenía ningún *hula hoop*. En lugar de eso, iba vestido con un camisón de seda a cuadros y unas alpargatas en forma de pato con dos pequeños espejos en la frente. Tenía la piel de color violeta intenso decorada con estrellas, pero fue la cabeza lo que la sorprendió. Cuando la mayoría de la gente la levantaría para mirarte a los ojos, Shani solo miraba al suelo. Pareció fruncirles el ceño a sus pies, y Aru se dio cuenta de que debía estar mirando su reflejo en las alpargatas de pato.

—Esperad… Vosotros no sois los repartidores, ¿no? —preguntó antes de mover una bolsa con monedas—. Si no, no tengo suficiente dinero para la propina.

TREINTA Y NUEVE

Y yo... ¡Ups!

—No somos repartidores —dijo Aru.

—¡Qué alivio! —respondió Shani antes de guardarse las monedas—. Entonces, ¿qué hacéis aquí? ¿Habéis venido a arreglarme el lavabo?

—¿Qué le ocurre? —preguntó Mini.

—Bueno, hace un ruido raro, como un gruñido...

—No estamos aquí por el lavabo —lo interrumpió Brynne—. Estamos intentando llegar a la Puerta del Nuevo Día. Tenemos que hacer negocios urgentes de parte de los cielos.

—¿Negocios urgentes? —inquirió Shani, incorporándose—. ¡Contadme! He estado un poco desconectado, por desgracia.

—Tenemos un poco de prisa. Lo siento —contestó Aru.

Shani se detuvo.

—Un segundo. Jóvenes, chicas, voces agudas... acceso al Más Allá y a los cielos... negocios urgentes... ¿Sois...? ¿Sois las Pandava?

Brynne levantó la barbilla.

—Así es.

—También estoy yo —anunció Rudy, resentido—. Un príncipe *naga*.

—Y yo —añadió Aiden, alzando la mano—. No soy un príncipe ni un Pandava. Bueno, más o menos, pero me parezco más a un «añadido»… —Se fue apagando con la cara roja de repente.

Brynne dio un paso hacia la Puerta del Nuevo Día.

—Entonces, ¿podemos pasar?

—¡Vaya! —dijo Shani antes de dar palmas con entusiasmo y saltitos con los pies cubiertos con las alpargatas de pato—. ¡Pandava! ¡Pandava de verdad! ¡Qué emoción! Contadme, ¿qué noticias me traéis de los mundos inferiores? Echaría yo mismo un vistazo, pero no suele acabar bien. —Con tristeza, se rascó la coronilla.

—Siento si le parezco grosera, pero… ¿por qué no puede mirar hacia arriba? —preguntó Mini.

Shani frunció el ceño y negó con la cabeza.

—Tuve una pequeña pelea con mi mujer hace un tiempo. No se debe ofender a una esposa, sobre todo si es la diosa de las artes, con habilidades excepcionales para las maldiciones. —Suspiró—. Me pasé un día entero leyendo un libro nuevo. Creo que es un antiguo tomo humano llamado *Crepúsculo*. Me gustó mucho. En cualquier caso, mi querida reina me preguntó si le sentaba mejor el camisón de rosas o el de estrellas y contesté que me daba igual, porque estaba instruyéndome sobre vampiros. Puesto que no tuve tiempo de mirarla y, por lo tanto, le arruiné el día, me echó una maldición según la cual mire lo que mire acabará destruido.

Mini se mostró horrorizada.

—¿Siempre?

Shani se masajeó las sienes.

—Bueno, no, no siempre. Al final, cedió y me dio unas gafas que me permiten mirar las cosas, pero debo tener cuidado de no hacerlo alrededor de las lentes. Un día estaba leyendo en la cama y se me cayeron las gafas por el puente de la nariz. ¡Chamusqué el nuevo edredón! Estaba hecho de hilo de dos mil estrellas y era muy cómodo. Por desgracia, estaba justo a la mitad de un *thriller* romántico.

—¿Qué ha pasado con las gafas? —preguntó Brynne antes de dar otro paso hacia la Puerta del Nuevo Día.

Shani continuó:

—Bueno, habréis notado que hay una cantidad horrible de escarabajos correteando por aquí. —Frunció el ceño—. ¡Es culpa de Ratri! Se niega a usar pesticidas y no para de hablar de sueños orgánicos en la arboleda.

Mientras decía esto, Aru se dio cuenta de que otro escarabajo plateado se acercaba a ellos. Le dio un codazo a Brynne en las costillas.

—Odio a esos bichos —musitó Shani—. Son unos asesinos perversos. Hicieron que destruyera mis propias rosas moradas. —Señaló hacia la arcada incinerada. Aru le dio otro codazo a Brynne mientras mantenía la mirada fija en el escarabajo que se aproximaba, pero esta no se percató. Aru intentó llamar la atención de Mini, pero estaba escuchando entristecida el relato de Shani. Además, los mensajes mentales seguían sin funcionar—. Me pillaron por sorpresa, di un salto, se me cayeron las gafas y las pisé. Uf. —Shani suspiró—. Manda se marchó hace unos días para comprarme un par nuevo, pero tenía que ir a visitar a su hermana y esas cosas llevan su tiempo. Por ahora estoy muy aburrido y cada vez que intento leer algo, se convierte en llamas o me entra dolor de cabeza. Y olvidaos de las películas. Traté de ver *Los Vengadores* con un espejo y acabé chamuscando el aparato por completo.

—Podría probar con un audiolibro —sugirió Aiden.

—¿Por qué querría un libro que espiara mis conversaciones? —preguntó Shani.

—No, un narrador le lee el libro.

Shani inclinó la cabeza.

—¡Qué brujería más maravillosa…!

Brynne carraspeó antes de señalar la puerta con la cabeza. Aru dio un paso al frente. Shani no pareció darse cuenta, por lo que se arriesgó a dar otro más. Solo veinte más y podrían abrir la Puerta del Nuevo Día para escapar al mundo mortal.

—Sí, la humanidad es una locura —dijo Aru, al mismo tiempo que deseaba que Shani no viera el bicho—. Bueno, ha sido genial hablar con usted.

—Oh, no os vayáis todavía —les suplicó Shani—. Me siento tan solo. ¿Un té? Puedo hervir el agua con una mirada, aunque el azúcar sabe a quemado, lamentablemente.

—No, gracias —respondió Aru—. Nos tenemos que ir.

El bicho se acercó aún más. Por fin, Aru captó la atención de Brynne, luego formó un puño con una mano y lo golpeó contra la palma de la otra. Brynne frunció el ceño. «¿Quieres un mortero para moler especias?», gesticuló con la boca. Detrás de ellos, Rudy graznó:

—¡Parásito!

—¿Qué? —preguntó Shani con brusquedad—. ¿Dónde?

—No ha dicho parásito —dijo Aru.

—Entonces, ¿qué ha dicho?

—Ha... eh... ha dicho... eh...

—¡Abracito! —dijo Aiden con alegría—. Quiere que le dé usted... un abracito.

—¿Sí? —preguntó Shani.

—¿Sí? —repitió Rudy. Aru lo fulminó con la mirada, por lo que el chico tragó saliva con fuerza—. ¡Sí! —dijo antes de buscar algo más que decir—. Ya sabe, es difícil no ver las cosas con claridad. Yo lo sé porque soy daltónico. Pero piense que así experimenta la realidad... de una forma distinta.

—Oh, bueno, ¡qué bonito! —dijo Shani, dando una palmada—. ¡Me gusta abrazar! —El planeta abrió los brazos.

—Te dejaremos la puerta abierta, Rudy —vociferó Brynne al tiempo que daba otro paso al frente.

Mientras tanto, el bicho había ido avanzando hacia ellos. Aru lo señaló con énfasis y Brynne, por fin, se percató. Lo apuntó con el bastón de viento para intentar alejarlo. Se quedó boca arriba, pero se levantó. Parecía incluso más decidido ahora. Una luz plateada emanó del caparazón duro. Abrió las alas. ¡Oh, oh!

El bicho se lanzó hacia delante y Aru se dio cuenta de que se dirigía a las alpargatas de Shani. Rudy le dio un abrazo rápido y extraño. Shani empezó a hablar sobre lo triste que era que nadie leyera poesía hoy en día. Aiden se inclinó hacia delante, con Nikita rebotando en la espalda, al mismo tiempo que intentaba matar al bicho con las cimitarras, pero Mini lo detuvo.

—¡Es un ser viviente! —le recordó.

Shani dijo:

—Es cierto, niña. La literatura es un ser viviente, igual que los mitos. Los cuentos de hadas ganan vida cada vez que se cuentan. Eso que has dicho ha sido muy inteligente por tu parte...

—Ese ser viviente podría hacer que nos mataran a todos —soltó Aiden mientras trataba de atravesarlo una vez más con el filo.

Shani frunció el ceño.

—¿Matar? Bueno, hay gente que ha muerto por hacer arte...

El tiempo se ralentizó y todo se salió de madre. Mini intentó atrapar al bicho con un campo de fuerza, pero calculó mal y solo consiguió que el escarabajo rebotara en el aire. Aru sacó el *vajra* pensando que lo podría capturar con la red... Por desgracia, Brynne apuntó con el bastón de viento a la vez, lo que lo elevó por los aires. Rudy lo vio demasiado tarde. Saltó hacia delante, con la palma abierta... pero, en lugar de golpear al bicho, lo envió volando hacia la cara de Shani.

—He intentado leer de nuevo *Crepúsculo* porque nunca conseguí decidirme entre *Team Edward* o *Team*

Jacob y yo… ¡Ups! —El escarabajo lo golpeó en la cara. Aru se quedó paralizada. El bicho se quedó paralizado. Shani se quedó paralizado. ¡TODO SE QUEDÓ PARALIZADO! Luego, el escarabajo avanzó hacia la nariz y el planeta gritó—: ¡LO TENGO EN LA CARA! ¡QUITÁDMELO! ¡QUITÁDMELO!

—Cierre los ojos —chilló Aiden.

Brynne saltó hacia un lado para guiarlos a toda velocidad hacia la Puerta del Nuevo Día. Aru empezó a correr. Veinte pasos, quince… Pero, entonces, la tierra tembló. notó un sudor frío al darse cuenta de que Shani había levantado la cabeza.

CUARENTA

¡No con patas pequeñas!

Brynne, tan fuerte y recia como siempre, ni siquiera pestañeó.

—¡No miréis hacia atrás! ¡Seguid andando! —ordenó a los Patatas.

Aiden corrió en cabeza, sujetando los pies de Nikita mientras lo hacía. Pegó uno y, luego, dos saltos antes de llegar al umbral de la Puerta del Nuevo Día. Esta brillaba y Aru casi pudo imaginar la sensación del metal frío y extraño en las palmas, como un estanque que no estaba congelado, pero cuya superficie no se podía romper.

—¡Vamos, Shah! —gritó Aiden.

El suelo tembló bajo sus pies y la hizo tropezar. Aru se arriesgó a lanzar una mirada hacia atrás y vio que Shani se había quitado el escarabajo de la frente y se restregaba la cara con fuerza. Pestañeó una vez y una línea de fuego humeante le salió directa de los ojos. Al observarlo, Aru notó puntitos en su propia visión. La mirada ardiente se posó sobre un comedero de pájaros que, dos segundos después, se partió por la mitad como un plátano.

—¡Qué asco! —gritó Shani—. ¿A dónde ha ido? ¡Que alguien lo mate!

—Ha desaparecido —vociferó Mini—. ¡Mantenga los ojos cerrados!

Pero Shani no la escuchaba. Seguía pestañeando, lo que resultaba en un nuevo agujero cada vez que lo hacía. Rudy pasó a su lado a toda velocidad, con la bandolera pegada al pecho, y se puso a la misma altura que Aru.

—Bueno, ahí va el garaje... —gruñó Shani—. Manda se va a poner furiosa.

Aru veía que la Puerta del Nuevo Día brillaba a menos de tres metros de distancia, junto a la mano extendida de Aiden. Intentó dar un paso al frente, pero el suelo se abrió ante sus pies y se creó un abismo de quince metros de largo que separó a Brynne, Mini, Rudy y a ella de la puerta. Brynne les gritó que se movieran y Shani chilló:

—¡AÚN SIENTO LAS PEQUEÑAS PATAS EN LA NARIZ! —Una bocanada de fuego iluminó el aire detrás de Aru y sintió una línea de llamas que le mordía los talones. Shani había girado la mirada hacia ella, así que necesitaba saltar, ya.

Aru cerró los ojos, preparada para impulsarse hacia delante, cuando alguien tiró de ella hacia la derecha.

—Casi te mira —dijo Mini.

Aru pestañeó. En el lugar en el que estaba hacía unos segundos, había ahora volutas de humo y un agujero insondable que prometía una caída infinita.

—¡Por aquí! —gritó Brynne.

Shani giró hacia donde estaba la chica, a casi tres metros de distancia. Antes de que las llamas pudieran alcanzarla,

Brynne se transformó en un águila gigante y atrapó a Rudy con una garra. Con la otra, empujó dos rocas enormes cerca de Aru y Mini. Se agazaparon detrás de ellas. Si Shani miraba en su dirección, al menos las piedras recibirían el golpe primero. Y, entonces, se quedarían sin lugar en el que esconderse.

—Ahora vuelvo a por vosotras —dijo Brynne. Mientras llevaba a Rudy por el abismo, Aru le oyó gemir:

—¡No puedo morir ahora! No he visto bastante mundo. No sé lo que es Florida.

Mini creó un campo de fuerza en torno a Aru y a sí misma, pero Shani era un planeta y el poder maldito de su visión seguramente acabaría con todo.

—Aru, sería un buen momento para idear algo ingenioso —dijo Mini.

¿Por qué no se enseñaban tácticas de emergencia en el colegio del Más Allá?, se preguntó Aru. Las lecciones de Hanuman trataban sobre pensar como el oponente, pero este estaba solo pensando en sí mismo. Las lecciones de Urvashi hablaban de etiqueta y elegancia, que eran inútiles para esta situación. Bu nunca había mencionado qué hacer en caso de que un planeta con una visión láser se centrara en ellas. Nunca había oído hablar de algo así aparte de en *X-Men*. El personaje de Cíclope también tenía una visión láser… pero, cuando la utilizaba, no había mucho que hacer, salvo desear que mirara a otro lado. Aru se detuvo.

«Mirar a otro lado».

Todo este tiempo le habían dicho a Shani que el escarabajo había desaparecido, pero no los escuchaba, convencido de que estaba en algún lugar cercano. ¿Y si esta vez le daban la razón? Aru se giró hacia su hermana.

—Mini, ¿puedes crear la ilusión de un escarabajo?

Asintió y se dispuso a trabajar en la creación de una pequeña luz que tomó vida entre sus manos. A juzgar por el sonido, había más cosas ardiendo y Shani se acercaba.

—Si pudiera encontrarlo y deshacerme de él, todo iría bien —dijo con una voz casi delirante.

Mini gimió.

—¿Qué ha sido eso? —gritó Shani.

—¡El escarabajo! —chilló Aru mientras se levantaba con lentitud—. Está justo debajo de tus pies.

Shani se dio la vuelta. En ese mismo instante, Mini le susurró algo a la *danda* de la Muerte y un fogonazo de luz violeta se dirigió hasta él, correteando en forma de escarabajo.

—Cógeme del brazo —le dijo Aru a Mini.

Shani movió la cabeza al mismo tiempo que buscaba al bicho. Sus ojos parecían estar en todas partes a la vez. Con una mirada, una palmera echó a arder. Con un pestañeo, encendió un montón de instrumentos musicales destrozados y el aire se llenó del tañido de las cuerdas de las guitarras al estallar.

—Acabaré con tu existencia en todos los universos —rugió Shani.

Giró en círculos salvajes. Aru se tocó la muñeca para que el *vajra* volviera a la vida en forma de aerodeslizador.

—¡Niñas! —gritó—. Niñas, ¿lo veis?

—¡Cuidado, Shah! —chilló Brynne desde el otro extremo del abismo.

Aru saltó sobre el *vajra* y tiró de Mini, que se aferró a ella con fuerza mientras volaban por encima del precipicio. Aru no la culpó. Era como mirar una amplia fosa en el espacio. No había nada aparte de estrellas infinitas y la luz de planetas muertos, esbozos de universos aún por hacer… Un calor horrible se les aproximó. Shani estaba levantando los ojos. Delante de ellas, Aiden se llevó la cámara a la cara y gritó:

—¡Cerrad los ojos!

Aru hizo lo que le decía y sintió el fogonazo de la cámara encantada de Aiden contra los párpados. Shani chilló:

—¡Ah! ¡Demasiada luz! ¡No veo!

Aru y Mini saltaron al suelo justo delante de la Puerta del Nuevo Día. A toda velocidad, Aru estiró la mano para sujetar el pomo y lo giró con tanta fuerza como pudo. Cuando la puerta se abrió, una voz fría preguntó:

—¿A dónde deseáis ir?

En el reflejo de la puerta de plata, Aru vio la candente visión láser de Shani formar un pequeño camino por el límite de la finca, a través del abismo y… ¡hacia ellos!

—No te atrevas a decir Leroy Merlin, Shah —vociferó Brynne.

Pero ahora estaba en su cabeza y la puerta pareció oírlo, porque la luz que la envolvía parpadeó. Un segundo después, cayeron por el éter con el tenue sonido de la voz de Shani persiguiéndolos:

—¡Lo siento mucho! Visitadme de nuevo. Me encantaría saber más sobre vuestras aventuras.

CUARENTA Y UNO

¿Nos has traído al Leroy Merlin?

Aru cayó al suelo y notó el asfalto cálido bajo las manos. Inhaló el aire primaveral lleno de aromas que le resultaban familiares, como el de la hierba mojada y el heno, antes de ponerse de pie, pestañeando por la repentina luz del día.

Rudy estaba tumbado en el suelo, dándole besos.

—¡Suelo bonito! Jamás volveré a abandonarte —declaró.

Mientras tanto, Brynne, Mini y Aiden estaban ayudando a Nikita a incorporarse. Rohini había dicho que un par de ruidos fuertes la despertarían. Al parecer, huir de un planeta enfadado había servido. Se restregó los ojos y las flores de la corona se abrieron poco a poco. Primero miró a todo el mundo, luego, a su alrededor y, por último, centró los ojos en algo situado detrás de Aru. Hizo un mohín.

—¿En serio, Shah? ¿Nos has traído al Leroy Merlin?

Solo entonces Aru se dio cuenta de que estaban en el centro de un aparcamiento vacío, justo al lado de una tienda enorme. No le importaba lo más mínimo. Lo único que le interesaba era que Nikita estuviera despierta y a salvo con ellos.

—Qué borde eres siempre, hija —dijo Aru.

—Sobre todo después de ese rescate tan arriesgado —se quejó Brynne.

—Bueno, técnicamente no la hemos rescatado, la hemos «ganado» —dijo Mini.

—Ya, bueno, que sabía que lo haríais —dijo Nikita de forma altiva antes de sonreír—. Y vais a salvar a Sheela también, ¿no?

Aru se obligó a sonreír mientras se preguntaba cómo iban a hacerlo. Suspiró antes de mirar al cielo. La Puerta del Nuevo Día los había sacado de allí al amanecer. Como había dicho Rohini, tenían un día exacto para encontrar el árbol de los deseos.

—Ya me conoces. Si hay más personas a las que salvar, hay más cosas que hacer y todo eso —replicó Aru.

Brynne miró el reloj e hizo una mueca.

—Es el Holi —dijo—. El Más Allá nos espera de vuelta en Amaravati para la festividad de esta noche.

Aiden bajó la cámara y pestañeó ante el alba.

—Entonces, eso significa que tenemos doce horas.

—No podemos volver sin el árbol —señaló Mini.

Por una vez, Rudy estaba muy callado. No paraba de dar vueltas por el aparcamiento, un poco desconcertado.

—¿Para qué sirven las marcas blancas del suelo? ¿Es un antiguo campo de batalla?

—Es un aparcamiento —contestó Mini—. Solemos acabar en uno de estos muy a menudo.

—Y, dependiendo del momento en el que intentes aparcar, se puede convertir en un auténtico campo de batalla, sí—añadió Aiden.

Mientras Aru reflexionaba sobre sus próximos pasos, se tocó el colgante con el zafiro. Dos de los huecos estaban ahora llenos, uno con el recuerdo del sacrificio del Durmiente sobre su propia niñez y el otro con el recuerdo de la elección de su nombre. Aru no había encontrado aún el árbol, pero sí que había hecho descubrimientos importantes. Y no se iba a rendir, sobre todo porque el Durmiente sabía lo que estaban tramando y porque Sheela dependía de ellos.

—Tenemos un enigma —le dijo a Nikita—. Creemos que puedes resolverlo.

—No me gustan los enigmas. Eso suele ser cosa de Sheela.

Rudy rebuscó en la bandolera y sacó el panel de luz lunar antes de leerlo en voz alta:

«Todo lo floreciente sabrá dónde está el árbol oculto,
Pero solo el oído correcto escuchará entre el tumulto.
Todo lo floreciente lo sabrá,
pero no siempre querrá hablar.
En las raíces más jóvenes os aconsejo buscar».

—¿Puedes… esto… hablar con las plantas? —preguntó Aru.

Nikita negó con la cabeza. A Aru le dio un vuelco el estómago. Había estado tan segura…

—Prefieren mantener una charla —dijo Nikita—. Les gusta la conversación.

—Ah, eso es genial —declaró Mini.

—Pero solo si son mágicas. Y, según el enigma, parece que necesitamos a unas bebés.

—¿Dónde vamos a encontrar plantas bebés mágicas? —preguntó Brynne antes de observar alrededor.

Cuando Aru miró hacia la tienda, vio el conocido toldo arqueado con letras naranjas y brillantes que anunciaba: VIVERO DE PLANTAS.

—Sé por dónde podemos empezar.

Los cinco caminaron hacia la entrada mientras tiraban de Rudy, que iba girando la cabeza y fruncía el ceño.

—¿Qué es eso? —preguntó. Miraba una máquina de refrescos en el exterior de la tienda.

—Una máquina expendedora —contestó Aiden.

—¿Y qué… expende?

—Refrescos —dijo Aiden de forma tensa.

—¿Qué son refrescos?

—Bebidas.

—¿Puedo probar uno?

Aru se imaginó una escena breve pero muy nítida en la que Rudy, después de zamparse un bote de sirope de caramelo, corría en círculos por el aparcamiento. Quizás todo el mundo tuvo la misma visión, porque respondieron al unísono:

—¡NO!

Brynne miró a Aiden.

—¿Puedo dejarlo inconsciente?

Cuando llegaron a la entrada, estaba cerrada. Según el horario de apertura, la tienda no abriría hasta las seis de la mañana, es decir, dentro de treinta minutos.

—¿Podemos esperar? —sugirió Mini.

—¿Y darle al Durmiente media hora extra para encontrarnos y matarnos? —preguntó Brynne—. No, gracias. —Miró hacia la puerta y apretó el puño.

—¿Entrar por la fuerza? ¡Eso es ilegal! —respondió Mini antes de señalar hacia una esquina del edificio—. Además, hay una cámara.

Aru cogió el *vajra* y lo transformó de rayo a un arpón más pequeño que un rotulador. Lo lanzó contra el equipo de seguridad, que soltó chispas antes de apagarse.

—Había una cámara —dijo Aru.

Brynne sonrió y levantó el puño de nuevo. Rudy dio una palmada y empezó a canturrear:

—¡Atraaaco! ¡Atraaaco! ¡Atraaaco!

—Vamos, hazlo ya —dijo Nikita—. Sheela nos está esperando.

Mini giró la cara.

—No puedo intervenir en esto.

—Eh, ¿chicos? —los interrumpió Aiden—. ¿Y si usamos la llave del señor V?

Brynne frunció el ceño y dejó caer la mano.

—Dijo que la única que podía usarla al principio era Aru. No dijo que ninguno de nosotros no pudiera usarla después.

A Aru no le hizo mucha gracia la idea. Ella misma no quería formar parte de aquello.

—Ya sabéis lo que le hace a la gente. Pero si estáis dispuestos a arriesgaros, adelante. —Sacó la funda de terciopelo de la mochila y se la tendió.

Aiden presionó la llave contra la puerta y una delicada filigrana de luz dorada se extendió por el cristal. El pestillo zumbó con suavidad mientras los engranajes se movían y se retorcían. Aru observó el rostro de Aiden con atención y se preguntó qué abriría en su interior… Para ella, había sido un dolor angustioso por el padre que nunca había tenido. Aiden se detuvo un momento, juntando las cejas. Desvió la vista en su dirección y, durante un segundo, la miró fijamente. Enarcó las cejas como si le sorprendiera lo que acababa de ver, pero, después, se recompuso.

—Vamos —dijo. La puerta se abrió y Aiden esperó a que todos estuvieran dentro.

—¿Estás bien? —preguntó Aru mientras pasaba a su lado.

—Sí, eh… Todo bien, Shah —respondió al tiempo que guardaba rápidamente la llave en la funda de terciopelo y la metía en su mochila.

Sobre ellos, las fuertes luces fluorescentes los envolvieron. Unos letreros naranjas brillantes indicaban pasillos para todo, desde adornos para lámparas hasta pomos. Las silenciosas cajas registradoras parecían guardias dormidos apostados en la entrada. Nikita se estremeció de frío por el aire acondicionado de la tienda. Chasqueó los dedos y un vestido nuevo reemplazó su último conjunto. Estaba hecho de seda azul cielo y decorado con margaritas en el dobladillo. La esperanza se asomó a sus ojos azul gélido y se colocó las pequeñas trenzas sobre el hombro.

—Mucho mejor —dijo.

—Mola —respondió Rudy con admiración—. ¿Podrías hacerme una chaqueta azul? Quiero algo con borlas…

—No —contestó Nikita.

—¿Por qué no? —preguntó Aru.

—Porque es una arruinadora de vidas —dijo Rudy sombrío—. Arruina la vida de las personas.

—Porque creo que el rojo te pega más —respondió Nikita tajantemente.

Rudy se irguió y empezó a pavonearse de nuevo.

—Ah, bueno, claro.

Aiden soltó una carcajada y caminaron hacia el vivero de plantas al final de la enorme superficie.

—Este lugar me repugna —dijo Rudy, quitándose una pelusa imaginaria del hombro—. ¿Y esto es de lo mejorcito en establecimientos para los humanos? —Se giró hacia Aiden y suspiró—: Creía que habías dicho que íbamos a hacer un *tour* divertido por el mundo humano. ¿Qué tal Disneyland?

—Estamos un poco ocupados con, ya sabes, esto de salvar el mundo de la destrucción.

—Pues más motivo aún para tomarse unas vacaciones —dijo Rudy poniendo los ojos en blanco—. Seguro que odias este sitio, Shah.

El comentario afectó a Aru de un modo que no había esperado. Miró los pasillos y sintió una punzada de nostalgia.

Recordó todas las veces en las que había ido con su madre, que siempre necesitaba nuevas cajas para almacenar los objetos del museo o bombillas de todo tipo para dar «calidez» a la entrada, fuera lo que fuera eso. Le encantaba ir a comprar con ella. Caminaban de ahí para allá, charlaban e incluso cuando se hizo mayor para aquello, a su madre nunca le importó que subiera a la parte trasera del carrito y fingiera que estaba navegando por la tienda.

Pero hacía ya un tiempo que no iban a comprar. En aquellos días, si su madre necesitaba algo, Aru lo adquiría en el Bazar Nocturno. La magia había reemplazado a todo lo común y ya no había tiempo para merodear por los pasillos de Leroy Merlin con todas esas puertas y dar sustos a los desconocidos. Se aproximaba una guerra y debían completar el entrenamiento, por no hablar de que tenía que terminar octavo para sobrevivir. Aru notó un nudo en la garganta y, un segundo después, se dio cuenta de que no había contestado a Rudy.

—No lo odio —respondió.

Él arrugó la nariz y dijo con suavidad:

—Bueno, si crees que este lugar es interesante, espera a ver los palacios de mi padre. Puedes venir de visita cuando quieras.

Un par de pasos por delante, Mini ralentizó el ritmo. Parecía que estaba a punto de mirar hacia atrás, pero cambió de opinión. Aru sintió que la cara le ardía por la culpa. No había pedido la atención de Rudy y no la quería si aquello le dolía a Mini lo más mínimo.

—Les preguntaré a Brynne y a Mini si quieren ir —dijo Aru, y aumentó la velocidad para unirse a sus hermanas.

Aru dejó atrás a los chicos y oyó que Rudy decía:

—Pues creía de verdad que odiaría este sitio.

Aru no vio la expresión de Aiden cuando respondió, pero se imaginó un encogimiento de hombros mientras toqueteaba la cámara y decía:

—Eso es que no la conoces bien.

Nikita se detuvo frente a la entrada del vivero, de la que colgaban tiras gruesas de plástico opaco. Abrió la cortina y Aru vio las familiares filas de estanterías negras con plantas florecientes. Las macetas de cerámica estaban apiladas en una esquina y las luces zumbaron de forma automática. Olía a barro y Aru sospechaba que la humedad le estaba encrespando el pelo. Pero aquel lugar no tenía el brillo típico de los portales del Más Allá.

—¿Crees que alguna de estas plantas será mágica? —preguntó Aru a Nikita.

Brynne entrecerró los ojos.

—A mí me parecen bastante normalitas.

—Sí —dijo Mini, lanzándole una mirada acusatoria a Nikita—. No creo que sea aquí donde debemos estar…

Nikita levantó las manos.

—Bien, disfrutad vuestra falta de fe.

Se pasó las trenzas por encima del hombro una vez más y entró en el vivero. A la cortina le costó unos instantes cerrarse tras ella y, cuando lo hizo, Nikita había… desaparecido.

—¿A dónde ha ido?

Aru frunció el ceño y cruzó el plástico. De nuevo, no sentía nada de magia. Solo era un vivero de plantas normales en el típico Leroy Merlin. Pero, cuando dio otro paso al frente, la envolvió una repentina ráfaga de magia. Como si estuviera en una de esas atracciones cerradas de un parque acuático y hubiera salido despedida por una cascada inesperada. Farfulló en voz alta, a la vez que negaba con la cabeza, como si quisiera deshacerse de la sensación. Miró hacia arriba y abrió la boca mientras asimilaba la nueva habitación. Estaba en el centro de un invernadero enorme y elegante con un gigantesco cartel ondeante sobre la cabeza.

SUMINISTROS DEL JARDÍN DE ARANYANI.
PARA TODAS TUS NECESIDADES MÁGICAS EN
LABERINTOS, CRIPTAS Y JARDINES.

Nikita asomó la cabeza a su lado.

—¿Qué os decía yo?

CUARENTA Y DOS

¡Shhh! El bebé está dormido

El vivero de plantas mágicas compartía ciertos rasgos con uno normal. También había filas y filas de plantas echando brotes bajo los fluorescentes. También tenía el suelo de cemento y el olor húmedo a hojas amontonadas y a agua de lluvia embarrada. Pero ahí se acababan las similitudes.

Por las estanterías, Aru atisbó un contenedor verde de Crecemilagros, solo que este resplandecía y, al mirarlo de cerca, vio que ponía: ¡HAZ CRECER LOS MILAGROS! ¡AÑADE UN TOQUE SORPRESA A TU JARDÍN! Otro estaba dado la vuelta y un charco dorado se extendía por el suelo, del que brotaban objetos poco naturales, como un pequeño árbol con monedas en lugar de hojas, una hierba con alas de mariposa y criaturas en miniatura con formas curiosas. Un escarabajo hecho de pétalos de flores salió correteando de una maceta de cerámica.

Flores de todos los tamaños y formas crecían en la celosía del techo, tapando la luz matutina. Aru nunca había oído hablar de que las cosas que crecían emitieran sonidos, pero, en el vivero de plantas mágicas, había una especie de musiquilla alta y alegre que emulaba imágenes de raíces que se abrían paso en un suelo húmedo y flores recién abiertas con la cara girada para capturar la luz solar.

Seis estatuas erguidas llenas de musgo bordeaban la pared trasera. A Aru le recordaron a mangostas, esos animales escurridizos con patas hábiles y cuerpos brillantes; aunque esas estatuas serían la versión Hulk: les sobresalían músculos de piedra y con las mandíbulas abiertas enseñaban unos dientes tan afilados que Aru se preguntó si el viento se haría daño al pasar entre ellos. Aunque tenían los ojos ciegos, daban la impresión de estar esperando, como una criatura que se queda quieta mientras espía a su presa.

—Son *yalis* de los bosques —dijo Rudy con nerviosismo mientras observaba las estatuas—. Guardianes de todo lo que pertenece a Aranyani, la diosa de los bosques.

—¿*Yalis*? —repitió Aru—. Esto… no, gracias.

—Al menos no nos están susurrando… —dijo Brynne, pero incluso ella los miraba con recelo.

Aiden soltó un aullido y dio un pisotón, lo que hizo que el resto se juntara y formara un círculo pequeño.

—¿Eso que sale de ahí es un *yali*…? —preguntó Aru.

—Solo es una araña —respondió Aiden con un suspiro de alivio.

—Por ahora —dijo Brynne, pisoteando el suelo también para mayor seguridad.

—¿Qué os pasa, chicos? —preguntó Nikita antes de atusarse el pelo—. Solo son estatuas.

—Hasta que cobren vida y se conviertan en un cocodrilo aterrador que te muerda los pies —le avisó Rudy.

Nikita se dio la vuelta y se rodeó la boca con las manos a modo de altavoz.

—¿Holaaa? —gritó.

El suelo empezó a moverse. Aru, Mini, Brynne y Aiden se juntaron mientras Rudy se colocaba detrás de ellos. Aru trató de agarrar a Nikita, pero la gemela se zafó de ella. Elevándose del cemento, apareció una imagen holográfica de tamaño real de una *yakshini* con alas grisáceas de polilla. Tenía la piel de un color marrón intenso, como la corteza de un árbol, el pelo recogido en un moño negro, la boca pequeña en forma de corazón y unos ojos enormes y amables. En el delantal llevaba una chapa identificadora en la que se podía leer: ¡SOY LIZZIE! PREGÚNTAME SOBRE LAS OFERTAS DE HOY.

El holograma parecía estar grabado con antelación. Los miraba con una sonrisa alegre, aunque tenía los ojos centrados en algún punto por encima de sus cabezas. Dijo:

—¡Bienvenidos a los Suministros de Jardín de Aranyani, perfectos para todas vuestras necesidades botánicas! Somos los mayores proveedores del mundo en manticoras guardianas, control de plagas de hormigas mastodonte, flores alquímicas y mucho más. Nuestro horario comercial es de lunes a viernes, de ocho de la mañana del horario estándar oriental a diez de la noche del horario estándar del Más Allá. —El holograma se detuvo y se le iluminó el rostro—. Si habéis llegado fuera del horario comercial, por favor, grabad un mensaje y nuestro representante del servicio de atención al cliente contactará con vosotros lo antes posible. Y recordad... —La sonrisa del holograma se hizo más grande y levantó los brazos hacia las estatuas—. ¡Estamos vigilando! No intentéis robar, incinerar o hacer nada que afecte a los productos. ¡Que paséis un buen día y gracias por vuestra visita!

El holograma desapareció.

—¿Veis? —dijo Nikita antes de cruzar los brazos—. No hay nada de lo que preocuparse. Si no robamos, los *yalis* no se despertarán. Ahora, sigamos.

Dicho eso, caminó hacia una hilera de plantas. Brynne sonrió, orgullosa.

—¡Qué valiente es! Se parece a mí cuando tenía diez años. Definitivamente es una Pandava.

Mini negó con la cabeza.

—Cuando tenía diez años, me escondía en la bañera durante las tormentas.

Aru no se animó a explicarles cómo era ella con diez años, sobre todo porque eso supondría dos cosas: incluir la icónica frase de Pumba, «Cuando era muy pequeñín», y hacer perder mucho tiempo. Daba igual.

—Después de ti, príncipe —dijo Aiden tras colocarse a un lado para dejar que Rudy pasara entre el grupo. Pero este estaba mirando las estatuas de los *yalis*.

—¿Puedo vigilar la entrada?

Brynne le dio un empujón hacia delante.

—Buen intento.

Siguieron a Nikita hasta un semillero. Ocupaba el espacio de una mesa de comedor estrecha y le llegaba a Aru hasta la cintura.

Por primera vez, Aru se dio cuenta de que lo que ella creía que eran fluorescentes sobre sus cabezas eran en realidad rayos potenciados de luz solar cruda. En la parte inferior de los rayos flotantes, escrito en letras negras, se leía: Cosechado el 24 de septiembre de 1993 / Se marchitan el 7 de abril de 2023.

—¿La luz tiene fecha de caducidad? —preguntó Aru.

—Nosotros somos los que vamos a tener fecha de caducidad como se enfaden las plantas —dijo Rudy mientras señalaba un cartel colgado bajo la mesa: ¡Silencio! ¡Estamos creciendo!

Aru le echó un vistazo al *yali* más cercano. Estos no se parecían a los que habían conocido en la cripta, tan vivos, escurridizos y mordedores… Se asemejaban a estatuas normales. Sin embargo, no le gustaba el musgo que les colgaba por la cara o lo afilados que tenían los dientes. Luego, reparó en un círculo de tiza blanca que bordeaba el pequeño vivero.

—Eso no es nada bueno —dijo Rudy tras seguir la mirada de Aru—. He visto encantamientos así en Naga-Loka. Si un *yali* pisa la raya, se activa su instinto asesino.

—No va a ocurrir nada malo si hacéis lo que digo —susurró Nikita.

Puso las manos sobre el barro y extendió los dedos como si estuviera presionando las palmas sobre una manta suave. Cerró los ojos mientras tarareaba antes de sacar las manos.

—Son muy exigentes —dijo, levantándose las mangas—. Y están llenas de magia. Son muy poderosas.

—Pues no parecen muy poderosas —dijo Brynne, mirando la jardinera.

Aru tenía que darle la razón. Las plantas no parecían especiales, al menos no tanto como para contarles dónde estaba el árbol de los deseos. Las quince plantas bebés estaban ordenadas en tres hileras de cinco. La parte superior de hierba verde apenas ascendía siete centímetros por encima del barro. Solo al examinarlas de cerca, vio algunas cualidades peculiares. En las hojas de una de las plantas había un toque de oro auténtico. Otra desprendía un aroma embriagador que parecía evocar visiones. Con un solo olfateo, Aru vio cuerpos colgados de los árboles y una sombra alargada y codiciosa. Se echó hacia atrás; el corazón le palpitaba a toda velocidad.

—Esa es una rosa de los sueños —anunció Nikita dándole un golpecito cariñoso a la flor.

—Será de las pesadillas.

—Las pesadillas son solo su mecanismo de defensa.

La planta pareció acurrucarse más profundamente en la tierra. Cuando Nikita se giró, Aru le sacó la lengua a la rosa.

—Tengo que hablar con todas —dijo Nikita—. Entrevistarme con ellas una a una… Pero eso significa que las tenemos que sacar de la tierra. Si no, será difícil escucharlas bien a través del barro y todo eso.

Aru miró de nuevo a las estatuas… tan quietas.

Demasiado quietas.

Nikita se volvió para mirar a todos los Patatas a los ojos.

—Cuando las saque, se mostrarán gritonas y quisquillosas. Vais a tener que callarlas, ¿vale?

—¿Quieres que les cerremos la boca a unas plantas? —preguntó Brynne mientras ponía los ojos en blanco—. No será muy difícil.

CUARENTA Y TRES

No soy una madre normal, soy una madre enrollada

Una a una, Nikita levantó las plantas bebés y les susurró algo mientras un brillo tenue y verdoso le cubría las manos y la cara. Y una a una, volvió a dejarlas en su sitio…

Pero las plantas ya no estaban dormidas; y tampoco felices.

Ya llevaba diez, solo quedaban cinco. Las diez plantas bebés arrancadas los amenazaban con llamar a los *yalis*. Una hipó con fuerza y Aru sintió que la sangre se le helaba en las venas cuando una estatua mangosta comenzó a chirriar. No haría falta mucho ruido para que el *yali* se separara de la pared y diera un paso hacia ellos.

—Shh, shh —dijo Aru a sus dos plantas.

Eran de un color rosa empolvado y tenían las raíces regordetas y los ojos entrecerrados bajo la maraña de pétalos de su cabeza. Aru no sabía si las plantas podían cambiar de expresión, pero juraría que esas dos la estaban fulminando con la mirada.

—¡Callaos o moriremos! —dijo con voz cantarina.

Una de las plantas eructó como respuesta y el barro salió despedido de las raíces. El ruido de una piedra al rechinar contra otra hizo eco detrás de Aru. Les echó otro vistazo a los *yalis*. Las estatuas estaban casi separadas de la pared. Solo bastarían diez pasos para cruzar la habitación y llegar a la barrera mágica hecha con tiza blanca.

Cada vez que Nikita terminaba de hablar con una planta, los Patatas tenían que callarlas. Pero las plantas de Aru no estaban cooperando. Intentó meterlas de nuevo en la tierra, pero no dejaban de trepar y hacer extraños gorjeos. A veces incluso se le enrollaban a la muñeca con la raíz.

—¡Parad! —las regañó.

Una de ellas empezó a llorar y luego siguió la otra. ¿Por qué le habían tocado las peores plantas bebés? Aru miró en torno a la mesa para ver cómo se las apañaban los demás.

Mini estaba agazapada sobre su montón de plantas, metiéndolas con delicadeza en la tierra suave. La parte superior frondosa de sus cabezas tenía aspecto marchito por el sueño… o quizás era aburrimiento. Mini parecía estar murmurándoles algo a las plantas a medida que trabajaba.

—¿Qué estás haciendo?

Mini pestañeó.

—Les estoy hablando sobre la anatomía humana. Lo encuentran tan fascinante que están calladitas.

Un leve zumbido surgió entre los lamentos de las plantas de Aru.

—Están roncando —dijo Aru.

Mini las miró y suspiró.

—Pensaba que les gustaba saber qué era el sistema endocrino…

Aru envolvió las plantas con los brazos y se estremeció cuando la tierra fría le tocó la piel.

—Silencio —les ordenó mientras intentaba poner una mano sobre la boca de la pequeña planta, lo que parecía estar funcionando hasta que…—. ¡AY! —gritó, a la vez que sacudía el dedo que le había mordido.

Aru notó que se le ponía de punta el vello de la nuca. Un chirrido retumbó detrás de ella. Se arriesgó a mirar hacia atrás. Los *yalis* estaban ahora a siete pasos de distancia.

—¿Qué ha pasado? —preguntó Brynne a su lado.

—¡Que me ha mordido! —siseó Aru en voz baja.

—¡Pues devuélvele el mordisco!

Aru no tenía ningún deseo de hacer algo así.

—¿Por qué no gritan las tuyas?

Brynne le enseñó un sobrecito de azúcar.

—Mezcla algo de agua con azúcar y rocíasela por encima. ¡Bam! Se duermen al instante.

—¿Tienes más? —preguntó Aru, agotada. Intentó mecer las plantas un poco, pero negaron con los pétalos de la cabeza y lloraron todavía más alto.

—No, ya no me queda.

A su espalda, Aru oía el gruñido de las estatuas, que se acercaban. Cinco pasos.

—Contrólalas, Shah —dijo Brynne en una mezcla de susurro y siseo.

Aru trató de cubrir las plantas bebés con más tierra cuando, de repente, se callaron y levantaron las caras arrugadas hacia… ¿el *vajra*? El rayo brilló con delicadeza en la muñeca de Aru y las plantas extendieron las hojas hacia él con curiosidad.

—Muy bien —murmuró Aru, cubriéndoles de tierra las raíces—. ¡Mirad qué cosa más brillante! Brillante, brillante, brillante.

En un extremo de la mesa, Nikita seguía susurrando a las plantas. La que tenía en las manos era una violeta con las raíces de color negro azabache, que se movían como los tentáculos de un pulpo. Nikita levantó la cabeza con una sonrisa.

—¡Esta lo sabe! —dijo—. Pero le cuesta hablar… Es algo así como un ceceo en la raíz, así que estad callados.

Aru se sintió muy ofendida.

«¡HOLAAA! ¿Acaso no ves el milagro que acabo de hacer?», quería decirle. Bueno, quizás no. Aru siguió moviendo la mano hacia delante y hacia atrás sobre las plantas bebés, que giraban la cabeza para ver el *vajra*, hipnotizadas por la luz. Ahora había un silencio total en el vivero. Detrás de ella, las estatuas mangosta retrocedieron un paso y a Aru se le ralentizó el corazón. Pronto, estarían pegadas a la pared de nuevo y…

—¡BUAAA!

El aullido fuerte y penetrante provenía de la zona de Aiden y Rudy. Nikita se acercó aún más la planta y fulminó a los chicos con la mirada.

—He dicho que silencio. La estáis asustando.

Entre Aiden y Rudy, aullaba una patata bebé verde y bajita con una espiga naranja en lo alto de la cabeza. Rudy la cogió y la meció entre las manos.

—Es culpa tuya —le dijo a Aiden—. Le gustaba morder la joya y se la has quitado.

—Porque se podía atragantar —replicó Aiden antes de lanzar una de las gemas brillantes de Rudy por encima del hombro.

—¡Son plantas!

—¡Y la joya podría haberle cortado las raíces! —dijo Aiden, arrebatándole al bebé y dándole golpecitos en la cabeza de espiga—. Shhh…

—¡Qué controlador eres, tío! —exclamó Rudy mientras estiraba los brazos hacia la planta bebé.

Aiden la agarró más fuerte y le dio la espalda a Rudy.

—Y tú, un irresponsable.

—Esto… ¿chicos? —intentó decir Aru cuando el suelo empezó a temblar.

—Pues tú eres un muermo —dijo Rudy—. Al menos, yo soy divertido…

—¿Divertido? ¿Aburrido? En ti, lo mismo da que da lo mismo.

—¡AIDEN! —gritó Brynne.

Aiden se detuvo y miró a su alrededor. Todas las estatuas dieron un aterrador paso al frente. Aru se preguntó si podría hacerlos retroceder con el *vajra*, pero, en cuanto movió la muñeca, las plantas bebés empezaron a llorar.

En tres pasos, los *yalis* estarían en el límite.

—Quédate donde estás, Aru —dijo Mini—. Me aseguraré de que no nos atrapen.

Soltó la *danda* de la Muerte, pero la luz violeta despertó a las plantas y comenzaron a aullar.

—Ay, no —dijo Mini—. ¡No tengáis miedo! ¿Os acordáis del sistema cardiovascular? ¿No era divertido?

Las plantas aullaron todavía más fuerte, como si estuvieran diciendo: «¡No, no lo era!».

Los *yalis* estaban ahora a solo dos pasos. Los guijarros del suelo temblaban y se movían cuando las estatuas levantaban los pies, formando pequeñas tormentas de polvo al desplazarse.

—¡Yo me encargo! —gritó Brynne.

Blandió el bastón de viento, pero solo consiguió levantar polvo y enviarlo dando vueltas alrededor de la jardinera del vivero. Un coro de llantos retumbó por el aire. Las estatuas se irguieron sobre los niñeros, proyectando una sombra fría que lo cubría todo. Los Patatas no podían abandonar a las plantas bebés, pero los matarían si se quedaban allí. Las estatuas de mangosta levantaron con lentitud los puños a medida que elevaban el pie para dar un último paso…

—¡Casi lo tengo! —chilló Nikita—. ¡Hacedlas callar!

Aru estaba agotada. Cada movimiento suyo provocaba un grito aún mayor de las plantas y hacía que las estatuas se movieran más rápido. El *vajra*, igual de agotado, no paraba de transformarse en un arpón y una pulsera.

Un sonido interrumpió el llanto de las plantas y los movimientos rechinantes de las estatuas…

Una canción.

Aiden estaba cantando una nana. Todas las plantas bebés empezaron a acurrucarse en la tierra. Algunas de ellas se pusieron montoncitos de barro detrás de las hojas

377

como si fueran almohadas arcillosas. Las estatuas dieron un paso atrás.

Aru no estaba segura de que la canción tuviera letra. El canto de Aiden era como el talento de Rudy con las joyas. Infundía una sensación de alegría, como pasarse el día entero en un lago o una piscina, bañado por la luz solar.

Un aviso de Brynne retumbó en la cabeza de Aru: «¡No lo mires! Está usando uno de sus poderes *apsara*».

Aru intentó hacerle caso con todas sus fuerzas, pero el encanto de la canción era tal… que no pudo evitarlo, miró.

Aiden parecía iluminado por el sol. Un viento invisible le revolvía el pelo oscuro y las plantas ante él brillaban.

Conocía historias sobre las *apsaras*, que no solo eran bonitas, sino capaces de atraer la atención de todo el mundo. Eso hacía que fueran deseadas y peligrosas. Todo ese tiempo, había pensado que era solo una exageración poética… Pero cuando miró a Aiden en ese momento, el vivero desapareció. Aru imaginó que el mundo se había congelado, la nieve resplandecía como si hubiera un millón de diamantes y Aiden y ella bailaban como hacían en las películas. No una de esas en las que el viento le movía el pelo y el escenario no paraba de cambiar mientras el resto de la gente bailaba y cantaba a la vez, sino en las que se bailaba de la manera en la que ella se imaginaba que debía ser… donde ambos están juntos y la música es el murmullo de los corazones y…

—Vaaale, para el carro —dijo una voz.

Aru pestañeó y se vio con los brazos levantados como si estuviera bailando un vals. Brynne se los bajó hasta los costados. Rudy se estaba riendo. Mini negaba con la cabeza, apenada. ¿Y Aiden? La miraba. Las plantas susurraban entre sueños, los *yalis* habían vuelto a la pared y estaban inmóviles.

—La próxima vez préndeme fuego —le susurró Aru a Brynne, roja como un tomate.

—Te dije que no lo miraras mientras hacía una de sus cosas *apsara*.

Aru frunció el ceño.

—¿Por qué no lo has hecho antes? —le preguntó Mini a Aiden.

—No quería que la planta de Nikita se quedara dormida.

—Oh.

Por desgracia para la dignidad herida de Aru, eso tenía sentido. En el otro extremo de la mesa del vivero, Nikita bajó la planta ahora dormida hasta la tierra. Cuando levantó la cabeza, una enorme sonrisa se asomó a su rostro.

—¡Lo tengo! —susurró.

—¿Dónde está el árbol? —preguntó Brynne.

—En el Jardín Botánico de Atlanta —respondió Nikita—. Es el único lugar del mundo mortal que tiene acceso directo a algo llamado Pabellón Botánico de las Ciudades Perdidas. Es como el Más Allá, pero con más plantas.

—¿Qué? —exclamó Aru—. ¿Ha estado ahí todo el tiempo?

Aru había ido muchas veces al Jardín Botánico de Atlanta. Cuando llegaba Navidad, su madre la llevaba a ver el espectáculo de luces navideñas con las que decoraban todo el jardín, llenándolo de colores brillantes. El ambiente olía a cacao y a sidra.

Había recorrido todo el jardín y no había visto ningún árbol de los deseos enorme. Además, ¿cómo iba a funcionar? Por estadística, algún visitante debía de haber dicho: «¡Ahora mismo me zamparía un helado!», y un depósito enorme de helado le habría caído en la cabeza, ¿no? ¿No lo habría denunciado alguien? O quizás pensaron que era tan fantástico que no quisieron compartir la noticia y se lo quedaron todo para ellos…

Sí, eso es lo que hubiera hecho ella.

—¡Vamos! —dijo Brynne, pero Rudy permaneció quieto, aún sorprendido. Levantó una mano hacia Aiden.

—¿Sabes cantar? —preguntó asombrado.

—A veces —contestó Aiden con cautela.

—Espera, con mi música y tu voz…

Aiden esbozó una mueca.

—Por favor, no…

—Nosotros…

—No.

—Podríamos crear…

—Rudy, ¡no!

—¡UNA BANDA!

CUARENTA Y CUATRO

¿Quién es Groot?

Los cinco Patatas y Nikita —que se negaba a que la llamaran «Patata»— bajaron del Uber y se quedaron de pie en la entrada del Jardín Botánico de Atlanta. Los jardines aún no estaban abiertos y no había más gente a su alrededor. Incluso los coches parecían deambular medio dormidos, nadie tocaba la bocina ni bajaba la ventanilla para preguntarles a los seis chicos qué hacían ahí tan temprano.

A Aru todo en los jardines le resultaba familiar. Reconoció las amplias puertas de bronce, el olor de la hierba cortada, las rosas a lo lejos y los carteles enormes que anunciaban las exhibiciones que aguardaban en el interior.

Lo que no reconoció fue la puerta más pequeña justo a la derecha de la entrada oficial, que estaba a la sombra de un mirto e irradiaba magia.

Pasó la mano alrededor y notó que el aire se le pegaba a la piel: el encantamiento de la pequeña puerta ofrecía cierta resistencia.

—Vale, pues me equivocaba —dijo Aru—. Quizás este lugar sí que esconde un árbol de los deseos.

—Os lo he dicho —canturreó Nikita, alegre.

—Vale, ¿cómo entramos? —preguntó Brynne.

—No quiero volver a usar la llave —contestó Aru.

—Yo tampoco —anunció Aiden.

—¡Qué raro! —dijo Rudy antes de saltar al asfalto de la carretera—. ¿No pegáis estrellas en el suelo?

—Rudy, por favor, súbete a la acera —le avisó Mini.

—¡Estoy explorando!

—Te van a atropellar —observó Brynne.

—Tiene un encanto decadente. Compraré dos carreteras. ¿A quién se le pagan? ¿Hola?

Los demás lo ignoraron mientras Nikita caminaba hacia el árbol que estaba junto a la puerta plateada y llamaba dos veces a la corteza.

—Toc, toc —bromeó Aru.

—¿Quién anda ahí? —preguntó una voz desde el interior del árbol.

Aru se incorporó. Aunque ahora sabía que las plantas podían hablar, no esperaba que el árbol respondiera al chiste, sobre todo con un marcado acento sureño. Nikita levantó la barbilla.

—Somos las…

Aru movió las manos y articuló con los labios: «¡No digas ningún nombre!». Querían mantener la misión lo más secreta posible.

—Tenéis que darme todos vuestros nombres si queréis entrar en el Pabellón Botánico de las Ciudades Perdidas —dijo el árbol, molesto.

—¿Patatas? —intentó responder Mini.

—Está claro que no sois papas, pero, si lo sois, que Dios os bendiga.

—El primer halago que me hacen en toda la semana —dijo Aru.

—Como no me deis un nombre en los próximos cinco segundos, gritaré…

—¡No!

—¿Vuestro nombre es No?

—No —respondió Mini.

—¿Eso es un sí?

—GROOT —anunció Aru, soltando lo primero que se le pasó por la cabeza—. Soy… Groot.

—Todos somos… Groot —repitió Aiden.

El árbol se quedó en silencio y Aru se maldijo mentalmente. ¿GROOT? ¿Ese era el nombre que le había proporcionado su cerebro en el último segundo? «Cerebro malo», pensó. Al instante, el aludido le puso en la cabeza la pegadiza *Escape (The Piña Colada Song)*.

—Ya te hemos dado un nombre, ahora permítenos entrar —exigió Aru.

—Vale, vale. Dejemos las rabietas. Nadie quiere venir hasta aquí hoy. Es el Holi. —El árbol suspiró, inclinó la copa y movió las hojas.

La puerta plateada se abrió de par en par y entraron lo más rápido posible. Mientras la puerta se cerraba tras ella, Aru oyó que el árbol murmuraba:

—¡Qué nombres tan horribles! Imagina que me presento así. «Soy Groot». Es casi tan absurdo como «Soy el Durmiente».

—¿Lo habéis oído? —preguntó Aru antes de chasquear los dedos para que el *vajra* se transformara en un arpón de gran tamaño.

Brynne ya había sacado el bastón de viento y Mini había desplegado la *danda* de la Muerte en toda su extensión. Las cimitarras de Aiden se vislumbraban en los puños de sus mangas e incluso Rudy tenía la bandolera llena de piedras encantadas abierta y preparada.

—El Durmiente está aquí —susurró Aru.

—¿Eso significa que Sheela también estará? —preguntó Nikita. Se llevó los dedos hacia el pequeño corazón verde del cuello, esperando notar a su hermana cerca, supuso Aru.

—Nikki, lo siento, pero te apagaron el aparato de rastreo en la Casa de la Luna —dijo Mini con delicadeza—. Por tu seguridad.

Nikita apartó la mano y se le ensombreció el rostro.

—Si está aquí, la encontraremos —afirmó Brynne.

Estaban de pie en una amplia pasarela de piedra flanqueada por cascadas que se erguían sobre ellos. Unas enormes volutas de vapor y bruma llenaban el aire y tapaban la parte superior, por lo que parecía que estuvieran andando en mitad de un océano dividido en dos. En el suelo, las piedras pulidas del río se extendían unos cien metros antes de desaparecer entre la niebla. Había un pequeño cartel a la derecha que decía: MÁS ADELANTE: PABELLÓN BOTÁNICO DE LAS CIUDADES PERDIDAS.

—Mini y yo podemos ir en cabeza —dijo Brynne. Mini asintió y creó un campo de fuerza violeta ante ellas dos—. Aiden y Rudy irán en medio. Aru, tú y Nikita vigilaréis la parte de atrás.

—¿Puedo vigilar también yo desde ahí? —preguntó Rudy.

—No.

Mientras los demás partían, Aru se quedó atrás. Nikita estaba aún más rezagada, con la mano presionada contra el pecho y una expresión que Aru identificó al instante: soledad.

—Oye —dijo, dándole un empujoncito cariñoso—. La encontraremos, ¿vale?

Nikita levantó la vista. Normalmente parecía mucho más madura que una niña de diez años corriente y moliente, pero, en ese momento, tenía los ojos llenos de terror. Era la misma expresión que tenía en la pesadilla, cuando le tendió la mano a su madre, que se marchaba para mantenerlas a salvo. Nikita cogió aire antes de decir en voz baja:

—Te creo. Siempre te creeré.

Aru se quedó paralizada. Era una carga extraña que alguien dependiera así de ti. Ahora se sentía diez veces más alta, solo por el propósito de proteger a las gemelas, que la admiraban. Nikita le dio la mano y Aru notó una descarga de calidez y miedo. ¿Ser hermana mayor era así? ¿Querer gritarle cada dos por tres, pero estar dispuesta a saltar frente a un coche por ella?

Si era así, le parecía horrible.

—No estás sola —dijo Aru apretándole la mano.

—Lo sé. —Sin embargo, incluso entonces, Aru notó que los poderes naturales de Nikita se estaban manifestando cuando unas vides se le enrollaron al vestido como una armadura—. Es solo que… todo esto es nuevo.

—Pues será mejor que te vayas acostumbrando.

Nikita sonrió. Dejó caer la mano y le arregló la camiseta desgastada a Aru antes de arrugar la nariz con desdén.

—Necesitas unos consejillos de moda.

—Oye, que tampoco está tan mal —gruñó.

Nikita le dedicó una mirada de pena.

Delante, Brynne gritó:

—Esto… ¿chicas? Necesitamos una ayudita por aquí…

Aru frunció el ceño mientras ella y Nikita se acercaban a los demás. «¿Cuál es el problema?», pensó. ¿Por qué no podían entrar en aquel pabellón y…?

«Ay, vale, no importa».

El Pabellón Botánico de las Ciudades Perdidas no era una glorieta de jardín sin más, era una isla entera. El Pabellón flotaba en el aire dentro de un círculo de cascadas silenciosas, cuyo tamaño hacía que las cataratas del Niágara parecieran una simple fuente. Unas enormes volutas de vaho encerraban arcoíris discontinuos en torno a la masa de tierra y las nubes la ocultaban desde todos los ángulos. A casi treinta metros de altura, la isla estaba suspendida entre dos rayos de luz, uno solar y otro estelar.

«¿Cómo vamos a llegar hasta ella?», se preguntó Aru. La pasarela de piedras del río terminaba abruptamente ante una caída empinada hacia el agua agitada llena de piedras negras y afiladas.

—¿Se supone que tenemos que volar hasta allí? —preguntó Rudy.

—Yo podría… —respondió Brynne.

—Si el Durmiente está ahí, tenemos que permanecer unidos —dijo Mini—. Pero, si está en el Pabellón… ¿cómo ha llegado hasta allí?

—Supongo que usó eso —anunció Aiden señalando hacia abajo.

Fue entonces cuando Aru se percató de que había dos palos robustos a cada lado del camino, ambos conectados con una cuerda. Miró por el borde del precipicio y vio un extremo del desvencijado puente de madera colgar como una escalera; el otro extremo flotaba en el agua.

—Jo.

Con una llamarada de luz azul, Brynne se convirtió en un halcón turquesa. Graznó una vez antes de caer en picado hacia los rápidos, cogió el extremo del puente con el pico y volvió volando hasta ellos. En cuanto se transformó en sí misma, las tablas cayeron y formaron un montón a sus pies.

—Puaj —dijo Brynne, escupiendo—. Las cuerdas mojadas están asquerosas.

Aiden se arrodilló junto a los extremos de la cuerda y los sostuvo en alto.

—Alguien los ha cortado.

—Entonces, ¿cómo llegaremos hasta el árbol de los deseos? —preguntó Rudy.

—Puedo reparar el puente —anunció Nikita, moviéndose hacia delante.

—Y yo mantendré activo el escudo —aseguró Mini.

—Y si hay alguien esperándonos en esa isla… —La sonrisa de Brynne se volvió salvaje mientras se golpeaba la palma con el bastón—, que se vaya preparando.

—Yo… eh… solo… ya sabéis… me quedaré aquí —dijo Rudy antes de esconderse detrás de Mini.

—Ni hablar —gruñó Aiden.

Nikita levantó las manos y unas enormes vides verdes le aparecieron alrededor de las muñecas. Extendió los brazos y las vides crecieron hacia fuera, se enrollaron en torno a las cuerdas cortadas y se ataron a los dos palos de la isla. Nikita chasqueó los dedos y las vides se separaron de sus muñecas, se deslizaron por los dos palos cercanos y se sujetaron con firmeza. Brynne tiró de la cuerda varias veces antes de asentir.

—Listo.

—Iré yo primero por si tengo que reforzarlo —propuso Nikita.

—Yo después para poder afianzar el campo de fuerza —anunció Mini.

—Y, si yo voy detrás de Mini, seguro que no muero —dijo Rudy.

—¡Apártate, anda! —gritó Brynne.

—¿Y noso…? —empezaron a decir Aru y Aiden a la vez.

—Chicos, tenéis un rayo y unas cimitarras en un puente hecho de vides —les recordó Brynne antes de negar con la cabeza—. Mantened las armas pegaditas al cuerpo y, Shah, no prendas fuego a nada, por favor.

—Lo siento, ¿vale? —musitó.

Mientras caminaban por el puente, a Aru le daba un vuelco el estómago con cada movimiento. El puente quizás fuera fuerte, pero se balanceaba con cada paso. Y, con cada vaivén, Aru sentía más terror. Para distraerse, miró a Aiden, que iba detrás de ella.

—Entonces… ¿cantas?

—No empieces, Shah —contestó Aiden, poniendo los ojos en blanco—. Rudy no para de pedirme que sea parte de su banda. Quiere llamarla «Rock & Rudy».

Aru resopló al imaginarse a Rudy corriendo de un lado a otro del escenario, colocando piedras y gemas encantadas de forma estratégica.

—Para serte sincera, de lo malo que es, es casi bueno —respondió Aru con una sonrisa.

Estuvo tentada de hacerle un guiño. Los músculos del párpado del ojo izquierdo se estaban volviendo locos. «Pero ¿qué estáis haciendo?», les gritó mentalmente. «¡Parad!». Poco a poco, su ceja izquierda se tensó como un pingüino deprimido.

—Eh, ¿tienes algo en el ojo? —preguntó Aiden.

—Delirios de grandeza —musitó.

—¿Qué?

—Nada, una pestaña —dijo antes de restregarse furiosa la cuenca del ojo.

—¡Lo hemos conseguido! —gritó Mini,

Aru mantuvo la vista al frente mientras llegaban a la isla flotante. El suelo debajo de ellos era mullido y verde.

Las gruesas cortinas de niebla y vapor de las cataratas se separaron con lentitud y vieron lo que solo se podía describir como paraíso o, mejor dicho, paraísos, porque había varios.

En el cielo, un puñado de árboles florales colgaban boca abajo junto a una estatua de un león alado que sujetaba un cartel en el que ponía: PARA LOS JARDINES COLGANTES DE BABILONIA, GIRAD A LA DERECHA. Unos metros detrás, la vegetación daba paso a un escenario desértico con un oasis de palmeras y distintas instrucciones: PARA ZERZURA, GIRAD A LA IZQUIERDA. Aru también vio un sendero de tréboles que indicaban el camino hacia Tir na Nog, el país de las hadas irlandesas, y otros carteles que señalaban el camino hacia vastos árboles de todo el mundo que podrían albergar una ciudad entera entre las ramas. Ante ellos, en el centro, había un pequeño cartel blanco:

PARA IR A LA ARBOLEDA DE ARANYANI,

PERMANECED MUY QUIETOS.

CUARENTA Y CINCO

Por favor, no digas que eres inevitable

Todos permanecieron inmóviles mientras unas finas raíces luminosas salían del suelo y se les enrollaban a los tobillos como si fueran cadenas antes de tirar de ellos hacia abajo. Aru se estremeció porque no sabía qué iba a pasar, pero a la que quiso darse cuenta, estaban en el centro de una arboleda cercada del tamaño de una piscina olímpica. Varios riachuelos plateados bajaban por las paredes rocosas y unas volutas de niebla se enroscaban sobre sus cabezas, permitiendo que les llegaran algunos rayos de sol.

Ante ellos, los árboles se erguían de una manera que Aru nunca hubiera imaginado. Tenían la corteza de oro y plata, las hojas de seda y joyas en lugar de flores. Algunos de ellos estaban cargados de notas musicales que parecían racimos de frutos rojos y había robles hechos de pergamino, cubiertos con un delicado estampado, de los que crecían frutos en forma de libro bajo las ramas negras. Incluso vio un árbol que parecía estar pintado de verdad, con manzanas de acuarelas y borrones violetas que hacían las veces de ciruelas.

Aru miró a su alrededor, absorbiendo los olores y sintiendo la cálida luz en la cara. Con nerviosismo, toqueteó las dos cuentas insertadas en el colgante. Estaban muy cerca de terminar la misión, muy cerca de evitar que el Durmiente hiriera a sus familias y destruyera sus hogares. Cuando Aru cerró los ojos, se imaginó a Bu mirando a un árbol de los deseos falso, pidiendo la libertad; a las gemelas conteniendo las lágrimas y deseando que les devolvieran a sus padres; al Más Allá, al que tanto le gustaba ir, envuelto en llamas…

Y, aun así, sentía un vacío en su interior al tocar el colgante. Cada fragmento que habían encontrado le contaba que le habían arrebatado algo que no sabía que echaba de menos, y eso la enfurecía. Estaba claro que Suyodhana no había llegado hasta esta arboleda antes de convertirse en el Durmiente. Porque, de haberlo hecho, las cosas serían distintas.

Quizá Aru nunca habría crecido sin un padre. Quizá habrían venido a esta pequeña isla de paraísos para hacer un pícnic… en vez de para evitar que el Más Allá se destruyera. Quizá, quizá, quizá. Esa era la cantinela cruel de los pensamientos en su subconsciente.

—El árbol no está aquí —anunció Nikita.

Aquello sacó a Aru de sus reflexiones.

—¿Qué?

—¡Pero ya no hay tiempo! ¡Hoy es el Holi! —dijo Brynne—. Si no encontramos el árbol de los deseos, todo el Más Allá va a…

—No está en esta arboleda —la interrumpió Nikita poniendo una mano en alto—. Pero lo siento cerca, igual que a Sheela.

—Pensaba que habían desactivado el regalo que te había hecho tu padre espiritual —dijo Mini mientras señalaba el pequeño corazón verde.

Nikita le restó importancia a su preocupación.

—No lo necesito para saber cuándo mi gemela está cerca.

—¿Está aquí? —preguntó Mini, mirando alrededor.

—Cerca… Escondida en algún sitio —dijo Nikita.

A Aru se le aceleró el pulso y descubrió que le costaba respirar. Si Sheela estaba allí, el Durmiente también estaría cerca.

—Entonces, busquemos —propuso Rudy—. No puede ser muy difícil.

Aiden frunció el ceño y entrecerró los ojos para mirar en la distancia. Sacó las cimitarras y giró en un círculo lento.

Unas piedras pequeñas cayeron por las paredes hasta golpear el suelo y hacer saltar la tierra. Aiden levantó las cimitarras justo cuando algo lo empujó hacia atrás. Chocó con una roca.

—¡Aiden! —gritó Rudy antes de correr hacia él.

Enseguida, las Pandava adoptaron la postura de batalla. Un enorme *riiip* se oyó detrás de ellas. Se giraron y vieron que la tierra se abría como si alguien estuviera rasgando una tela. Raíces, arena y rocas salieron despedidos del agujero mientras las sombras se extendían por el suelo y cubrían la hierba. Algo venía a por ellos y estaban demasiado expuestos.

—Dirigíos hacia el muro de atrás —gritó Brynne.

Se apresuraron al lugar indicado mientras Rudy arrastraba a Aiden tras ellas. La grieta lo persiguió como si fuera un enorme gusano hurgando bajo la tierra. Aru notó que el suelo temblaba.

—¡Arriba los escudos! —gritó.

Mini utilizó la *danda* para formar una cúpula protectora. Nikita introdujo las manos en la tierra y unas raíces pálidas tan gruesas como barrotes de hierro surgieron de esta para formar una valla a su alrededor. Susurró algo y unas espinas como cuchillos blancos salieron despedidas de las raíces con las puntas afiladas hacia fuera.

Pero, igual de rápido que había empezado, el tumulto cesó. La grieta se detuvo a apenas metro y medio de distancia de donde los Patatas estaban reunidos. Las sombras que habían salido del suelo volvieron a toda prisa al hoyo y dejaron atrás nada más que hierba pisoteada. Había huellas… pero no había nadie allí. Un silencio abrumador se hizo con la arboleda, roto solo por el ligero quejido de Aiden.

—¿Estás bien, Querida? —susurró Mini.

Aiden consiguió asentir débilmente antes de dejar caer el brazo desde el hombro de Rudy.

—Gracias —musitó.

—Eres mi vocalista principal —dijo Rudy con orgullo—. No te puede pasar nada.

—También soy tu primo.

—Eso es secundario, la verdad. —Pero sonrió como si acabara de ganar un premio.

—¿Qué ha sido eso? —preguntó Brynne mirando la grieta del suelo.

El campo de fuerza de Mini parpadeó. El sudor le cubría la frente, por lo que Aru supo que comenzaba a cansarse. Paseó la mirada entre las paredes rocosas y los árboles que estaban a cada lado, uno hecho de pintura y el otro un sauce llorón cuyas ramas estaban llenas de diamantes colgados como si fueran lágrimas. Algo había intentado atacarlos… Entonces, ¿por qué detenerse?

Nikita seguía agazapada con los dedos en la tierra. Sacó la mano con un estremecimiento.

—¿Qué pasa? —preguntó Brynne, ansiosa.

Nikita se giró hacia ellos con lentitud y los ojos dilatados.

—Latidos —dijo—. Del suelo salen múltiples latidos de corazón.

Un escalofrío recorrió la columna de Aru. Los latidos significaban que había personas, pero allí no había nadie…

Pum.

Pum.

Pum.

Frente a ellos, el escudo de Mini empezó a resquebrajarse. Aru, en el exterior del grupo, oyó un leve jadeo junto a su oreja. Se giró mientras el *vajra* cobraba vida. Nada. Miró hacia el suelo: la hierba estaba aplastada. Alguien había estado allí de pie.

—No… podré… mantenerlo… mucho… más… tiempo —dijo Mini con brazos temblorosos y la *danda* alzada.

—Entonces, lucharemos contra ellos —dijo Brynne tras elevar el bastón de viento.

—No podemos verlos —dijo Aru.

—¡Preparaos! —gritó Mini.

Desde ese momento, todo ocurrió a la vez. El escudo se partió por la mitad. Nikita abrió los brazos y la valla de raíces y espinas explotó hacia fuera. Algo gritó de dolor. Durante una milésima de segundo, una de las espinas de Nikita pareció quedarse flotando en el aire. Pero alguien la arrancó y la tiró al suelo.

Brynne alargó el bastón de viento, moviéndolo hacia delante y hacia atrás. El extremo más lejano de la pared rocosa tembló cuando los cuerpos hicieron contacto con ella y provocaron la caída de piedras. Un peso repentino aplastó la hierba.

En las manos de Aru, el *vajra* se estremeció como un arco tenso, lleno de energía. «¿Por qué os escondéis, cobardes?», pensó con un cosquilleo en los dedos.

Frente a ella, Mini lanzaba campos de fuerza hacia la izquierda y la derecha. A veces no había nadie allí, otras se oía un golpe fuerte y caía saliva por el borde del escudo. Nikita sacó varias raíces del suelo y las blandió a su alrededor como serpientes con espinas. Aru soltó la red y atrapó…

Nada.

El *vajra* volvió a su mano justo cuando una ráfaga de aliento cálido le levantaba el vello de la nuca. Gritó, se dio la vuelta y lanzó el *vajra* como si fuera una jabalina. El rayo chocó con el suelo antes de rebotar hasta su mano.

Del aire en torno a ella surgió una leve carcajada.

Aiden, ahora recuperado, golpeó las cimitarras entre sí. Se detuvo durante unos instantes antes de levantarlas en el aire…

Se oyó un sonido metálico, debía de haber hecho contacto con algo. Estaba a punto de sonreír cuando cayó de bruces contra el suelo y soltó un gruñido. Alguien lo había golpeado por detrás. Rudy cogió una de las cimitarras que se habían caído, cortó el aire encima de Aiden y dejó escapar un fuerte siseo.

—Vale, eso es —dijo. Se miró los vaqueros, soltó un suspiro y murmuró—: Puedo hacerlo… Puedo hacerlo.

Las escamas de la muñeca le resplandecían con una luz verde. Con un fogonazo, se elevó a más de dos metros de distancia. Tenía las piernas unidas y retorcidas en una cola roja con bandas amarillas. Le brillaban los ojos verdes al enroscarse alrededor de Aiden y luego mover la potente cola en el aire. Algo golpeó la pared, lo que hizo que cayeran más piedras. Rudy sonrió.

Aru pensó que había visto una sombra en el suelo, por lo que lanzó la jabalina relampagueante. Antes de saber si había acertado, se dobló de dolor cuando un objeto la atrapó por la cintura como un garfio y tiró de ella. Cayó al suelo e intentó clavar las uñas en él, arañando desesperada para volver con sus hermanas. Sin embargo, quien fuera que la hubiera atrapado era más fuerte y rápido.

—¡Aru! —gritó Nikita.

El gancho la arrastró casi seis metros antes de soltarla. Se desplomó en el suelo mientras el *vajra* zumbaba a su alrededor y la rodeaba con una red eléctrica. Se impulsó para incorporarse con el corazón acelerado. Las sombras volvieron a surgir del suelo, pero esta vez cubrieron la arboleda con una niebla de aspecto venenoso.

Una leve carcajada llenó aquel refugio y los árboles se estremecieron.

Aru conocía esa risa. Distinguió incluso los restos de lo que había sido en el pasado, la clase de risa intensa que infunde calor a las personas que la escuchan.

Ya no.

Levantó la cabeza, pero no vio nada. La niebla se aproximaba a ella, por lo que debía actuar. Ya. Chasqueó los dedos y el *vajra* se convirtió en un aerodeslizador bajo sus pies. Algo le rozó la muñeca, pero ella fue más rápida. Con un salto, pasó zumbando sobre la bruma hasta volver con su familia. Se dejó caer en el suelo y, al incorporarse, el *vajra* se transformó en un poderoso arpón.

Las Pandava formaron un círculo pequeño. Rudy siseó e hizo chocar la cola con el suelo. Brynne movió el bastón. Mini levantó la *danda* de la Muerte. Nikita se agazapó en el suelo e introdujo los dedos en la tierra. Aiden ya tenía las cimitarras listas.

Pero no hubo ninguna pelea.

Nada los atacó.

Una voz grave y oscura habló:

—¿Veis lo que puedo hacer, lo que puedo quitaros?

Aru cerró los ojos; deseaba no rememorar los recuerdos de Suyodhana. Su dolor, su amor. «Ya no es él», pensó para sí. Pero odiaba la parte de sí misma que deseaba que lo fuera.

—Es casi impresionante lo lejos que puede llegar la incompetencia últimamente —dijo el Durmiente.

—Gracias —contestó Aru con voz de acero—. Lo estamos intentando.

—Y fracasaréis —anunció el Durmiente con indiferencia—. Veréis, niños, esta guerra la voy a ganar yo. Siempre ha sido así. Si tengo que derramar vuestra sangre, lo haré sin dudar. Pero os daré la opción de vivir un poco más, puesto que soy...

—¿Inevitable? —preguntó Aru.

El Durmiente se detuvo.

—¿Qué?

—Por favor, no me digas que le has robado a Thanos la frase de villano.

Una voz diferente, más a la izquierda, preguntó:

—¿Lo conocemos...?

—Silencio —dijo el Durmiente.

Se oyó un fuerte *¡zas!*, seguido de un gemido.

Brynne señaló hacia una sombra a la izquierda y hacia la hierba que ahora estaba aplastada. Los muros que los rodeaban gruñeron como si se vieran presionados por cientos de hombres pesados. Aru miró el árbol de pintura y luego el sauce llorón más cercano en busca de algún rastro de movimiento entre las ramas.

—Pero lo cierto es que sí soy inevitable, Aru Shah —dijo el Durmiente—. Soy la guerra. Y soy el destino. Ahora, dadme a la niña.

Por detrás de las hermanas, Nikita gritó:

—¡NO pienso ayudarte!

El aire vibró y apareció Sheela, amordazada por una sombra y atada con cuerdas plateadas. La agitación se reflejaba en su mirada, pero mantenía la barbilla levantada.

—¿Y a ella? —preguntó el Durmiente. Nikita vaciló un instante. Miró a Aru y a Brynne, indecisa. Aru apretó la mandíbula—. Utiliza los poderes para traerme el árbol de los deseos y te devolveré a tu hermana —dijo el Durmiente—. A fin de cuentas, no podéis ganar una batalla contra un ejército que ni siquiera veis.

Aru apretó los puños mientras miraba al suelo; le daba vueltas a la frase que acababa de decir el Durmiente. Se le quedó una palabra: «veis».

El tiempo de la profecía se había acabado. El Holi era hoy. La gente estaba de celebración, comiendo y lanzándose polvos de colores…

Aru posó los ojos en el árbol de pintura a su izquierda. De sus ramas colgaban colores brillantes. Eran borrosos y la corteza estaba hecha de acuarelas. Las ramas eran pequeños pinceles y de sus cerdas pendían frutos húmedos de todos los tonos imaginables.

Una idea fue cobrando forma.

Aru captó la atención de Aiden, quien la miró con expresión interrogante y las cimitarras aún en alto, listo para pelear. Con sutileza, hizo un gesto hacia el árbol de pintura y, luego, hacia Rudy y hacia él. Abrieron mucho los ojos.

A continuación, Aru se coló en la mente de sus hermanas.

«Preparaos, vamos a celebrar el Holi».

CUARENTA Y SEIS

El verde no es tu
color, créeme

Aru aferró con fuerza el *vajra*. Los seis se alinearon colocándose unos junto a otros. A Nikita le temblaba el labio cada vez que miraba a Sheela. Aru le apretó el brazo y Nikita levantó la mirada con los ojos brillantes antes de observar la arboleda llena de sombras negras que se retorcían.

—Primero… entrégame a mi hermana —dijo Nikita—. Y después… Después te ayudaré a encontrar el árbol.

—Ven a por ella.

La voz del Durmiente parecía proceder de todas partes: del suelo, de las rocas, de los propios árboles.

Nikita dio un paso al frente.

A la izquierda de Aru, justo detrás del sauce llorón, surgió un gruñido grave que le puso de punta el vello de la nuca. Movió el *vajra*…

Las sombras se retorcieron, ansiosas. Unas pezuñas invisibles se hundieron en el suelo. Brynne pegó un salto y se llevó la mano a la nuca como si un bicho hubiera aterrizado en ella. Movió el bastón en el aire, lo que hizo que

Aiden blandiera las cimitarras. Rudy se puso en pie antes de apretar el pequeño puñal que le había dado Aiden.

—Tranquilos… —dijo el Durmiente—. Nada de eso. Tenemos un trato, ¿no?

Aru titubeó. Quería agarrar a Nikita y empujarla hacia atrás para que estuviera segura, pero la Pandava más joven se apartó de ella.

Nikita se enderezó; la corona de flores en torno a la cabeza le brillaba como si fueran joyas. El vestido estampado de margaritas de repente parecía un disfraz de Halloween y Aru apenas se atrevía a mirar mientras Nikita daba un paso… dos… cinco… hasta llegar a su gemela.

Sheela tembló cuando la niebla se enroscó en sus tobillos como cadenas.

Las gemelas se miraron sin mediar palabra antes de estirar los brazos. Apenas se hubieron tocado los dedos durante unos instantes, Nikita se giró y se dejó caer al suelo, donde hundió el puño en la tierra.

—¡AHORA! —gritó.

La niebla se movió debajo de Sheela, pero Nikita era más fuerte y rápida. Una malla de púas blancas apareció alrededor de las gemelas hasta formar un capullo esférico de espinas. Un brillo verde lo iluminaba desde el interior mientras flores de algodón sobresalían de él para protegerlas. A la vez, las Pandava lanzaron al aire frutos del árbol cercano. Brynne movió el bastón como un bate de béisbol y dichos frutos formaron un arco hasta caer con fuertes «¡paf!».

Los colores salieron despedidos de las frutas y empezaron a teñir aquellas formas invisibles, exponiendo así a los enemigos. A menos de tres metros de distancia, vieron la pata peluda de un *raksasa* con cuerpo de lobo. Brynne lo echó hacia atrás con una poderosa ráfaga del bastón. La pintura que había salido despedida tras el impacto reveló una serie de cuernos que se dirigían hacia ellos. Aru lanzó el *vajra* como si fuera una jabalina y los demonios cayeron al suelo. Una vaina rosa salpicó la cara de un *naga* y Mini lo alejó con un movimiento brusco del escudo. Aru cogió otro fruto de pintura y lo arrojó hacia delante. Explotó en el aire y tiñó a varios demonios. El verde resbalaba por los cuernos de un *asura* que rugió furioso. Aiden corrió hacia delante y le quitó la espada de la mano antes de golpearle la frente con la empuñadura de la cimitarra.

—¡Seguid lanzando! —gritó Aru. Miró frenética a su alrededor, pero el Durmiente no estaba por ningún lado. ¿Qué estaría tramando?

Más fruta recorrió el aire… Pronto, el ejército, que parecía ocupar la arboleda al completo, estaba lleno de colores, como si los soldados hubieran estado jugando al *paintball*. Una manzana enorme cayó al suelo ante los Patatas, lanzando una oleada de pintura blanca que dejó al descubierto la posición de un par de *nagas* que intentaban reptar hacia el grupo.

—¡Qué vergüenza! —dijo Rudy.

Tomó prestada una de las cimitarras de Aiden y les clavó el extremo de las colas al suelo. Chillaron y sisearon mientras se enroscaban sobre sí mismos. Sacó el contenido de la bandolera y empezó a lanzar piedras lunares con un brillo oscuro hacia la horda. Se oyeron aullidos y gemidos que llenaron el aire a medida que las tropas se dispersaban.

—Piedras de pesadillas —explicó Rudy.

Estaba bien, aunque no bastaba.

El grupo de soldados del Durmiente se retorcía, pero logró recuperarse; las criaturas empezaron a marchar, correr y lanzarse contra ellos. El ejército era muy grande, mientras que el equipo de Aru solo estaba compuesto por ellos seis. No había manera de ganar. Las palabras de la profecía de Sheela hicieron que le ardiera la sangre en las venas.

«Sin esa raíz ninguna guerra ganará…
En cinco días, el tesoro habrá florecido y muerto,
Y todo lo ganado quedará desierto».

Solo el Kalpavriksha podía poner fin a la batalla. Y Aru sabía que no conseguiría encontrar el árbol ella sola. Con el *vajra*, atacó a otra franja de sombras borrosas. Cuando el aire se despejó, el capullo puntiagudo de las gemelas rodó hasta ellos.

Mini creó un escudo protector sobre las gemelas. Mientras Brynne, Aiden y Rudy se ocupaban de los enemigos, el capullo se abrió. Sheela y Nikita estaban allí, pero algo era distinto: se habían cambiado la ropa.

—Sé dónde está el árbol de los deseos —susurró Nikita a Aru, casi sin aliento—. Lo he oído en el suelo.

—Debes llevarme hasta allí —dijo Aru.

—Nikki —le suplicó Sheela mientras se aferraba a su gemela con fuerza.

—No pasa nada… —le aseguró Nikita—. Volveremos enseguida, lo prometo. Será más seguro que te quedes con ellos.

Aru luchó contra una oleada de pánico que se apoderó de ella.

—Te protegeremos —dijo con firmeza—. Confía en mí.

Sheela la miró y un brillo de color plateado le iluminó los ojos azules.

—Ya lo hago.

—¡Marchaos! —gritó Mini antes de bajar el escudo protector y hacer que los Patatas, más Sheela, se volvieran invisibles.

Nikita cogió a Aru de la mano y juntas corrieron a través del caos, zigzagueando entre los árboles hasta colarse por una grieta del muro.

CUARENTA Y SIETE

No estamos perdidas, ¿no?

—¿**A** dónde vamos? —preguntó Aru—. ¿No era esa la arboleda de Aranyani?

Nikita tiró de Aru y creó una pared de vides para que las ocultara. Mientras corrían, los ruidos de la batalla que dejaban atrás se iban desvaneciendo. Al cabo de unos minutos, Nikita se detuvo frente a una roca enorme. Respiraba con dificultad a la vez que creaba una última pantalla de vides a sus espaldas.

—Está aquí —dijo.

«Eh, solo es una piedra inmensa», quiso decirle Aru.

Oyó unos susurros que la sobresaltaron. Con un enemigo invisible, cualquier ruido era peligroso. Pero, cuando miró a su alrededor, no había rastro del Durmiente ni de hierba pisada o sombra fuera de lugar. No sintió el zumbido de la magia negra. Otro susurro pasó junto a ellas. El *vajra* saltó de su muñeca y cobró vida en forma de pequeño arpón.

—Escucha —dijo Nikita tras presionar la oreja contra la roca. En cuanto la tocó, unos riachuelos de plata bajaron por ella.

Aru los miró de cerca y vio que no era agua, sino una madeja interminable de hilos plateados. Parecían fragmentos rotos de hielo que hubieran sido encantados para fluir con suavidad.

Un coro de voces se elevó por el aire:

«Debería haberle dicho que la quería...».

«Debería haber regresado a casa cuando enfermó mi madre...».

«Debería haber pasado la vida apreciando lo que tenía, en lugar de buscar siempre más...».

«Debería haber...».

«Debería haber...».

«Debería haber...».

La roca lloraba el arrepentimiento de las personas. En cuanto Aru lo oyó, el colgante brilló con suavidad, como si respondiera a una llamada. Nikita colocó las manos sobre la piedra y una grieta la partió por la mitad. Ambos lados se abrieron como si fueran una puerta, pasaron entre ellos y la roca se cerró a su espalda.

Las hermanas Pandava se encontraron a los pies de un árbol enorme. Era tan grande que Aru no se hacía una idea de lo ancho que era el tronco. Parecía desaparecer entre la niebla brillante que se arrastraba hasta él desde ambos extremos. Las enormes raíces plateadas sobresalían del suelo y se erguían ante ellas. Un grueso manto de hojas otoñales con los bordes congelados crujía bajo sus pies. La corteza del árbol parecía la superficie de un espejo y grabada en ella había una inscripción en un idioma que Aru no identificó. Pero, aunque no lograba entender lo que decía, de alguna manera consiguió saber que el árbol estaba protegiendo algo importante, como si el pulso del universo fluyera bajo sus raíces.

Aru miró más y más arriba, pero, aun así, no logró ver dónde empezaban las ramas. Cuanto más entrecerraba los ojos, menos detectaba, a excepción de la sensación de grandeza incomprensible, como si del árbol no solo colgaran hojas, sino también civilizaciones olvidadas y nombres de reyes muertos, historias extensas que se habían convertido en mitos y cuentos tan numerosos que habían superado en cantidad a las estrellas.

—¿Este es el Kalpavriksha? —preguntó asombrada.

Nikita negó con la cabeza.

—Este es el árbol del mundo, que nutre el universo y lo sostiene, pero el árbol de los deseos está cerca… Lo noto. Quizás esté al otro lado del tronco…

¡Craaas!

La roca se abrió y unas sombras pasaron a través de ella. Rodaron hasta convertirse en una única mancha negra que se levantaba casi dos metros y medio del suelo. Entre la forma borrosa, Aru vislumbró dos ojos: uno azul y otro marrón. El Durmiente. Estiró una mano envuelta en oscuridad. Los dedos acababan en afiladas garras rojas que curvaba para exigir una petición terrible.

—Mostradme dónde está el árbol de los deseos —gruñó—. Siempre debería haber sido mío.

El *vajra* de Aru saltó hacia él, pero el Durmiente lo apartó como si fuera un mosquito. El rayo emitió un aullido eléctrico antes de volver junto a su dueña.

—Corre, Aru —gritó Nikita—. ¡Vete!

—No pienso dejarte sola.

Nikita dio una palmada y rosas de distintos tamaños y colores cayeron en cascada por su cuerpo como un vestido de gala desplegándose. Las ramas se estiraban hacia las sombras y crecían alrededor del Durmiente hasta encerrarlo en una red de espinas. Gruñó y se sacudió en el interior mientras atraía la oscuridad en torno a él a modo de capa protectora.

—Vete —dijo Nikita con un hilo de voz mientras reforzaba la jaula—. Lo mantendré ocupado.

—No quiero marcharme —dijo Aru con la voz rota.

Nikita la miró, abrió más los ojos y esbozó una sonrisa frágil y trémula.

—Pero, a veces, hay que hacerlo… Puedo luchar. Moderna y guerrera, ¿recuerdas?

Le tembló la barbilla y Aru se odió por haberla metido en aquello. Su interior quería quedarse con su hermana, pero, si no encontraba el árbol, ninguna lograría sobrevivir y el Más Allá se destruiría. Las lágrimas le inundaron los ojos, pero tenía que ser fuerte. Por las dos.

—Lo haré rápido —dijo Aru—. Lo arreglaré. Te lo juro.

Mientras se giraba sobre sus talones y salía corriendo, oyó la voz de Nikita por el aire:

—Te creo.

Aru se apresuró a rodear el enorme tronco del árbol del mundo, sintiéndose tonta. No había ningún otro árbol a la vista. ¿Dónde se escondería un milagro tan fantástico como el Kalpavriksha?

La niebla plateada se enroscaba hacia la derecha. Parte de ella se sintió tentada a correr hacia allí y ver si el árbol estaba escondido en ese lugar, pero algo la retuvo. Cada vez que miraba demasiado tiempo a la bruma plateada, el colgante quemaba, como si le estuviera diciendo: «No, ahí no es».

Aru redujo la marcha y se detuvo. Se arriesgó a mirar hacia atrás. Ya no oía al Durmiente. O a Nikita, pensó con una punzada de dolor. Era como si hubiera entrado en otro mundo.

A su alrededor solo había niebla y el enorme tronco de espejos… Se detuvo.

Un árbol de oro apenas mayor que un libro estaba medio apoyado contra una raíz enorme. Al examinar el entorno casi se le había pasado por alto, pero ahora alcanzaba a ver un tenue brillo alrededor. Se acercó aún más. Desprendía unas oleadas de magia tan fuertes que espesaban el aire.

Aru respiró hondo y tocó el colgante de su madre en busca de buena suerte. Luego, cerró los ojos y envolvió con la mano el tronco de aquel árbol diminuto.

CUARENTA Y OCHO

La ignorancia da la felicidad

Aru pestañeó varias veces.

El árbol del mundo había desaparecido. Bueno, todo había desaparecido. Estaba en el centro de una estancia llena de luz dorada. El techo parecía compuesto por ramas entretejidas hechas de rayos de sol. Y, ante ella, había una mujer.

Mejor dicho, una diosa.

—Veo que has localizado el Kalpavriksha —dijo la mujer con una sonrisa—. Debo decir que incluso yo estoy sorprendida.

Aru la miró. La diosa llevaba una sencilla camisa de lino y unos vaqueros oscuros. Tenía el pelo recogido en un moño alto; la piel era del color intenso de la tierra y los ojos recordaban al ámbar bajo unas cejas gruesas. Poseía una nariz aguileña y la boca parecía haber sido creada para sonreír. Era hermosa de un modo inesperado, como las gotas de lluvia en una tela de araña: invisibles a menos que te tomes tu tiempo en percibirlas.

—Tú... Tú eres...

—Aranyani —terminó la diosa con una leve inclinación de barbilla.

La esquiva diosa de los bosques y la guardiana del Kalpavriksha.

—¿No era lo que esperabas? —sugirió.

—Bueno, es que… —tartamudeó Aru.

«Sí» parecía no ser la respuesta adecuada.

—Ya veo —dijo Aranyani aún con una sonrisa—. ¿Y has recorrido todo ese camino para encontrar el Kalpavriksha porque…?

—Por la inminente guerra contra el Más Allá —contestó Aru.

Pero, mientras hablaba, las palabras no sonaban bien entre sus labios.

—Por la guerra —repitió Aranyani—. Porque las guerras se suelen ganar con deseos, ¿no?

—Pero la profecía… —empezó a decir Aru.

—Ah, sí. A ver si me acuerdo… «Un tesoro es falso y el otro está perdido, pero el árbol del corazón será el único afligido. Sin esa raíz ninguna guerra ganará. Sin cosechar sus frutos la victoria se le arrebatará. En cinco días, el tesoro habrá florecido y muerto, y todo lo ganado quedará desierto».

—Sí —respondió Aru en voz baja—. Esa.

—¿Y dónde se menciona lo del deseo? —preguntó Aranyani.

Aru se quedó tan sorprendida que permaneció callada. Repasó mentalmente todas las razones por las que había estado convencida de que el Kalpavriksha era el corazón de la profecía: el árbol falso en los cielos, las horribles palabras de Ópalo, la amenaza creciente en el mundo celestial y mortal, incluso el hecho de que su propio padre hubiera perseguido ese tesoro.

Aru tragó saliva con fuerza.

—Pero tiene que ser el Kalpavriksha, porque encontramos el falso…

—Te lo volveré a preguntar, hija del dios del trueno —dijo Aranyani—. ¿Dónde se menciona el deseo?

—Eh… No, no lo menciona… Pero era lo único que tenía sentido —contestó Aru mientras el pánico crecía en su interior—. ¡Tenemos que ganar la guerra! Menciona el «árbol del corazón». Pensé… Pensé que lo necesitábamos para ganar. En plan… la victoria se la llevaría el que pidiera un deseo.

La expresión de Aranyani se suavizó.

—Ay, niña, sabes tanto y, a la vez, tan poco. Siento lástima por ti.

A Aru se le cayó el alma a los pies. Su familia estaba ahí fuera, esperando a que completara la misión. Nikita tal vez se había sacrificado para que Aru llegara hasta allí, y lo único que la diosa le ofrecía era… ¿lástima? El *vajra* parpadeó furioso.

—Has venido aquí para pedir un deseo, así que eso es lo que debes hacer —dijo Aranyani.

Una chispa de esperanza se encendió en el interior de Aru.

—Este es el último lugar al que deben acceder los que buscan el Kalpavriksha —continuó la diosa—. Se llama la Arboleda de los Arrepentimientos. —Aranyani indicó el lugar que las rodeaba.

Solo entonces Aru percibió el mismo tipo de susurros tenues que corrían por la piedra, el cántico repetitivo de «debería haber, debería haber, debería haber».

—Si eliges pedir un deseo, debes saber que el arrepentimiento vendrá después —dijo Aranyani—. Compruébalo tú misma, hija de los dioses.

Aranyani movió la mano derecha por el aire. Un viento fuerte sopló contra Aru y la hizo cerrar los ojos y sujetarse el colgante. Al tocarlo, los recuerdos de Suyodhana le pasaron por la mente como una película biográfica: cómo había crecido solo y sin familia, lo brillante que había sido al ganar a los maestros, el nombre que le había puesto refiriéndose a una luz en la oscuridad.

Aru abrió los ojos y se dio cuenta de que estaba sumergida en otra visión. Miró a su alrededor y la familiaridad la sorprendió. Estaba en casa, en el Museo de Arte y Cultura de la Antigua India.

Su madre, joven y guapa, se encontraba de pie en el rellano de las escaleras. Llevaba un vestido negro y largo y el pelo arreglado, como si acabara de volver de una cita. Un hombre estaba junto a ella, con las manos detrás de la espalda. Era raro ver a Suyodhana tan nervioso, porque solía tener mucho aplomo y confianza en sí mismo.

—Te he dicho que no quería flores —dijo Krithika Shah con una sonrisa coqueta.

Aru lo sabía bien. Incluso en el Día de San Valentín, cuando alguien le enviaba flores a su madre, siempre acababan en el cubo de la basura.

—Lo recuerdo —dijo Suyodhana.

Sacó un ramo de detrás de la espalda. Definitivamente no era un arreglo floral común, sino una escultura de metal de doce rosas hecha con los engranajes y mecanismos de un reloj.

—Me pediste que te diera algo que quisiera, pero no pudiera tener —dijo.

Krithika se sonrojó.

—Solo estaba de broma…

—Lo único que quiero es más tiempo contigo —la interrumpió él.

La visión dio un salto en el tiempo y esta vez Suyodhana era mayor, vestido con las prendas de viaje polvorientas que llevaba cuando había hablado con el señor V sobre la llave imposible, cuando había sacrificado los recuerdos de su infancia y se había cruzado con los pájaros *chakora* para revelar el secreto del nombre de Aru. Tenía unas patas de gallo que antes no estaban ahí, y la expresión de no haber conocido nunca una sonrisa. Estaba en el mismo lugar en el que se encontraba Aru ahora, en una estancia de luz dorada ante la diosa de los bosques.

—Si eliges este camino —le avisó Aranyani—, te perderás el nacimiento de tu hija. Perderás el recuerdo de haber querido a tu mujer. ¿Tanto vale este deseo para ti, Suyodhana?

Se encogió de hombros.

—Ya he dado casi todo —dijo—. Pero lo que me pides… es demasiado.

Aranyani inclinó la cabeza.

—Entonces, ¿qué vas a hacer?

Suyodhana tragó con fuerza y levantó la mirada por primera vez.

—No me rendiré —anunció con voz ronca—. Encontraré un modo de evitar el destino. Krithika me ayudará y juntos lo detendremos. Pero no… no, me niego a abandonar a mi familia.

—Entonces, vete a casa —contestó Aranyani con tristeza—. Vete con ellas.

Aru quería que la visión se detuviera. No deseaba saber más. Estaba claro que no le apetecía verlo. Pero había más. En la siguiente visión, Hanuman y Urvashi estaban sentados junto a una Krithika embarazada de muchos meses.

—Creo en él —dijo Krithika con firmeza.

—Lo que estás haciendo es una irresponsabilidad… El Consejo ha dicho que eres una egoísta, Krithika —dijo Hanuman—. Sabes el peligro que supone, lo que está destinado a hacer, a destruir esta era.

—Las profecías son cosas inciertas —respondió.

—Tal vez —replicó Urvashi—. Pero ¿qué estás dispuesta a arriesgar para descubrir si tienes razón?

Ante eso, la mirada de la *apsara* cayó de forma deliberada sobre el vientre hinchado de Krithika. La mano de esta se movió hasta su torso y miró a ambos. Urvashi suspiró y estiró la mano para sujetarle las suyas.

—Sé mejor que muchos lo que debemos sacrificar por nuestros seres queridos… pero piensa en el bien superior. ¿Y dónde ha estado mientras te has tenido que ocupar de ti misma y del bebé tú sola? Lleva meses desaparecido…

—Pero se ha marchado para protegernos… —dijo Krithika.

Por primera vez, la voz le tembló por la duda.

—¿Y si fracasa? —preguntó Hanuman—. ¿Qué pasará entonces?

La visión cambió una vez más. Aru quería tirarse al suelo, cubrirse la cabeza y hacer que todo se detuviera. Pero Aranyani aún no había terminado con ella. Aru no sabía cuánto podría aguantar. Para entonces, algo en su interior parecía estar tenso hasta el punto de romperse.

Las imágenes flotaron ante ella, más recientes esta vez, y mostraron un callejón oscuro del mundo humano. Bu aleteó hasta una farola antes de graznar, ansioso. Desde las profundidades lúgubres del pasadizo, las sombras se desprendieron hacia delante, fundiéndose en la figura tenebrosa del Durmiente.

—He oído que tienes una propuesta que hacerme, viejo amigo.

—Yo no soy tu amigo —dijo Bu enfadado.

—Detalles… Detalles. —El Durmiente se echó a reír—. Sé que llevas mucho tiempo buscando una manera de deshacerte de la maldición. Y ahora que sabes que el Kalpavriksha de los jardines Nandana es falso, parece que no te quedan opciones. Así pues, habla y no me hagas perder el tiempo.

Bu ahuecó las plumas antes de cerrar los ojos.

—Vamos a llevar a las gemelas Pandava hasta la Casa de la Luna para protegerlas —dijo—. Yo… dejaré abierta una de las puertas del carruaje para que podáis atrapar a la que te guiará hasta el Kalpavriksha. Si no quieres que te persigan, deberás quitarle el dispositivo de rastreo celestial. Pero júrame por lo que te quede de alma que no le harás daño.

Las sombras parpadearon.

—¿Y a cambio?

—A cambio —contestó Bu mientras levantaba la cabeza—, compartirás el árbol de los deseos conmigo cuando lo encuentres.

Las sombras se quedaron quietas. En el interior profundo de los pliegues de oscuridad, el Durmiente soltó una carcajada.

—¿Tan poca fe tienes en tus discípulas, Subala?

Bu resopló indignado.

—Son jóvenes, pero tienen mucho potencial. Aun así… no sé si lo van a lograr. Y no quiero perder la oportunidad de regresar a mi forma real, porque así podré protegerlas de ti.

Las visiones por fin se acabaron y la parte de Aru que se había vuelto tan tirante se rompió al final.

CUARENTA Y NUEVE

La rabia de una Pandava despechada

Las paredes de la estancia se esfumaron y Aru se encontró a sí misma arrodillada en el suelo frente a Aranyani y el Kalpavriksha.

No dejaba de temblar ni era capaz de detener las lágrimas que le resbalaban por el rostro. Quería recomponerse, pero le parecía imposible.

Sentía como si todo el aire del mundo hubiera desaparecido. Y no solo el aire, el propio mundo; el mundo que creía conocer, lleno de personas a las que amaba y que le habían devuelto ese cariño, lo habían arrancado de debajo de sus pies como una alfombra, por lo que ya no sabía por dónde pisar, dónde ir… en quién confiar.

La confianza era el cuchillo que al fin había desatado una emoción que no pensaba que pudiera sentir: rabia. Notó que le inundaba las venas como la sangre y le zumbaba en el cuerpo como un pulso nuevo. Era más rabia que niña, más rabia que Pandava.

Aru oyó la voz rota de su madre: «Cuando vi lo mucho que había cambiado, no supe qué hacer». Querría regresar en el tiempo, gritarles a Hanuman y a Urvashi para que dejaran a su madre en paz, mostrarles todo lo que Suyodhana había sufrido solo porque quería a su familia. Las había querido tanto que había sacrificado un deseo que le hubiera dado un futuro. Le habían robado a su padre no por culpa suya, sino por culpa de los *devas*, de su madre, de todo el mundo, menos de él.

Respiró de forma temblorosa antes de que sus pensamientos regresaran a Bu…

Bu, al que le gustaba posarse en su cabeza y comer Oreos de sus manos, dormir en su casa, insistir para que utilizara el hilo dental cada noche y se tomara sus vitaminas. Bu, que la había querido y enseñado, pero había traicionado a sus hermanas igualmente.

Las palabras de Sheela en aquel sueño volvieron con una nueva luz: «Está cometiendo un error horrible y lo odiarás por su amor».

—Lo odio —dijo con voz ahogada—. Lo odio.

Un brillo radiante rodeó a Aru. Miró hacia arriba, casi sorprendida al encontrarse a Aranyani aún frente a ella. Quería salir de allí lo antes posible, volver con sus amigos, pero la mirada de la diosa la mantenía en su sitio.

—Ese es el precio de tu deseo, niña —dijo Aranyani tras levantarle la barbilla con dos dedos—. El conocimiento. ¿Lo entiendes? Ese será tu arrepentimiento, lo que deberás acarrear contigo si decides usar el poder del Kalpavriksha. —Señaló el colgante—. Eres demasiado joven para soportar esa carga y yo puedo eliminar la última visión de tus recuerdos. Puedo devolverte junto a tus amigos.

Puedo incluso hacer que la arboleda se trague al ejército del Durmiente, aunque no puedo detener la guerra. Depende de ti. Si eliges llevar encima ese peso, adelante, di lo que deseas.

A Aru no le importaba si era cobarde; estaba a punto de cogerle la mano a Aranyani y suplicarle que se deshiciera de aquel fragmento de conocimiento, que lo ocultara para siempre. Era demasiada carga que soportar, no había espacio en su corazón. Sus amigos estarían bien, el Más Allá sobreviviría. Nadie necesitaría que cargara con eso. Estarían a salvo…

«A salvo de momento», susurró una voz en su cabeza. «¿Y después?».

Aru recordó que las malvadas palabras que Ópalo les había espetado, cuando les dijo que no serían lo bastante buenas, aún no se habían cumplido. Pensó en la duda que le corroía el corazón, la duda que había dejado de lado porque haría que no fuera de fiar, porque la convertiría en la hermana «no verdadera». Todo ese tiempo habían sido los demás los que no eran de fiar, en vez de ella. Los *devas*, el Consejo, los maestros (Urvashi, Hanuman, Bu), quienes le habían tendido la mano y prometido que no la dejarían caer. No quería luchar a su lado.

Pero el Durmiente tampoco era mejor. Había visto el vacío en sus ojos, la crueldad de su ejército, el dolor y la destrucción que había causado en el mundo mortal y en el Más Allá. Lo que había ocurrido con Suyodhana no era culpa suya, pero lo que estaba haciendo él ahora tampoco estaba bien.

Quería con todas sus fuerzas que el mundo dejara de ser complicado, que hubiera una clara línea divisoria entre el bien y el mal, como entre las partes blancas y negras de una Oreo. Pero el mundo no era una galleta. A veces lo bueno y lo malo no dependían más que del cristal con el que se miraba; la visión siempre cambiaba según quién lo sostuviera.

Solo había algo que Aru sentía que era bueno.

Sus hermanas y amigos. La fuerte Brynne con su fragilidad y la tímida Mini con su fuerza secreta. Nikita y Sheela, que no merecían acabar abandonadas o que el Consejo las tratara como marionetas. Aiden, que solo quería capturar la belleza del mundo. Incluso Rudy, que tenía mucho más que ofrecer de lo que creía su familia.

Lucharía por ellos. Pediría el deseo por ellos, independientemente de lo que eso significara para ella.

Aru volvió a cerrar la mano en torno al pequeño árbol de oro. Observó a Aranyani con determinación en la mirada y la voz firme cuando dijo:

—Deseo que ganemos nosotros.

CINCUENTA

La palabra que Aru nunca dijo

El ejército del Durmiente iba ganando.

Aru no sabía cómo había vuelto al campo de batalla, pero allí estaba. Mientras examinaba la escena, se toqueteó el colgante y reparó en que se le había añadido una tercera cuenta, que contenía todo lo que había visto en la Arboleda de los Arrepentimientos.

Debajo de ella, el suelo estaba manchado de pintura y había ramas rotas de los árboles. Miró a sus amigos y el estómago le dio un vuelco.

Brynne golpeó el aire con el bastón de viento, pero sus movimientos eran pesados. Mini creó un campo de fuerza, pero la luz era débil y vacilante. Aiden cojeaba y solo sostenía una cimitarra. Sheela estaba agazapada en el suelo con una mano sobre Nikita, que se había desplomado, inconsciente. Rudy se arrastraba de un lado a otro para bloquear ataques con la cola mientras la sangre le goteaba del brazo.

—¡DETENEOS! —gritó.

En el centro de toda la destrucción, se retorcía la masa negra del Durmiente. Las sombras se paralizaron al oír su voz y se contorsionaron al reconocerla. El ejército de demonios y *raksasas* se detuvo, jadeante, y se giró para mirarla.

Las sombras se juntaron para formar una columna antes de desprenderse y revelar al Durmiente de pie, vestido con una *sherwani* color carbón y unos pantalones negros que terminaban con volutas color humo. La visión hizo que Aru temblara. No podía mirarlo sin ver a Suyodhana, como dos imágenes translúcidas superpuestas. Una era el padre que la había querido y la otra, su mayor enemigo, la amenaza número uno del mundo al que amaba y de las personas que lo ocupaban.

—Estaba dispuesto a dejaros marchar… a dejaros vivir —dijo—. Pero me he dado cuenta de que se me ha acabado la compasión. —El Durmiente levantó la mano y Aru sintió que una parte de él sabía lo que ella iba a hacer antes incluso de que ocurriera.

Chasqueó los dedos y el *vajra* se transformó en un aerodeslizador bajo sus pies.

«Vamos», lo apremió.

El rayo se lanzó hacia delante, directo al Durmiente.

—¡No, Aru! —gritó Mini.

Pero ya no la escuchó, no escuchaba a nadie, salvo a sí misma. Aru no estaba segura de qué la estaba guiando en aquel instante, pero parecía que las manos se le movían por voluntad propia. El ejército del Durmiente se acercó y este estaba ya a tres metros, metro y medio…

Con un tirón fuerte, Aru se quitó el colgante del cuello. Las tres cuentas de los recuerdos parpadearon bajo la luz.

El Durmiente abrió los brazos.

En otro mundo, en otra vida, hubiera parecido un abrazo.

Aru se esforzó por mantener los ojos abiertos mientras las sombras saltaban hacia delante y se le enrollaban en las piernas y el estómago y la apretaban como serpientes. Pasó los brazos alrededor del cuello del Durmiente y le ajustó por detrás el collar de los recuerdos. A la vez que las sombras la atrapaban y el mundo se volvía borroso y gris, Aru encontró la fuerza para decir una última cosa:

—Lo siento, papá.

EPÍLOGO

Aru se removió.

Le sobrevinieron fragmentos de sueños y recuerdos. Sombras. Oscuridad. La sensación de que la levantaban y la abrazaban…

Alguien entre las tinieblas dijo su nombre en forma de pregunta…

«¿Arundhati?».

Una repentina ráfaga de aire.

Aru abrió los ojos. Se encontraba frente a una cueva oscura, pero no estaba sola. Delante, había otra niña sentada, una niña que parecía tener su misma edad. Tenía el pelo negro y largo, los pómulos altos como los de una supermodelo y ojos de gato. Había algo misteriosamente familiar en su cara. Sintió que ya la había visto antes, pero no sabía dónde.

—Soy Kara —dijo la chica.

Aru levantó los brazos mientras se esforzaba por liberarse, pero tenía las manos atadas y una cadena de acero la mantenía unida a la pared de la cueva.

Recordaba ligeramente el grito de Mini, «¡No, Aru!», y la sensación de las sombras al tirarla del aerodeslizador…

«¡*Vajra*!», pensó. Bajó la vista y se sintió aliviada al ver el rayo pegado con firmeza a su muñeca.

—¿Dónde estoy?

Kara sonrió, empática.

—En la casa del Durmiente, Aru Shah.

—¿Y tú quién eres?

Kara levantó la barbilla.

—Soy su hija.

GLOSARIO

¡**J**A! ¡HAS VUELTO! Buen trabajo, yo. Como siempre, me gustaría empezar el glosario diciendo que no pretende ser un resumen exhaustivo de todos los matices de la mitología hindú. La India es GIGANTESCA y los mitos y leyendas cambian de un estado a otro. Lo que vas a leer a continuación es solamente un trocito de lo que he entendido de las historias que me contaron y de la investigación que he llevado a cabo. Lo fantástico de la mitología es que puede abarcar muchas tradiciones de muchísimas regiones. Espero que este glosario te dé cierto contexto para el mundo de Aru y, quizá, te anime a que tú también te pongas a investigar un poquito. ☺

Adrishya. Palabra que significa «invisible» o «desaparecer».

Agni. Dios hindú del fuego. También es el guardián del sureste. El fuego es muy importante en muchos rituales hindúes, y se cuentan mitos de lo más divertidos sobre el papel de Agni. Por ejemplo, un sabio lo maldijo y lo convirtió en el devorador de todo lo que hubiera en la tierra (nunca me contó nadie por qué estaba tan enfadado el sabio... ¿Acaso Agni le hizo una quemadura en su camiseta favorita? ¿Le había chamuscado las palomitas?), pero entonces Brahma, el dios creador, lo arregló para que Agni fuera el purificador de todo lo que tocara. Dicho esto, Agni tenía un apetito de mil demonios. Una vez, se comió tanta mantequilla clarificada (que se utilizaba a menudo en rituales religiosos) de los monjes que nada le pudo curar el dolor de barriga, salvo un bosque entero. Sucedió en el bosque de Khandava. Pero había un problemilla. Indra, el dios del trueno, protegía ese bosque, porque era allí donde vivía la familia de su amigo Takshaka.

Amaravatí. Tengo la mala fortuna de no haber visitado nunca esta legendaria ciudad, pero me han dicho que es espectacular. Y debe de serlo, si tenemos en cuenta que es donde vive el dios Indra. Está repleta de palacios de oro y de jardines celestiales llenos de mil tesoros, entre los que incluso se encuentra un árbol en el que crecen deseos. Me pregunto a qué huelen las flores de allí. Supongo que a tarta de cumpleaños, porque es básicamente el paraíso.

Ammamma. «Abuelo» en telugu, uno de los numerosos idiomas que se hablan en la India, más común en el sur del país.

Amrita. Bebida inmortal de los dioses. Según las leyendas, el sabio Durvasa maldijo a los dioses con perder la inmortalidad. Para recuperarla, debían batir el Océano de Leche celestial. Para llevar a cabo la tarea, sin embargo, tuvieron que pedir ayuda a los *asuras*, otra raza de seres semidivinos que siempre estaban en guerra con los *devas*. Como recompensa por la ayuda prestada, los *asuras* pidieron a los *devas* que compartieran un poco de la *amrita*. Que es, en fin, lo más justo. Pero para los dioses «justo» significa otra cosa.

Así pues, engañaron a los *asuras*. Vishnu, el dios supremo, también conocido como el protector, adoptó la forma de Mohini, una preciosa hechicera. Los *asuras* y los *devas* se colocaron en dos filas. Mientras Mohini repartía la *amrita*, los *asuras* se quedaron tan embobados con su belleza que no se dieron cuenta de que la maga les estaba dando todo el néctar de la inmortalidad a los dioses y no a ellos. ¡Qué egoísta! Por cierto, no tengo ni idea de a qué sabe la *amrita*. Seguramente, a tarta de cumpleaños.

Apsaras. Bailarinas celestiales muy bellas que entretienen a la Corte de los Cielos. A menudo son las esposas de los músicos celestiales. En los mitos hindúes, el dios Indra suele enviar a las *apsaras* a interrumpir la meditación de los sabios que se están volviendo demasiado poderosos. Cuesta mucho seguir meditando si una ninfa celestial empieza a bailar delante de ti. Y si menosprecias su atención, como hizo Arjuna en el *Mahabharata*, a lo mejor te maldice y todo. Cuidadito.

Aranyani. La diosa hindú de los bosques y los animales, que está casada con el dios de la equitación, Revanta. Es famosa por ser escurridiza, lo que significa que nunca sabremos cuál es su casa de Hogwarts. Una pena.

Ashvin (gemelos Ashvin). Los dioses del amanecer y del atardecer, y de la sanación. Son hijos del dios del sol, Surya, y padres de los gemelos Pandava, Nakula y Sahadeva. Se los considera doctores de los dioses y se los suele representar con rostro de caballo.

Asura. Raza de seres semidivinos que a veces son buenos y a veces son malos. Se los conoce sobre todo por la historia del batido del Océano de Leche.

Chakora. Pájaro mitológico del que se cuenta que vive de la luz de la luna. Imagina una gallina muy bonita que, en lugar de los granos de maíz, prefiere alimentarse con polvo lunar (que suena mucho más delicioso, las cosas como son).

Chandra. El apuesto dios de la luna, que suele meterse en líos. Hay muchos mitos sobre por qué la luna crece y mengua. Hay uno que dice que Chandra tenía una esposa favorita entre las veintisiete constelaciones hermanas con las que estaba casado. Al padre de las esposas, Daksha, no le gustaba que Chandra no las tratara a todas por igual, así que lo maldijo para que se marchitara. Pero Chandra apeló al Señor de la Destrucción (véase **Shiva**) y la maldición se suavizó. Según otro relato, Chandra se rio de Ganesh, el dios con cabeza de elefante, y este se ofendió tanto que le lanzó un colmillo y lo maldijo «para que jamás volviera a estar entero». Bueno, al menos no durante mucho tiempo.

Daksha. Un rey celestial y uno de los hijos de Brahma, el dios de la creación. Daksha tenía muchas hijas, unas cincuenta por lo menos. Y era un padre superprotector. Si un marido maltrataba a sus hijas, lo maldecía hasta llevarlo al borde de la extinción misma. En serio. Pregúntale a Chandra y te lo dirá.

Danda. Vara gigantesca y castigadora que suele considerarse el símbolo de Yama, el dios de la muerte.

Devas. Término sánscrito para la raza de los dioses.

Draupadi. Princesa que fue la esposa de los cinco hermanos Pandava. Sí, lo has leído bien: de los cinco. Verás, ofrecieron su mano en matrimonio a quien fuera capaz de realizar una gran proeza con el arco y tal..., y ganó Arjuna, porque era Arjuna. Al llegar a casa, le dijo con alegría a su madre (que le daba la espalda y rezaba): «¡He ganado algo!». Y su madre le respondió: «Compártelo con tus hermanos». Lo demás debió de ser de lo más curioso. En fin. Draupadi era famosa por ser honesta e independiente, y condenaba a quienes malinterpretaran a su familia. En algunos lugares se la considera una diosa. Cuando al final los Pandava se encaminaron hacia los cielos, Draupadi fue la primera en derrumbarse y en morir (posdata: amaba a Arjuna más que a sus otros maridos). La mitología es muy chunga.

Dwarka. Un antiguo reino gobernado por el rey dios Krishna. Dwarka es todavía una ciudad muy poblada en la India y pertenece al estado de Guyarat.

Gandharva. Raza de seres semidivinos famosos por sus habilidades musicales cósmicas.

Ganesh. El dios de la suerte y los nuevos comienzos con cabeza de elefante. En sus oraciones, muchos hindúes suelen invocar primero a Ganesh para eliminar todos los obstáculos. A Ganesh le encantan los dulces, es ecuánime y sabio, y va montado en un pequeño ratón. (Debe de ser un ratón muy fuerte, porque Ganesh no es un dios con cabeza de elefante muy pequeño, precisamente). De niña, siempre tuve mucha curiosidad por saber por qué tenía una cabeza de elefante. Resulta que hizo una de las pocas cosas que te aseguran la decapitación: ENFADAR A SHIVA, EL SEÑOR DE LA DESTRUCCIÓN. ¡En serio, dioses! ¡¿Cuándo aprenderéis?! Pero en un giro extraño de los acontecimientos, Ganesh es el hijo de Shiva. Lo que pasa es que, bueno, se ve que el dios de la destrucción no lo sabía. Un día, Shiva se fue a hacer recados y su esposa construyó un niño pequeño de cúrcuma que la cuidara mientras ella se daba un bañito de burbujas. Shiva volvió a casa, acarreando todas esas bolsas voluminosas del Lidl y exigió que lo dejaran entrar. Su hijo, que no lo conocía, le dijo: «¡Anda y piérdete, carcamal!». A Shiva no le hizo ninguna gracia. La cola para pagar la compra había sido muy larga y estaba cansado, así que... le cortó la cabeza al chaval. Así como lo lees. Luego entró y tuvo que enfrentarse a la ira de una diosa furiosa. Le entró el pánico y se lanzó a la selva, donde vio a un elefante. Le cortó la cabeza al elefante, se la pegó al niño para devolverle la vida, y, *voilà*, ahí tienes a un dios de los nuevos comienzos con un nombre que le va al pelo.

Garuda. El rey de los pájaros y montura de Vishnu, dios de la protección. También se lo conoce como enemigo de las serpientes.

Hanuman. Una de las figuras principales del *Ramayana*, el poema épico indio, un personaje conocido por su devoción hacia el dios-rey Rama y Sita, su esposa. Hanuman es hijo de Vayu, el dios del viento, y de Anjana, una *apsara*. De niño cometió mil travesuras, como por ejemplo confundir el sol con un mango e intentar comérselo. Todavía hay templos y santuarios dedicados a Hanuman, y muchos luchadores lo veneran por su increíble fuerza. Es hermanastro de Bhima, el segundo hermano Pandava.

Holi. Un gran festival hindú, también conocido como el «festival de los colores» o «festival del amor», en el que se celebra un festín y las personas se arrojan polvos de colores las unas a las otras. Hay muchas interpretaciones diferentes del significado del Holi y del sentido de los colores, dependiendo de la región de la India de la que sea originaria la familia. Mi familia celebra el triunfo del bien sobre el mal, representado por el cuento de Narasimha (véase: **Narasimha**), quien protegió al hijo devoto de un rey demonio.

Indra. Rey del cielo y dios del trueno y el rayo. Es el padre de Arjuna, el tercer hermano Pandava. Su arma principal es el *vajra*, un relámpago. Tiene dos *vahanas*: Airavata, el elefante blanco que tejía nubes, y Uchchaihshravas, el caballo blanco de siete cabezas. Creo que puedo adivinar cuál es el color favorito del dios...

Kadru. Una de las hijas de Daksha (¡ya te he dicho que tenía muchas chicas!); considerada la madre de las serpientes.

Kalpavriksha. Árbol divino lleno de deseos. Se cuenta que sus raíces son de oro y plata, con ramas cubiertas de joyas engarzadas, y que se encuentra en los jardines paradisíacos del dios Indra. A mí me parece algo muy útil digno de robar. O de proteger. No digo más.

Kashyapa. Un sabio poderoso y padre de Garuda, rey de los pájaros.

Krishna. Importantísima divinidad hindú. Se lo considera la octava reencarnación del dios Vishnu y también un gran gobernante. Es el dios de la compasión, la ternura y el amor, y es famoso por su carácter encantadoramente travieso.

Kubera. El dios de las riquezas y gobernante de la legendaria ciudad dorada de Lanka. Se lo suele representar como un enano lleno de joyas. Seguro que volveremos a saber de él... Guiño, guiño, codazo, codazo para el lector de este glosario.

Lanka. La legendaria ciudad de oro, a veces gobernada por Kubera, a veces por su hermano demoníaco, Ravana. Lanka es un escenario importante en el poema épico del *Ramayana*.

Mahabharata. Uno de los poemas épicos sánscritos de la antigua India (el otro es el *Ramayana*). Es una gran fuente de información sobre el desarrollo del hinduismo entre los años 400 y 200 a. C. y cuenta la historia de la batalla entre dos grupos de primos, los Kaurava y los Pandava.

Marut. Deidades menores de la tormenta a menudo descritas como violentas y agresivas, y que llevan siempre muchas armas consigo. La leyenda dice que los Marut una vez cabalgaron por el cielo y abrieron las nubes para que la lluvia pudiera caer sobre la tierra.

Mohini. Una de las personificaciones de Vishnu, conocida como la diosa del encantamiento. Los dioses y *asuras* se unieron para agitar el Océano de Leche con la promesa de compartir el néctar de la inmortalidad entre todos. Pero los dioses no querían colegas demoníacos inmortales, así que Mohini engañó a los *asuras* y vertió el néctar en las copas de los dioses mientras sonreía a los demonios por encima del hombro.

Naga (nagini en plural). Grupo de seres mágicos serpentinos que en algunas regiones de la India se consideran divinos. Entre los *nagini* más famosos se encuentra Vasuki, uno de los reyes serpiente que los dioses y los *asuras* utilizaron como cuerda para coger el elixir de vida una vez batido el Océano de Leche. Otra es Ulupi, una princesa *naga* que se enamoró de Arjuna, se casó con él y lo salvó gracias a una gema mágica.

Nakshatra. El nombre colectivo de las veintisiete constelaciones casadas con Chandra, dios de la luna.

Nakula. El más apuesto de los hermanos Pandava y un maestro de los caballos, la espada y la sanación. Es el gemelo de Sahadeva, y ambos son hijos de los gemelos Ashvin.

Nandana. Un jardín mítico situado en los cielos.

Narasimha. Una personificación temible de Vishnu. Antaño, hubo un rey demonio al que se le concedió una bendición. Haciendo gala de su tiranía, pidió invencibilidad así: «No quiero que me maten ni de noche ni de día; ni dentro ni fuera; ni a manos de un hombre ni de una bestia; y con ningún arma». Entonces fue como «¡Os he engañado!», y procedió a causar estragos por el mundo. El único que no siguió sus planes fue su hijo, Prahlad, que adoraba devotamente a Vishnu. Para proteger a Prahlad y derrotar al rey demonio, Vishnu apareció un día en el patio del rey demonio (no era ni dentro ni fuera); al atardecer (ni de noche ni de día); en forma de hombre con cabeza de león (ni a manos de un hombre ni de una bestia) y luego arrastró al rey hasta su regazo y lo despedazó con sus garras (no con un arma). Y por eso, niños, es por lo que siempre debéis tener un abogado que les eche un vistazo a vuestros deseos. Los vacíos legales son de lo peor. ¿Por qué los dioses se tomaron tantas molestias? Ni idea. A fin de cuentas, podrían haber enviado a una chica. ¡Pam! Acertijo resuelto.

Pandava. (Hermanos Pandava: Arjuna, Yudhisthira, Bhima, Nakula y Sahadeva). Cinco príncipes/guerreros semidivinos, los héroes del poema épico *Mahabharata*. Arjuna, Yudhisthira y Bhima fueron hijos de la reina Kunti, la primera esposa del rey Pandu; Nakula y Sahadeva, de la reina Madri, la segunda esposa de Pandu.

Rahuketu. Los nodos lunares ascendentes y descendentes del cielo, responsables de los eclipses. Originalmente, Rahuketu era un ser, pero cuando intentó beber el néctar inmortal, Vishnu le cortó la cabeza. Todavía gozan de inmortalidad, solo que dividida entre sus dos mitades.

Raksasa. Seres mitológicos, como semidioses, que a veces son buenos y a veces son malos. Son poderosos hechiceros y pueden adoptar la forma que deseen. *Raksasa* es masculino y *raksasi*, femenino.

Rama. El héroe del poema épico *Ramayana*. Era la séptima reencarnación del dios Vishnu.

Ramayana. Uno de los dos poemas épicos sánscritos (el otro es el *Mahabharata*). Relata cómo el rey-dios Rama, ayudado por su hermano y Hanuman, el semidiós con cara de mono, rescata a Sita (la esposa de Rama) de las garras de Ravana, el rey demonio de diez cabezas.

Ravana. Personaje del *Ramayana*, en el que se lo describe como el rey demonio de diez cabezas que secuestra a Sita, la esposa de Rama. Se cuenta que Ravana tiempo atrás fue devoto de Shiva. Y que también fue un gran estudiante, un gobernante formidable y un maestro de la *veena* (un instrumento musical), y que deseó tener más poder que los dioses. Para ser sincera, es uno de mis antagonistas favoritos, porque es un ejemplo de que la línea que separa a los héroes de los villanos es muy muy fina.

Sahadeva. El gemelo de Nakula y el más sabio de los Pandava. Era famoso por su destreza con la espada y, además, era un gran astrólogo, pero le echaron una maldición: si revelaba los acontecimientos antes de que ocurrieran, le explotaría la cabeza.

Sánscrito. Lengua antigua de la India. Muchos textos y poemas épicos hindúes están escritos en sánscrito.

Shani. El dios de Saturno y también de la justicia. Un día, su esposa estaba enfadadísima porque no se molestaba en mirarla siquiera (eso me suena) y lo maldijo para que arrasara y destrozara con la mirada; eso lo obligaba a mirar siempre hacia abajo, claro. Pero la maldición desapareció al final cuando, gracias a sus actos kármicos, recibió el título de dios de la justicia.

Shiva. Uno de los tres dioses principales del panteón hindú, a menudo relacionado con la destrucción. También es conocido como el Señor del Baile Cósmico. Su consorte es Parvati.

Takshaka. Rey *naga* y viejo amigo de Indra que vivía en el bosque de Khandava antes de que Arjuna colaborara en su incendio, matando así a casi toda la familia de Takshaka. En ese momento, juró vengarse de los Pandava. Me pregunto por qué...

Urvashi. Célebre *apsara*, considerada la más bella de todas. Su nombre significa, literalmente, «la que puede controlar los corazones de los demás». Y también tiene mucho genio. En el *Mahabharata*, mientras Arjuna pasaba el rato en el cielo con Indra, su padre, Urvashi hizo correr el rumor de que Arjuna le parecía bastante mono. Pero Arjuna no estaba por la labor. En cambio, la llamó «madre» con mucho respeto, porque Urvashi había sido la esposa del rey Pururavas, un antepasado de los Pandava. Al sentirse despreciada, Urvashi lo maldijo y Arjuna perdió la virilidad durante un año. (¡Menuda era!). En ese tiempo, Arjuna se hizo pasar por un eunuco, se puso el nombre de Brihannala y le enseñó a cantar y a bailar a la princesa del reino de Virata.

Vimana. Un palacio o carro volador. He preguntado en muchos concesionarios dónde se puede comprar algo así, pero en todos me han echado y me han pedido que no vuelva. Pues vale.

Vishnu. Segundo dios del triunvirato hindú (también conocido como *trimurti*). Los tres dioses son los responsables de la creación, la protección y la destrucción del mundo. Los dos restantes son Brahma y Shiva. Brahma es el creador del universo y Shiva, el destructor. A Vishnu se lo considera el protector. Ha adoptado muchas formas y personas diferentes, y en las más famosas fue Krishna, Mohini y Rama.

Vishwakarma. El dios de la arquitectura. Se cree que fue el ingeniero primigenio que enseñó a los humanos a construir monumentos duraderos. Algunos de sus mayores éxitos incluyen Lanka, la ciudad de oro, y la ciudad de Dwarka.

Yaksha. Ser sobrenatural de las mitologías hindú, budista y jaina. Los *yakshas* son los asistentes de Kubera, el dios hindú de la riqueza, que gobierna el mítico reino de Alaka, en el Himalaya. *Yaksha* es masculino y *yakshini*, femenino.

Yali. Una criatura mítica que puede ser una amalgama de todo tipo de animales, como leones, cocodrilos y antílopes. Se dice que protegen y vigilan las entradas de los templos.

Yama. El Señor de la Muerte y la Justicia, y padre del hermano mayor de los Pandava, Yudhistira. Monta en un búfalo de agua.

Yamuna. Una diosa del río muy adorada y también el nombre de uno de los mayores ríos afluentes de la India. Yamuna es la hija del dios del sol, Surya, y hermana de Yama, el dios de la muerte.

¡Fiuuu! ¿Te lo has leído todo? Te mereces unas vacaciones. ¿Qué te parece la ciudad de oro?